KU-157-932

Les Misérables

Victor Hugo

Les Misérables

Abrégé par Marie-Hélène Sabard

Classiques abrégés
l'école des loisirs
11, rue de Sèvres, Paris 6e

VICTOR HUGO est né à Besançon en 1802 et mort à Paris en 1885. À vingt ans, il publie son premier volume d'odes et reçoit une pension de Louis XVIII. En 1823 paraît son premier roman, *Han d'Islande*, et en 1827 *Cromwell*, dont la préface devient le manifeste du romantisme.

Avec *Hernani*, Victor Hugo porte le romantisme sur les scènes des théâtres. En 1831 paraît *Notre-Dame de Paris*.

Victor Hugo, royaliste dans sa jeunesse, devient vers les années 1850 de plus en plus libéral. La révolution de 1848 le trouve du côté de la gauche démocratique. Tout logiquement, il combat Louis Bonaparte quand celui-ci rétablit l'Empire.

Victor Hugo quitte Paris pour un exil qui durera dix-huit ans, d'abord à Bruxelles, puis à Jersey. En 1859 il publie le premier volume de *la Légende des siècles*, en 1862 *les Misérables*, en 1866 *les Travailleurs de la mer*, puis, en 1874, *Quatrevingt-treize*.

Il rentre à Paris après la chute de l'Empire et continue à écrire et à publier jusqu'à sa mort.

Illustrations de Gustave Brion (page de titre), Alphonse de Neuville (pages 8, 123, 126, 252 et 317), Adrien Marie (page 76) et Théodore Lix (page 182).

Maquette et composition : Sereg, Paris
Loi n° 49.956 du 16 juillet 1949 sur les publications destinées à la jeunesse : septembre 1996
Dépôt légal : décembre 2013
Imprimé en France par CPI Firmin Didot à Mesnil-sur-l'Estrée
N° d'édit. : 2. N° d'impr. : 120754

ISBN 978-2-211-21535-0

Première partie

Fantine

LIVRE PREMIER

Un juste

En 1815, M. Charles-François-Bienvenu Myriel était évêque de Digne. C'était un vieillard d'environ soixante-quinze ans; il occupait le siège de Digne depuis 1806.

M. Myriel était arrivé à Digne accompagné d'une vieille fille, Mlle Baptistine, qui était sa sœur et qui avait dix ans de moins que lui.

Ils avaient pour tout domestique une servante du même âge que Mlle Baptistine, et appelée Mme Magloire.

On pouvait appeler M. Myriel à toute heure au chevet des malades et des mourants. Il n'ignorait pas que là était son plus grand devoir et son plus grand travail. Les familles veuves ou orphelines n'avaient pas besoin de le demander, il arrivait de lui-même. Il savait s'asseoir et se taire de longues heures auprès de l'homme qui avait perdu la femme qu'il aimait, de la mère qui avait perdu son enfant. Comme il savait le moment de se taire, il savait aussi le moment de parler. Ô admirable consolateur! il ne cherchait pas à effacer la douleur par l'oubli, mais à l'agrandir et à la dignifier par l'espérance. Il savait que la croyance est saine. Il cherchait à conseiller et à calmer l'homme désespéré en lui indiquant du doigt l'homme résigné, et à transformer la douleur qui regarde une fosse en lui montrant la douleur qui regarde une étoile.

Il y avait près de Digne dans la campagne un homme qui vivait solitaire. Cet homme, disons tout de suite le gros mot, était un ancien conventionnel. Il se nommait G.

On parlait du conventionnel G. dans le petit monde de Digne avec une sorte d'horreur. Un conventionnel, vous figurez-vous cela? Cela existait du temps qu'on se tutoyait et qu'on disait: citoyen. Cet homme était à peu près un monstre. Il n'avait pas voté la mort du roi, mais presque. Il avait été terrible. Commérages des oies sur le vautour.

Il habitait, à trois quarts d'heure de la ville, loin de tout hameau, loin de tout chemin, on ne sait quel repli perdu d'un vallon très sauvage. On parlait de cet endroit-là comme de la maison du bourreau.

Un jour enfin le bruit se répandit dans la ville que le vieux scélérat se mourait et qu'il ne passerait pas la nuit. «Dieu merci!» ajoutaient quelques-uns. L'évêque prit son bâton, mit son pardessus, et partit.

Le soleil déclinait et touchait presque l'horizon, quand l'évêque arriva à l'endroit excommunié.

C'était une cabane toute basse, indigente, petite et propre avec une treille clouée à la façade.

Devant la porte, dans une vieille chaise à roulettes, fauteuil du paysan, il y avait un homme en cheveux blancs qui souriait au soleil.

L'évêque s'avança. Au bruit qu'il fit en marchant, le vieux homme assis tourna la tête, et son visage exprima toute la quantité de surprise qu'on peut avoir après une longue vie.

– Depuis que je suis ici, dit-il, voilà la première fois qu'on entre chez moi. Qui êtes-vous, monsieur?

L'évêque répondit:

– Je me nomme Bienvenu Myriel.

– Bienvenu Myriel. J'ai entendu prononcer ce nom. Est-ce que c'est vous que le peuple appelle monseigneur Bienvenu?

– C'est moi.

Le vieillard reprit avec un demi-sourire:

– En ce cas vous êtes mon évêque?

– Un peu.

Le conventionnel tendit la main à l'évêque, mais l'évêque ne la prit pas. L'évêque se borna à dire:

– Je suis satisfait de voir qu'on m'avait trompé. Vous ne semblez, certes, pas malade.

– Monsieur, répondit le vieillard, je vais guérir. Il fit une pause, et dit: Je mourrai dans trois heures.

L'évêque n'était pas ému comme il semble qu'il aurait pu l'être. Il ne croyait pas sentir Dieu dans cette façon de mourir.

Une pierre était là L'évêque s'y assit. L'exorde fut *ex abrupto*.

– Je vous félicite, dit-il du ton dont on réprimande. Vous n'avez toujours pas voté la mort du roi.

Le conventionnel ne parut pas remarquer le sous-entendu amer caché dans ce mot: *toujours*. Il répondit. Tout sourire avait disparu de sa face:

– Ne me félicitez pas trop, monsieur; j'ai voté la fin du tyran.

C'était l'accent austère en présence de l'accent sévère.

– Que voulez-vous dire? reprit l'évêque.

- Je veux dire que l'homme a un tyran, l'ignorance. J'ai voté la fin de ce tyran-là. Ce tyran-là a engendré la royauté qui est l'autorité prise dans le faux, tandis que la science est l'autorité prise dans le vrai. L'homme ne doit être gouverné que par la science.

– Et la conscience, ajouta l'évêque.

– C'est la même chose. La conscience, c'est la quantité de science innée que nous avons en nous.

Mgr Bienvenu écoutait, un peu étonné, ce langage très nouveau pour lui.

Le conventionnel poursuivit:

– Quant à Louis XVI, j'ai dit non. Je ne me crois pas le droit de tuer un homme; mais je me sens le devoir d'exterminer le mal. J'ai voté la fin du tyran. C'est-à-dire la fin de la prostitution pour la femme, la fin de l'esclavage pour l'homme, la fin de la nuit pour l'enfant. En votant la république, j'ai voté cela. J'ai voté la fraternité, la concorde, l'aurore! j'ai aidé à la chute des préjugés et des erreurs. Les écroulements des erreurs et des préjugés font de la lumière. Nous avons fait tomber le vieux monde, nous autres, et le vieux monde, vase des misères, en se renversant sur le genre humain, est devenu une urne de joie.

– Joie mêlée, dit l'évêque.

– Vous pourriez dire joie troublée, et aujourd'hui, après ce fatal retour du passé qu'on nomme 1814, joie disparue. Hélas, l'œuvre a été incomplète, j'en conviens; nous avons démoli l'Ancien Régime dans les faits, nous n'avons pu entièrement le supprimer dans les idées. Détruire les abus, cela ne suffit pas; il faut modifier les mœurs.

– Vous avez démoli. Démolir peut être utile; mais je me défie d'une démolition compliquée de colère.

– Le droit a sa colère, monsieur l'évêque; et la colère du droit est un élément du progrès. N'importe, et quoi qu'on en dise, la Révolution française est le plus puissant pas du genre humain depuis l'avènement du Christ. Incomplète, soit; mais sublime. Elle a calmé, apaisé, éclairé; elle a fait couler sur la terre des flots de civilisation. Elle a été bonne. La Révolution française, c'est le sacre de l'humanité.

Son résultat, c'est le monde meilleur. De ses coups les plus terribles il sort une caresse pour le genre humain. J'abrège. Je m'arrête. J'ai trop beau jeu. D'ailleurs je me meurs.

Cessant de regarder l'évêque, le conventionnel acheva sa pensée en ces quelques mots tranquilles:

– Oui, les brutalités du progrès s'appellent révolutions. Quand elles sont finies, on reconnaît ceci: que le genre humain a été rudoyé, mais qu'il a marché.

Le conventionnel ne se doutait pas qu'il venait d'emporter successivement l'un après l'autre tous les retranchements intérieurs de l'évêque. Il en restait un pourtant, et de ce retranchement, suprême ressource de la résistance de Mgr Bienvenu, sortit cette parole où reparut presque toute la rudesse du commencement:

– Le progrès doit croire en Dieu. Le bien ne peut pas avoir de serviteur impie. C'est un mauvais conducteur du genre humain que celui qui est athée.

Le vieux représentant du peuple ne répondit pas. Il eut un tremblement. Il regarda le ciel et une larme germa lentement dans ce regard. La larme coula le long de sa joue livide, et il dit presque en bégayant, l'œil perdu dans les profondeurs:

– Ô toi! ô idéal! toi seul existes!

L'évêque eut une sorte d'inexprimable commotion.

Après un silence, le vieillard leva un doigt vers le ciel, et dit :

– L'infini est. Il est là. Si l'infini n'avait pas de moi, le moi serait sa borne ; il ne serait pas infini ; en d'autres termes, il ne serait pas. Or il est. Donc il a un moi. Ce moi de l'infini, c'est Dieu.

LIVRE DEUXIÈME

La chute

Ce soir-là, M. l'évêque de Digne était resté assez tard enfermé dans sa chambre.

Il travaillait encore à huit heures, quand Mme Magloire entra, selon son habitude, pour prendre l'argenterie dans le placard près du lit. Un moment après, l'évêque, sentant que le couvert était mis et que sa sœur l'attendait peut-être, ferma son livre, se leva de sa table et entra dans la salle à manger.

En ce moment on frappa à la porte un coup assez violent.

– Entrez, dit l'évêque.

La porte s'ouvrit.

Un homme entra.

Il avait son sac sur l'épaule, son bâton à la main, une expression rude, hardie, fatiguée et violente dans les yeux. Le feu de la cheminée l'éclairait. Il était hideux. C'était une sinistre apparition.

Mme Magloire n'eut pas même la force de jeter un cri. Elle tressaillit, et resta béante.

Mlle Baptistine se retourna, aperçut l'homme qui entrait et se dressa à demi d'effarement, puis elle se mit à regarder son frère et son visage redevint profondément calme et serein.

L'évêque fixait sur l'homme un œil tranquille.

Comme il ouvrait la bouche, sans doute pour demander au nouveau venu ce qu'il désirait, l'homme, sans attendre que l'évêque parlât, dit d'une voix haute :

– Voici. Je m'appelle Jean Valjean. Je suis un galérien. J'ai passé dix-neuf ans au bagne. Je suis libéré depuis quatre jours et en route pour Pontarlier qui est ma destination. Quatre jours que je marche depuis Toulon. Aujourd'hui j'ai fait douze lieues à pied. Ce soir en arrivant dans ce pays, j'ai été dans une auberge, on m'a renvoyé à cause de mon passeport jaune que j'avais montré à la mairie. J'ai été à une autre auberge. On m'a dit : – Va-t'en ! Chez l'un, chez l'autre. Personne n'a voulu de moi. J'ai été à la prison, le guichetier ne m'a pas ouvert. J'ai été dans la niche d'un chien. Ce chien m'a mordu et m'a chassé, comme s'il avait été un homme. On aurait dit qu'il savait qui j'étais. Je m'en suis allé dans les champs pour coucher à la belle étoile. Il n'y avait pas d'étoiles. J'ai pensé qu'il pleuvrait, et qu'il n'y avait pas de bon Dieu pour empêcher de pleuvoir, et je suis rentré dans la ville pour y trouver le renfoncement d'une porte. Là, dans la place, j'allais me coucher sur une pierre, une bonne femme m'a montré votre maison et m'a dit : – Frappe là. J'ai frappé. Qu'est-ce que c'est ici ? êtes-vous une auberge ? J'ai de l'argent, ma masse. Cent neuf francs quinze sous que j'ai gagnés au bagne par mon travail en dix-neuf ans. Je paierai. Je suis très fatigué, j'ai bien faim. Voulez-vous que je reste ?

– Madame Magloire, dit l'évêque, vous mettrez un couvert de plus.

Jean Valjean était d'une pauvre famille de paysans de la

Brie. Dans son enfance, il n'avait pas appris à lire. Quand il eut l'âge d'homme, il était émondeur à Faverolles. Sa mère s'appelait Jeanne Mathieu ; son père s'appelait Jean Valjean ou Vlajean, sobriquet probablement, et contraction de *voilà Jean*.

Jean Valjean était d'un caractère pensif sans être triste, ce qui est le propre des natures affectueuses. Somme toute, pourtant, c'était quelque chose d'assez endormi et d'assez insignifiant, en apparence du moins, que Jean Valjean. Il avait perdu en très bas âge son père et sa mère. Il n'était resté à Jean Valjean qu'une sœur plus âgée que lui, veuve, avec sept enfants, filles et garçons. Cette sœur avait élevé Jean Valjean et, tant qu'elle eut son mari, elle logea et nourrit son jeune frère. Le mari mourut. L'aîné des sept enfants avait huit ans, le dernier un an. Jean Valjean venait d'atteindre, lui, sa vingt-cinquième année. Il remplaça le père, et soutint à son tour sa sœur qui l'avait élevé. Cela se fit simplement, comme un devoir. Sa jeunesse se dépensait ainsi dans un travail rude et mal payé. On ne lui avait jamais connu de « bonne amie » dans le pays. Il n'avait pas eu le temps d'être amoureux.

Le soir il rentrait fatigué et mangeait sa soupe, sans dire un mot. Sa sœur, pendant qu'il mangeait, lui prenait souvent dans son écuelle le meilleur de son repas, le morceau de viande, la tranche de lard, pour le donner à quelqu'un de ses enfants ; lui, mangeant toujours, penché sur la table, presque la tête dans sa soupe, ses longs cheveux tombant autour de son écuelle et cachant ses yeux, avait l'air de ne rien voir et laissait faire.

Il gagnait dans la saison de l'émondage dix-huit sous par jour, puis il se louait comme moissonneur, comme manœuvre, comme garçon de ferme-bouvier, comme homme de peine. Il faisait ce qu'il pouvait. Sa sœur travaillait de son côté, mais que faire avec sept petits enfants? C'était un triste groupe que la misère enveloppa et étreignit peu à peu. Il arriva qu'un hiver fut rude. Jean n'eut pas d'ouvrage. La famille n'eut pas de pain. Pas de pain. À la lettre. Sept enfants.

Un dimanche soir, Maubert Isabeau, boulanger sur la place de l'église, à Faverolles, se disposait à se coucher, lorsqu'il entendit un coup violent dans la devanture grillée et vitrée de sa boutique. Il arriva à temps pour voir un bras passé à travers un trou fait d'un coup de poing dans la grille et dans la vitre. Le bras saisit un pain et l'emporta. Isabeau sortit en hâte; le voleur s'enfuyait à toutes jambes; Isabeau courut après lui et l'arrêta. Le voleur avait jeté le pain, mais il avait encore le bras ensanglanté. C'était Jean Valjean.

Ceci se passait en 1795. Jean Valjean fut traduit devant les tribunaux du temps pour «vol avec effraction la nuit dans une maison habitée».

Jean Valjean fut déclaré coupable. Les termes du code étaient formels. Il y a dans notre civilisation des heures redoutables; ce sont les moments où la pénalité prononce un naufrage. Quelle minute funèbre que celle où la société s'éloigne et consomme l'irréparable abandon d'un être pensant! Jean Valjean fut condamné à cinq ans de galères.

Le 22 avril 1796, une grande chaîne fut ferrée à Bicêtre. Jean Valjean fit partie de cette chaîne. Il était assis à terre comme tous les autres. Il paraissait ne rien comprendre à sa position, sinon qu'elle était horrible. Il est probable qu'il y démêlait aussi, à travers les vagues idées d'un pauvre homme ignorant de tout, quelque chose d'excessif. Pendant qu'on rivait à grands coups de marteau derrière sa tête le boulon de son carcan, il pleurait, les larmes l'étouffaient, elles l'empêchaient de parler, il parvenait seulement à dire de temps en temps : *J'étais émondeur à Faverolles.* Puis, tout en sanglotant, il élevait sa main droite et l'abaissait graduellement sept fois comme s'il touchait successivement sept têtes inégales, et à ce geste on devinait que la chose quelconque qu'il avait faite, il l'avait faite pour vêtir et nourrir sept petits enfants.

Il partit pour Toulon. Il y arriva après un voyage de vingt-sept jours, sur une charrette, la chaîne au cou. À Toulon, il fut revêtu de la casaque rouge. Tout s'effaça de ce qui avait été sa vie, jusqu'à son nom ; il ne fut même plus Jean Valjean ; il fut le numéro 24601. Que devint la sœur ? que devinrent les sept enfants ? Qui est-ce qui s'occupe de cela ?

C'est toujours la même histoire. Ces pauvres êtres vivants, ces créatures de Dieu, sans appui désormais, sans guide, sans asile, s'en allèrent au hasard, et s'enfoncèrent peu à peu dans cette froide brume où s'engloutissent les destinées solitaires, mornes ténèbres où disparaissent successivement tant de têtes infortunées dans la sombre marche du genre humain. Ils quittèrent le pays. Le clocher de ce qui avait été leur village les oublia ; la borne de ce qui avait été leur champ les oublia ; après quelques années de séjour au bagne, Jean Valjean lui-même les oublia. Dans ce cœur où il y avait eu une plaie, il y eut une cicatrice. Voilà tout.

Vers la fin de la quatrième année, le tour d'évasion de Jean Valjean arriva. Ses camarades l'aidèrent comme cela se fait dans ce triste lieu. Il s'évada. Il erra deux jours en liberté dans les champs ; si c'est être libre que d'être traqué ; de tourner la tête à chaque instant ; de tressaillir au moindre bruit ; d'avoir peur de tout, du toit qui fume, de l'homme qui passe, du chien qui aboie, du cheval qui galope, de l'heure qui sonne, du jour parce qu'on voit, de la nuit parce qu'on ne voit pas, de la route, du sentier, du buisson, du sommeil. Le soir du second jour, il fut repris. Il n'avait ni mangé ni dormi depuis trente-six heures. Le tribunal maritime le condamna pour ce délit à une prolongation de trois ans, ce qui lui fit huit ans. La sixième année, ce fut encore son tour de s'évader; il en usa, mais il ne put consommer sa fuite. Il avait manqué à l'appel. On tira le coup de canon, et à la nuit les gens de ronde le trouvèrent caché sous la quille d'un vaisseau en construction; il résista aux gardes-chiourme qui le saisirent. Évasion et rébellion. Ce fait prévu par le code spécial fut puni d'une aggravation de cinq ans. Treize ans. La dixième année, son tour revint, il en profita encore. Il ne réussit pas mieux. Trois ans pour cette nouvelle tentative. Seize ans. Enfin, ce fut, je crois, pendant la treizième année qu'il essaya une dernière fois et ne réussit qu'à se faire reprendre après quatre heures d'absence. Trois ans pour ces quatre heures. Dix-neuf ans. En octobre 1815 il fut libéré; il était entré là en 1796 pour avoir cassé un carreau et pris un pain.

Jean Valjean était entré au bagne sanglotant et frémissant; il en sortit impassible. Il y était entré désespéré; il en sortit sombre.

Que s'était-il passé dans cette âme?

Il faut bien que la société regarde ces choses, puisque c'est elle qui les fait.

C'était, nous l'avons dit, un ignorant; mais ce n'était pas un imbécile. Le malheur, qui a aussi sa clarté, augmenta le peu de jour qu'il y avait dans cet esprit. Sous le bâton, sous la chaîne, au cachot, à la fatigue, sous l'ardent soleil du bagne, sur le lit de planches des forçats, il se replia en sa conscience et réfléchit.

Il se constitua tribunal.

Il commença par se juger lui-même.

Il reconnut qu'il n'était pas un innocent injustement puni. Il s'avoua qu'il avait commis une action extrême et blâmable; qu'on ne lui eût peut-être pas refusé ce pain, s'il l'avait demandé; que dans tous les cas il eût mieux valu l'attendre, soit de la pitié, soit du travail; que ce n'est pas tout à fait une raison sans réplique de dire: Peut-on attendre quand on a faim?

Puis il se demanda:

S'il était le seul qui avait eu tort dans sa fatale histoire. Si d'abord ce n'était pas une chose grave qu'il eût, lui travailleur, manqué de travail, lui laborieux, manqué de pain. Si, ensuite, la faute commise et avouée, le châtiment n'avait pas été féroce et outré. Si cette peine, compliquée des aggravations successives pour les tentatives d'évasion, ne finissait pas par être une sorte d'attentat du plus fort sur le plus faible, un crime de la société sur l'individu, un crime qui recommençait tous les jours, un crime qui durait dix-neuf ans.

Ces questions faites et résolues, il jugea la société et la condamna.

Il la condamna à sa haine.

Il la fit responsable du sort qu'il subissait, et se dit qu'il n'hésiterait peut-être pas à lui en demander compte un jour. Il se déclara à lui-même qu'il n'y avait pas équilibre entre le dommage qu'il avait causé et le dommage qu'on lui causait; il conclut enfin que son châtiment n'était pas, à la vérité, une injustice, mais qu'à coup sûr c'était une iniquité.

Et puis, la société humaine ne lui avait fait que du mal, jamais il n'avait vu d'elle que ce visage courroucé, qu'elle appelle sa Justice et qu'elle montre à ceux qu'elle frappe. Les hommes ne l'avaient touché que pour le meurtrir. Tout contact avec eux lui avait été un coup. De souffrance en souffrance, il arriva peu à peu à cette conviction que la vie était une guerre; et que dans cette guerre il était le vaincu. Il n'avait d'autre arme que sa haine. Il résolut de l'aiguiser au bagne et de l'emporter en s'en allant.

Il y avait à Toulon une école pour la chiourme tenue par des frères ignorantins où l'on enseignait le plus nécessaire à ceux de ces malheureux qui avaient de la bonne volonté. Il fut du nombre des hommes de bonne volonté. Il alla à l'école à quarante ans, et apprit à lire, à écrire, à compter. Il sentit que fortifier son intelligence, c'était fortifier sa haine.

Ainsi, pendant ces dix-neuf ans de torture et d'esclavage, cette âme monta et tomba en même temps. Il y entra de la lumière d'un côté et des ténèbres de l'autre.

Pour résumer, nous nous bornerons à constater qu'en dix-neuf ans, Jean Valjean, l'inoffensif émondeur de Faverolles, le redoutable galérien de Toulon, était devenu capable, grâce à la manière dont le bagne l'avait façonné, de deux espèces de mauvaises actions: premièrement, d'une mauvaise action rapide, irréfléchie, pleine d'étourdissement, toute d'instinct, sorte de représailles pour le mal souffert; deuxièmement, d'une mauvaise action grave, sérieuse, débattue en conscience et méditée avec les idées fausses que peut donner un pareil malheur.

Comme deux heures du matin sonnaient à l'horloge de la cathédrale, Jean Valjean se réveilla.

Ce qui le réveilla, c'est que le lit était trop bon. Il y avait vingt ans bientôt qu'il n'avait couché dans un lit, et, quoiqu'il ne se fût pas déshabillé, la sensation était trop nouvelle pour ne pas troubler son sommeil.

Il ouvrit les yeux, et regarda un moment dans l'obscurité autour de lui, puis il les referma pour se rendormir.

Quand beaucoup de sensations diverses ont agité la journée, quand les choses préoccupent l'esprit, on s'endort, mais on ne se rendort pas. Le sommeil vient plus aisément qu'il ne revient. C'est ce qui arriva à Jean Valjean. Il ne put se rendormir, et il se mit à penser.

Beaucoup de pensées lui venaient, mais il y en avait une qui se représentait continuellement et qui chassait toutes les autres. Cette pensée, nous allons la dire tout de suite : il avait remarqué les six couverts d'argent et la grande cuillère que Mme Magloire avait posés sur la table.

Ces six couverts d'argent l'obsédaient. Ils étaient là. À quelques pas. À l'instant où il avait traversé la chambre d'à côté pour venir dans celle où il était, la vieille servante les mettait dans un petit placard à la tête du lit. Il avait bien remarqué ce placard. À droite, en entrant par la salle à manger. Ils étaient massifs. Et de vieille argenterie. Avec la grande cuillère, on en tirerait au moins deux cents francs. Le double de ce qu'il avait gagné en dix-neuf ans.

Il se leva debout, hésita un moment, et écouta ; tout se taisait dans la maison ; alors il marcha droit et à petits pas vers la fenêtre qu'il entrevoyait.

Il regarda le jardin de ce regard attentif qui étudie plus qu'il ne regarde. Le jardin était enclos d'un mur blanc assez bas, facile à escalader.

Ce coup d'œil jeté, il fit le mouvement d'un homme déterminé, marcha à son alcôve, prit son havresac, l'ouvrit, le fouilla, en tira quelque chose qu'il posa sur le lit, mit ses souliers dans une de ses poches, referma le tout, chargea le sac sur ses épaules, chercha son bâton en tâtonnant, et l'alla poser dans l'angle de la fenêtre, puis revint au lit et saisit résolument l'objet qu'il y avait déposé. Cela ressemblait à une barre de fer courte, aiguisée comme un épieu à l'une de ses extrémités. Au jour on eût pu reconnaître que ce n'était autre chose qu'un chandelier de mineur.

Il prit le chandelier dans sa main droite, et retenant son haleine, assourdissant son pas, il se dirigea vers la porte de la chambre voisine, celle de l'évêque. Arrivé à cette porte, il la trouva entrebâillée. L'évêque ne l'avait point fermée.

Jean Valjean marcha rapidement, le long du lit, sans regarder l'évêque, droit au placard qu'il entrevoyait près du chevet ; il leva le chandelier de fer comme pour forcer la serrure ; la clef y était ; il l'ouvrit ; la première chose qui lui apparut fut le panier d'argenterie ; il le prit, traversa la chambre à grands pas sans précaution et sans s'occuper du bruit, gagna la porte, rentra dans l'oratoire, ouvrit la fenêtre, saisit son bâton, enjamba l'appui du rez-de-chaussée, mit l'argenterie dans son sac, jeta le panier, franchit le jardin, sauta par-dessus le mur comme un tigre, et s'enfuit.

Le lendemain, Mgr Bienvenu se promenait dans son jardin. Mme Magloire accourut vers lui toute bouleversée.

– Monseigneur, monseigneur, cria-t-elle, Votre Grandeur sait-elle où est le panier d'argenterie ?

– Oui, dit l'évêque.

Il venait de ramasser le panier dans une plate-bande. Il le présenta à Mme Magloire.

– Le voilà.

– Eh bien ? dit-elle. Rien dedans ! et l'argenterie ?

– Ah ! repartit l'évêque. C'est donc l'argenterie qui vous occupe ? Je ne sais où elle est.

– Grand bon Dieu! elle est volée! c'est l'homme d'hier soir qui l'a volée!

L'évêque resta un moment silencieux, puis leva son œil sérieux, et dit à Mme Magloire avec douceur:

– Cette argenterie, était-elle à nous?

Mme Magloire resta interdite. Il y eut encore un silence, puis l'évêque continua:

– Madame Magloire, je détenais à tort et depuis longtemps cette argenterie. Elle était aux pauvres. Qu'était-ce que cet homme? Un pauvre évidemment.

Quelques instants après, il déjeunait à cette même table où Jean Valjean s'était assis la veille. Tout en déjeunant, Mgr Bienvenu faisait gaiement remarquer à sa sœur qui ne disait rien et à Mme Magloire qui grommelait sourdement, qu'il n'est nullement besoin d'une cuillère ni d'une fourchette, même en bois, pour tremper un morceau de pain dans une tasse de lait.

Comme le frère et la sœur allaient se lever de table, on frappa à la porte.

– Entrez, dit l'évêque.

La porte s'ouvrit. Un groupe étrange et violent apparut sur le seuil. Trois hommes en tenaient un quatrième au collet. Les trois hommes étaient des gendarmes; l'autre était Jean Valjean.

Un brigadier de gendarmerie, qui semblait conduire le groupe, était près de la porte. Il entra et s'avança vers l'évêque en faisant le salut militaire.

– Monseigneur... dit-il.

À ce mot, Jean Valjean qui était morne et semblait abattu, releva la tête d'un air stupéfait.

– Monseigneur! murmura-t-il. Ce n'est donc pas le curé...

– Silence, dit un gendarme. C'est monseigneur l'évêque.

Cependant Mgr Bienvenu s'était approché aussi vivement que son grand âge le lui permettait.

– Ah ! vous voilà ! s'écria-t-il en regardant Jean Valjean. Je suis aise de vous voir. Eh bien, mais je vous avais donné les chandeliers aussi, qui sont en argent comme le reste, et dont vous pourrez bien avoir deux cents francs. Pourquoi ne les avez-vous pas emportés avec vos couverts ?

Jean Valjean ouvrit les yeux et regarda le vénérable évêque avec une expression qu'aucune langue humaine ne pourrait rendre.

– Monseigneur, dit le brigadier de gendarmerie, ce que cet homme disait était donc vrai ? Nous l'avons rencontré. Il allait comme quelqu'un qui s'en va. Nous l'avons arrêté pour voir. Il avait cette argenterie...

– Et il vous a dit, interrompit l'évêque en souriant, qu'elle lui avait été donnée par un vieux bonhomme de prêtre chez lequel il avait passé la nuit ? je vois la chose. Et vous l'avez ramené ici ? c'est une méprise.

– Comme cela, reprit le brigadier, nous pouvons le laisser aller ?

– Sans doute, répondit l'évêque.

Les gendarmes lâchèrent Jean Valjean qui recula.

– Mon ami, reprit l'évêque, avant de vous en aller, voici vos chandeliers. Prenez-les.

Il alla à la cheminée, prit les deux flambeaux d'argent et les apporta à Jean Valjean.

Jean Valjean tremblait de tous ses membres. Il prit les deux chandeliers machinalement et d'un air égaré.

– Maintenant, dit l'évêque, allez en paix. À propos, quand vous reviendrez, mon ami, il est inutile de passer par le jardin. Vous pourrez toujours entrer et sortir par la porte de la rue. Elle n'est fermée qu'au loquet jour et nuit. Puis se tournant vers la gendarmerie : Messieurs, vous pouvez vous retirer.

Les gendarmes s'éloignèrent.

Jean Valjean était comme un homme qui va s'évanouir.

L'évêque s'approcha de lui, et lui dit à voix basse :

– N'oubliez pas, n'oubliez jamais que vous m'avez promis d'employer cet argent à devenir honnête homme.

Jean Valjean, qui n'avait aucun souvenir d'avoir rien promis, resta interdit. L'évêque avait appuyé sur ces paroles en les prononçant. Il reprit avec solennité :

– Jean Valjean, mon frère, vous n'appartenez plus au mal mais au bien. C'est votre âme que je vous achète ; je la retire aux pensées noires et à l'esprit de perdition, et je la donne à Dieu.

Jean Valjean sortit de la ville comme s'il s'échappait. Il se mit à marcher en toute hâte dans les champs, prenant les chemins et les sentiers qui se présentaient. Il erra ainsi toute la matinée. Il était en proie à une foule de sensations nouvelles.

Au milieu de cette méditation il entendit un bruit joyeux.

Il tourna la tête, et vit venir par le sentier un petit savoyard d'une dizaine d'années qui chantait, sa vielle au flanc et sa boîte à marmotte sur le dos.

Tout en chantant l'enfant interrompait de temps en temps sa marche et jouait aux osselets avec quelques pièces de monnaie qu'il avait dans sa main, toute sa fortune probablement. Parmi cette monnaie, il y avait une pièce de quarante sous.

L'enfant s'arrêta sans voir Jean Valjean et fit sauter sa poignée de sous que jusque-là il avait reçue avec assez d'adresse tout entière sur le dos de sa main.

Cette fois la pièce de quarante sous lui échappa, et vint rouler vers la broussaille jusqu'à Jean Valjean.

Jean Valjean posa le pied dessus.

Cependant l'enfant avait suivi sa pièce du regard.

Il ne s'étonna point et marcha droit à l'homme.

– Monsieur, dit le petit savoyard, avec cette confiance de l'enfance qui se compose d'ignorance et d'innocence, – ma pièce?

– Comment t'appelles-tu? dit Jean Valjean.

– Petit-Gervais, monsieur.

– Va-t'en, dit Jean Valjean.

– Monsieur, reprit l'enfant, rendez-moi ma pièce.

Jean Valjean baissa la tête et ne répondit pas.

L'enfant recommença:

– Ma pièce, monsieur!

Il semblait que Jean Valjean n'entendît point. L'enfant le prit au collet de sa blouse et le secoua. Et en même temps il faisait effort pour déranger le gros soulier ferré posé sur son trésor.

– Je veux ma pièce! ma pièce de quarante sous!

L'enfant pleurait. La tête de Jean Valjean se releva. Il était toujours assis. Ses yeux étaient troubles. Il considéra l'enfant avec une sorte d'étonnement, puis il étendit la main vers son bâton et cria d'une voix terrible:

– Qui est là?

– Moi, monsieur, répondit l'enfant. Petit-Gervais! moi! moi! rendez-moi mes quarante sous, s'il vous plaît! Ôtez votre pied, monsieur, s'il vous plaît!

– Ah! c'est encore toi! répondit Jean Valjean, et se dressant brusquement tout debout, le pied toujours sur la pièce d'argent, il ajouta: Veux-tu bien te sauver!

L'enfant effaré le regarda, puis commença à trembler de la tête aux pieds et, après quelques secondes de stupeur, se mit à s'enfuir en courant de toutes ses forces sans oser tourner le cou ni jeter un cri.

Au bout de quelques instants l'enfant avait disparu.

Le soleil s'était couché.

L'ombre se faisait autour de Jean Valjean. Il n'avait pas mangé de la journée; il est probable qu'il avait la fièvre.

En ce moment il aperçut la pièce de quarante sous que son pied avait à demi enfoncée dans la terre et qui brillait parmi les cailloux. Ce fut comme une commotion galvanique.

– Qu'est-ce que c'est que ça? dit-il entre ses dents.

Au bout de quelques minutes, il s'élança convulsivement vers la pièce d'argent, la saisit et, se redressant, se mit à regarder au loin dans la plaine, jetant à la fois ses yeux vers tous les points de l'horizon.

Alors il cria de toute sa force:

– Petit-Gervais! Petit-Gervais!

Il se tut et attendit.

Il murmura encore: – Petit-Gervais! mais d'une voix faible et presque inarticulée. Ce fut là son dernier effort; ses jarrets fléchirent brusquement sous lui comme si une puissance invisible l'accablait tout à coup du poids de sa mauvaise conscience; il tomba épuisé sur une grosse pierre, les poings dans ses cheveux et le visage dans ses genoux, et il cria:

– Je suis un misérable!

Alors son cœur creva et il se mit à pleurer. C'était la première fois qu'il pleurait depuis dix-neuf ans.

Combien d'heures pleura-t-il ainsi? que fit-il après avoir pleuré? où alla-t-il? on ne l'a jamais su. Il paraît seulement avéré que, dans cette même nuit, le voiturier qui faisait à cette époque le service de Grenoble et qui arrivait à Digne vers trois heures du matin, vit en traversant la rue de l'évêché un homme dans l'attitude de la prière, à genoux sur le pavé, dans l'ombre, devant la porte de Mgr Bienvenu.

LIVRE TROISIÈME

En l'année 1817

1817 est l'année que Louis XVIII, avec un certain aplomb royal qui ne manquait pas de fierté, qualifiait la vingt-deuxième de son règne. Toutes les boutiques des perruquiers, espérant la poudre et le retour de l'oiseau royal, étaient badigeonnées d'azur et fleurdelisées.

En cette année 1817, quatre jeunes Parisiens firent une «bonne farce».

Ces Parisiens étaient l'un de Toulouse, l'autre de Limoges, le troisième de Cahors et le quatrième de Montauban; mais ils étaient étudiants, et qui dit étudiant dit Parisien; étudier à Paris, c'est naître à Paris.

Ces jeunes gens étaient insignifiants; ni bons ni mauvais, ni savants ni ignorants, ni des génies ni des imbéciles; beaux de ce charmant avril qu'on appelle vingt ans. C'étaient quatre Oscars quelconques.

Ces Oscars s'appelaient l'un Félix Tholomyès, de Toulouse; l'autre Listolier, de Cahors; l'autre Fameuil, de Limoges; le dernier Blachevelle, de Montauban. Naturellement chacun avait sa maîtresse. Blachevelle aimait Favourite, ainsi nommée parce qu'elle était allée en Angleterre; Listolier adorait Dahlia, qui avait pris pour nom de guerre un nom de fleur; Fameuil idolâtrait Zéphine, abrégé de Joséphine; Tholomyès avait Fantine, dite la Blonde, à cause de ses beaux cheveux couleur de soleil.

Fantine était un de ces êtres comme il en éclôt, pour ainsi dire, au fond du peuple. Sortie des plus insondables épaisseurs de l'ombre sociale, elle avait au front le signe de l'anonyme et de l'inconnu. Elle était née à Montreuil-sur-Mer. On ne lui avait jamais connu ni père ni mère. Elle reçut un nom comme elle recevait l'eau des nuées sur son front quand il pleuvait. On l'appela la petite Fantine. Personne n'en savait davantage. À dix ans, Fantine quitta la ville et s'alla mettre en service chez des fermiers des environs. À quinze ans, elle vint à Paris «chercher fortune». Fantine était belle et resta pure le plus longtemps qu'elle put. C'était une jolie blonde avec de belles dents. Elle avait de l'or et des perles pour dot; mais son or était sur sa tête et ses perles étaient dans sa bouche.

Elle travailla pour vivre; puis, toujours pour vivre, car le cœur a sa faim aussi, elle aima.

Elle aima Tholomyès.

Amourette pour lui, passion pour elle. Fantine, dans ces dédales de la colline du Panthéon, où tant d'aventures se nouent et se dénouent, avait fui longtemps Tholomyès, mais de façon à le rencontrer toujours. Il y a une manière d'éviter qui ressemble à chercher. Bref, l'églogue eut lieu.

Blachevelle, Listolier et Fameuil formaient une sorte de groupe dont Tholomyès était la tête. C'était lui qui avait l'esprit.

Tholomyès était l'antique étudiant vieux; il était riche; il avait quatre mille francs de rente. Tholomyès était un viveur de trente ans, mal conservé. Il était ridé et édenté; et il ébauchait une calvitie dont il disait lui-même sans tristesse : *crâne à trente ans, genou à quarante.* Il digérait médiocrement, et il lui était venu un larmoiement à un œil. Mais à mesure que sa jeunesse s'éteignait, il allumait sa gaieté ; il remplaçait ses dents par des lazzis, ses cheveux par la joie, la santé par l'ironie, et son œil qui pleurait riait sans cesse. Il était délabré, mais tout en fleur. Sa jeunesse, pliant bagage bien avant l'âge, battait en retraite en bon ordre, éclatait de rire, et l'on n'y voyait que du feu. En outre, il doutait supérieurement de toute chose, grande force aux yeux des faibles. Donc, étant ironique et chauve, il était le chef.

Un jour Tholomyès prit à part les trois autres, fit un geste d'oracle et leur dit :

– Il y a bientôt un an que Fantine, Dahlia, Zéphine et Favourite nous demandent de leur faire une surprise.

Sur ce, Tholomyès baissa la voix, et articula mystérieusement quelque chose de si gai qu'un vaste et enthousiaste ricanement sortit des quatre bouches à la fois et que Blachevelle s'écria :

– Ça, c'est une idée !

Un estaminet plein de fumée se présenta, ils y entrèrent et le reste de leur conférence se perdit dans l'ombre.

Le résultat de ces ténèbres fut une éblouissante partie de plaisir qui eut lieu le dimanche suivant, les quatre jeunes gens invitant les quatre jeunes filles.

On entrait dans les vacances, et c'était une chaude et claire journée d'été.

Les jeunes filles bruissaient et bavardaient comme des fauvettes échappées. C'était un délire.

Tholomyès suivait, dominant le groupe. Il était très gai,

mais on sentait en lui le gouvernement; il y avait de la dictature dans sa jovialité; il avait un puissant rotin de deux cents francs à la main, et, comme il se permettait tout, une chose étrange, appelée cigare, à la bouche. Rien n'étant sacré pour lui, il fumait.

Quant à Fantine, c'était la joie. Ses dents splendides avaient évidemment reçu de Dieu une fonction, le rire. Ses épais cheveux blonds semblaient faits pour la fuite de Galatée sous les saules. Ses lèvres roses babillaient avec enchantement.

Fantine était belle, sans trop le savoir. Cette fille de l'ombre avait de la race. Elle était belle sous les deux espèces, qui sont le style et le rythme. Le style est la forme de l'idéal; le rythme en est le mouvement. Nous avons dit que Fantine était la joie; Fantine était aussi la pudeur.

Pour un observateur qui l'eût étudiée attentivement, ce qui se dégageait d'elle à travers toute cette ivresse de l'âge, de la saison et de l'amourette, c'était une invincible expression de retenue et de modestie. Une sorte de dignité sérieuse et presque austère l'envahissait soudainement à de certaines heures, et rien n'était singulier et troublant comme de voir la gaieté s'y teindre si vite et le recueillement y succéder sans transition à l'épanouissement. Cette gravité subite, parfois sévèrement accentuée, ressemblait au dédain d'une déesse.

L'amour est une faute; soit. Fantine était l'innocence surnageant sur la faute.

Propos de table et propos d'amour; les uns sont aussi insaisissables que les autres; les propos d'amour sont des nuées, les propos de table sont des fumées.

Fameuil et Dahlia fredonnaient; Tholomyès buvait, Zéphine riait, Fantine souriait.

En ce moment, Favourite, croisant les bras et renversant la tête en arrière, regarda résolument Tholomyès et dit :

– Ah çà ! et la surprise ?

– Justement. L'instant est arrivé, répondit Tholomyès. Messieurs, l'heure de surprendre ces dames a sonné. Mesdames, attendez-nous un moment.

Un certain temps s'écoula. Tout à coup Favourite eut le mouvement de quelqu'un qui se réveille.

– Eh bien, fit-elle, et la surprise ?

– À propos, oui, reprit Dahlia, la fameuse surprise ?

– Ils sont bien longtemps ! dit Fantine.

Comme Fantine achevait ce soupir, le garçon qui avait servi le dîner, entra. Il tenait à la main quelque chose qui ressemblait à une lettre.

– Qu'est-ce que cela ? demanda Favourite.

Le garçon répondit :

– C'est un papier que ces messieurs ont laissé pour ces dames.

– Pourquoi ne l'avoir pas apporté tout de suite ?

– Parce que ces messieurs, reprit le garçon, ont commandé de ne le remettre à ces dames qu'au bout d'une heure.

Favourite arracha le papier des mains du garçon. C'était une lettre en effet.

– Tiens ! dit-elle. Il n'y a pas d'adresse. Mais voici ce qui est écrit dessus :

CECI EST LA SURPRISE

Elle décacheta vivement la lettre, l'ouvrit et lut :

Ô nos amantes !

Sachez que nous avons des parents. Des parents, vous ne

connaissez pas beaucoup ça. À l'heure où vous lirez ceci, cinq chevaux fougueux nous rapporteront à nos papas et à nos mamans. Nous partons, nous sommes partis. Pleurez-nous rapidement et remplacez-nous vite. Si cette lettre vous déchire, rendez-le-lui. Adieu.

Post-scriptum. *Le dîner est payé.*

Les quatre jeunes filles se regardèrent.

Et elles éclatèrent de rire.

Fantine rit comme les autres.

Une heure après, quand elle fut rentrée dans sa chambre, elle pleura. C'était, nous l'avons dit, son premier amour ; elle s'était donnée à ce Tholomyès comme à un mari, et la pauvre fille avait un enfant.

LIVRE QUATRIÈME

Confier, c'est quelquefois livrer

Il y avait, dans le premier quart de ce siècle, à Montfermeil, près Paris, une façon de gargote qui n'existe plus aujourd'hui. Cette gargote était tenue par des gens appelés Thénardier, mari et femme. On voyait au-dessus de la porte une planche clouée à plat sur le mur. Sur cette planche était peint quelque chose qui ressemblait à un homme portant sur son dos un autre homme, lequel avait de grosses épaulettes de général dorées avec de larges étoiles argentées ; des taches rouges figuraient du sang ; le reste du tableau était de la fumée et représentait probablement une bataille. Au bas on lisait cette inscription : AU SERGENT DE WATERLOO.

Rien n'est plus ordinaire qu'un tombereau ou une charrette à la porte d'une auberge. Cependant le véhicule ou, pour mieux dire, le fragment de véhicule qui encombrait la rue devant la gargote du sergent de Waterloo eût certainement attiré par sa masse l'attention d'un peintre qui eût passé là. C'était l'avant-train d'un de ces fardiers qui servent à charrier des madriers et des troncs d'arbres.

Le centre de la chaîne pendait sous l'essieu assez près de terre, et sur la courbure, comme sur la corde d'une balançoire, étaient assises et groupées, ce soir-là, dans un entrelacement exquis, deux petites filles, l'une d'environ deux ans et demi, l'autre de dix-huit mois, la plus petite dans les bras de la plus grande. Un mouchoir savamment noué les empêchait de tomber. Une mère avait vu cette effroyable chaîne, et avait dit: «Tiens! voilà un joujou pour mes enfants.»

À quelques pas, accroupie sur le seuil de l'auberge, la mère, femme d'un aspect peu avenant du reste, mais touchante en ce moment-là, balançait les deux enfants au moyen d'une longue ficelle, les couvant des yeux de peur d'accident avec cette expression animale et céleste propre à la maternité.

Cependant quelqu'un s'était approché d'elle, et tout à coup elle entendit une voix qui disait très près de son oreille:

– Vous avez là deux jolis enfants, madame.

Une femme était devant elle, à quelques pas. Cette femme, elle aussi, avait un enfant, qu'elle portait dans ses bras.

L'enfant de cette femme était un des plus divins êtres qu'on pût voir. C'était une fille de deux à trois ans. Elle était admirablement rose et bien portante. La belle petite donnait envie de mordre dans les pommes des joues. On ne pouvait rien dire de ses yeux, sinon qu'ils devaient être très grands et qu'ils avaient des cils magnifiques. Elle dormait.

Quant à la mère, l'aspect en était pauvre et triste. Elle avait la mise d'une ouvrière qui tend à redevenir paysanne. Elle était jeune. Était-elle belle? peut-être; mais avec cette mise il n'y paraissait pas. Ses cheveux, d'où s'échappait une mèche blonde, semblaient fort épais, mais disparaissaient sévèrement sous une coiffe de béguine, laide, serrée, étroite, et nouée au menton. Elle était pâle; elle avait l'air très lasse et un peu malade. Elle avait les mains hâlées et toutes piquées de taches de rousseur, l'index durci et déchiqueté par l'aiguille, une mante brune de laine bourrue, une robe de toile et de gros souliers. C'était Fantine.

Dix mois s'étaient écoulés depuis la «bonne farce».

Que s'était-il passé pendant ces dix mois? on le devine.

Après l'abandon, la gêne. Fantine avait tout de suite perdu de vue Favourite, Zéphine et Dahlia; le lien, brisé du côté des hommes, s'était défait du côté des femmes. Fantine était restée seule. Le père de son enfant parti, elle se trouva absolument isolée, avec l'habitude du travail de moins et le goût du plaisir de plus. Entraînée par sa liaison avec Tholomyès à dédaigner le petit métier qu'elle savait, elle avait négligé ses débouchés; ils s'étaient fermés. Nulle ressource. Fantine savait à peine lire et ne savait pas écrire; on lui avait seulement appris dans son enfance à signer son nom; elle avait fait écrire par un écrivain public une lettre à Tholomyès, puis une seconde, puis une troisième. Tholomyès n'avait répondu à aucune.

Elle ne savait plus à qui s'adresser. Elle avait commis une faute; mais le fond de sa nature, on s'en souvient, était pudeur et vertu. Elle sentit vaguement qu'elle était à la veille de tomber dans la détresse et de glisser dans le pire. Il fallait du courage, elle en eut, et se roidit. L'idée lui vint de retourner dans sa ville natale, à Montreuil-sur-Mer. Là quelqu'un peut-être la connaîtrait et lui donnerait du travail ; oui ; mais il faudrait cacher sa faute. Et elle entrevoyait confusément la nécessité possible d'une séparation plus douloureuse encore que la première. Son cœur se serra, mais elle prit sa résolution. Fantine, on le verra, avait la farouche bravoure de la vie. Elle avait déjà vaillamment renoncé à la parure, et s'était vêtue de toile, et avait mis toute sa soie, tous ses chiffons, tous ses rubans et toutes ses dentelles sur sa fille, seule vanité qui lui restât, et sainte celle-là. Elle vendit tout ce qu'elle avait, ce qui lui produisit deux cents francs ; ses petites dettes payées, elle n'eut plus que quatre-vingts francs environ. À vingt-deux ans, par une belle matinée de printemps, elle quitta Paris, emportant son enfant sur son dos.

Nous n'aurons plus l'occasion de parler de M. Félix Tholomyès. Bornons-nous à dire que, vingt ans plus tard, sous le roi Louis-Philippe, c'était un gros avoué de province, influent et riche, électeur sage et juré très sévère ; toujours homme de plaisir.

Vers le milieu du jour, Fantine se trouvait à Montfermeil.

Comme elle passait devant l'auberge Thénardier, les deux petites filles, enchantées sur leur escarpolette monstre, avaient été pour elle une sorte d'éblouissement, et elle s'était arrêtée devant cette vision de joie.

– Vous avez là deux jolis enfants, madame.

Les créatures les plus féroces sont désarmées par la caresse à leurs petits.

La mère leva la tête et remercia, et fit asseoir la passante sur le banc de la porte. Les deux femmes causèrent.

– Je m'appelle Mme Thénardier, dit la mère des deux petites. Nous tenons cette auberge.

Cette Mme Thénardier était une femme rousse, charnue, anguleuse; le type femme-à-soldat dans toute sa disgrâce. Et, chose bizarre, avec un air penché qu'elle devait à des lectures romanesques. C'était une minaudière hommasse. De vieux romans qui se sont éraillés sur des imaginations de gargotières, ont de ces effets-là. Elle était jeune encore; elle avait à peine trente ans. Si cette femme, qui était accroupie, se fût tenue droite, peut-être sa haute taille et sa carrure de colosse ambulant, propre aux foires, eussent-elles dès l'abord effarouché la voyageuse, troublé sa confiance, et fait évanouir ce que nous avons à raconter. Une personne qui est assise au lieu d'être debout, les destinées tiennent à cela.

La voyageuse raconta son histoire, un peu modifiée.

Qu'elle était ouvrière; que son mari était mort; que le travail lui manquait à Paris, et qu'elle allait en chercher ailleurs; dans son pays; qu'elle avait quitté Paris le matin même, à pied; que la petite avait un peu marché, mais pas beaucoup, c'est si jeune, et qu'il avait fallu la prendre et que le bijou s'était endormi. Et sur ce mot elle donna à sa fille un baiser passionné qui la réveilla.

La mère Thénardier détacha ses filles, les fit descendre de l'escarpolette, et dit:

· Amusez-vous toutes les trois.

Ces âges-là s'apprivoisent vite; et au bout d'une minute, les petites Thénardier jouaient avec la nouvelle venue à faire des trous dans la terre, plaisir immense.

Les deux femmes continuaient de causer.

– Comment s'appelle votre mioche?

– Cosette.

– Quel âge a-t-elle?

– Elle va sur trois ans.

– C'est comme mon aînée.

Cependant les trois petites filles étaient groupées dans une posture d'anxiété profonde et de béatitude ; un événement avait lieu ; un gros ver venait de sortir de terre ; et elles avaient peur ; et elles étaient en extase.

Leurs fronts radieux se touchaient ; on eût dit trois têtes dans une auréole.

– Les enfants, s'écria la mère Thénardier, comme ça se connaît tout de suite ! les voilà qu'on jurerait trois sœurs !

Ce mot fut l'étincelle qu'attendait probablement l'autre mère. Elle saisit la main de la Thénardier, la regarda fixement et lui dit :

– Voulez-vous me garder mon enfant ?

La Thénardier eut un de ces mouvements surpris qui ne sont ni le consentement ni le refus.

La mère de Cosette poursuivit :

– Voyez-vous, je ne peux pas emmener ma fille au pays. L'ouvrage ne le permet pas. Avec un enfant, on ne trouve pas à se placer. C'est le bon Dieu qui m'a fait passer devant votre auberge. Quand j'ai vu vos petites si jolies et si propres et si contentes, cela m'a bouleversée. J'ai dit : Voilà une bonne mère. C'est ça ; ça fera trois sœurs. Et puis, je ne serai pas longtemps à revenir. Voulez-vous me garder mon enfant ?

– Il faudrait voir, dit la Thénardier.

– Je donnerai six francs par mois.

Ici une voix d'homme cria du fond de la gargote :

– Pas moins de sept francs. Et six mois payés d'avance.

– Six fois sept quarante-deux, dit la Thénardier.

– Je les donnerai, dit la mère.

– Et quinze francs en dehors pour les premiers frais, ajouta la voix d'homme.

– Total cinquante-sept francs, dit Mme Thénardier.

– Je les donnerai, dit la mère, j'ai quatre-vingts francs. Il me restera de quoi aller au pays. En allant à pied. Je gagnerai de l'argent là-bas, et dès que j'en aurai un peu, je reviendrai chercher l'amour.

La voix d'homme reprit:

– La petite a un trousseau?

– C'est mon mari, dit la Thénardier.

– Sans doute elle a un trousseau, le pauvre trésor. J'ai bien vu que c'était votre mari. Et un beau trousseau encore! un trousseau insensé, tout par douzaines; et des robes de soie comme une dame. Il est là, dans mon sac de nuit.

– Il faudra le donner, repartit la voix d'homme.

– Je crois bien que je le donnerai! dit la mère. Ce serait cela qui serait drôle si je laissais ma fille toute nue!

La face du maître apparut.

– C'est bon, dit-il.

Le marché fut conclu.

Quand la mère de Cosette fut partie, l'homme dit à la femme:

– Cela va me payer mon effet de cent dix francs qui échoit demain. Il me manquait cinquante francs. Tu as fait là une bonne souricière avec tes petites.

– Sans m'en douter, dit la femme.

La souris prise était bien chétive; mais le chat se réjouit même d'une souris maigre.

Qu'était-ce que les Thénardier?

Ces êtres appartenaient à cette classe bâtarde composée de gens grossiers parvenus et de gens intelligents déchus, qui est entre la classe dite moyenne et la classe dite inférieure, et qui combine quelques-uns des défauts de la seconde avec presque tous les vices de la première, sans avoir le généreux élan de l'ouvrier ni l'ordre honnête du bourgeois.

C'étaient de ces natures naines qui, si quelque feu sombre les chauffe par hasard, deviennent facilement monstrueuses. Il y avait dans la femme le fond d'une brute et dans l'homme l'étoffe d'un gueux. Tous deux étaient au plus haut degré susceptibles de l'espèce de hideux progrès qui se fait dans le sens du mal. Il existe des âmes écrevisses reculant continuellement vers les ténèbres, rétrogradant dans la vie plutôt qu'elles n'y avancent, employant l'expérience à augmenter leur difformité, empirant sans cesse et s'empreignant de plus en plus d'une noirceur croissante. Cet homme et cette femme étaient de ces âmes-là.

C'était l'époque où l'antique roman classique qui, après avoir été *Clélie*, n'était plus que *Lodoïska*, toujours noble, mais de plus en plus vulgaire, incendiait l'âme aimante des portières de Paris et ravageait même un peu la banlieue. Mme Thénardier était juste assez intelligente pour lire ces espèces de livres. Elle s'en nourrissait. Or on ne lit pas impunément des niaiseries. Il en résulta que sa fille aînée se nomma Éponine ; quant à la cadette, la pauvre petite faillit se nommer Gulnare ; elle dut à je ne sais quelle heureuse diversion faite par un roman de Ducray-Duminil, de ne s'appeler qu'Azelma.

Il ne suffit pas d'être méchant pour prospérer. La gargote allait mal.

Grâce aux cinquante-sept francs de la voyageuse, Thénardier avait pu éviter un protêt et faire honneur à sa signature. Le mois suivant ils eurent encore besoin d'argent ; la femme porta à Paris et engagea au mont-de-piété le trousseau de

Cosette pour une somme de soixante francs. Dès que cette somme fut dépensée, les Thénardier s'accoutumèrent à ne plus voir dans la petite fille qu'un enfant qu'ils avaient chez eux par charité, et la traitèrent en conséquence. Comme elle n'avait plus de trousseau, on l'habilla des vieilles jupes et des vieilles chemises des petites Thénardier, c'est-à-dire de haillons. On la nourrit des restes de tout le monde, un peu mieux que le chien et un plus mal que le chat. Le chien et le chat étaient du reste ses commensaux habituels; Cosette mangeait avec eux sous la table dans une écuelle de bois pareille à la leur.

La mère, qui s'était fixée à Montreuil-sur-Mer, écrivait ou, pour mieux dire, faisait écrire tous les mois afin d'avoir des nouvelles de son enfant. Les Thénardier répondaient invariablement: «Cosette est à merveille.»

Les six premiers mois révolus, la mère envoya sept francs pour le septième mois, et continua assez exactement ses envois de mois en mois. L'année n'était pas finie que le Thénardier écrivit pour exiger douze francs. La mère, à laquelle ils persuadaient que son enfant était heureuse et «venait bien», se soumit et envoya les douze francs.

Certaines natures ne peuvent aimer d'un côté sans haïr de l'autre. La mère Thénardier aimait passionnément ses deux filles à elle, ce qui fit qu'elle détesta l'étrangère.

Cosette ne faisait pas un mouvement qui ne fît pleuvoir sur sa tête une grêle de châtiments violents et immérités.

Une année s'écoula, puis une autre.

On disait dans le village:

– Ces Thénardier sont de braves gens. Ils ne sont pas riches, et ils élèvent un pauvre enfant qu'on leur a abandonné chez eux!

On croyait Cosette oubliée par sa mère.

Cependant, le Thénardier ayant appris que l'enfant était probablement bâtard et que la mère ne pouvait l'avouer, exigea quinze francs par mois, disant que la «créature» grandissait et «*mangeait*», et menaçant de la renvoyer.

D'année en année, l'enfant grandit, et sa misère aussi.

Tant que Cosette fut toute petite, elle fut le souffre-douleur des deux autres enfants; dès qu'elle se mit à se développer un peu, c'est-à-dire avant même qu'elle eût cinq ans, elle devint la servante de la maison.

On fit faire à Cosette les commissions, balayer les chambres, la cour, la rue, laver la vaisselle, porter même des fardeaux. Les Thénardier se crurent d'autant plus autorisés à agir ainsi que la mère, qui était toujours à Montreuil-sur-Mer, commença à mal payer. Quelques mois restèrent en souffrance.

Si cette mère fût revenue à Montfermeil au bout de ces trois années, elle n'eût point reconnu son enfant. Cosette, si jolie et si fraîche à son arrivée dans cette maison, était maintenant maigre et blême. Elle avait je ne sais quelle allure inquiète. Sournoise! disaient les Thénardier.

L'injustice l'avait faite hargneuse et la misère l'avait rendue laide. Il ne lui restait plus que ses beaux yeux qui faisaient peine, parce que, grands comme ils étaient, il semblait qu'on y vît une plus grande quantité de tristesse.

Dans le pays on l'appelait l'Alouette. Le peuple, qui aime les figures, s'était plu à nommer de ce nom ce petit être pas plus gros qu'un oiseau, tremblant, effarouché et frissonnant, éveillé le premier chaque matin dans la maison et dans le village, toujours dans la rue ou dans les champs avant l'aube.

Seulement la pauvre Alouette ne chantait jamais.

LIVRE CINQUIÈME

La descente

Cette mère cependant qui, au dire des gens de Montfermeil, semblait avoir abandonné son enfant, que devenait-elle? où était-elle? que faisait-elle?

Après avoir laissé sa petite Cosette aux Thénardier, elle avait continué son chemin et était arrivée à Montreuil-sur-Mer.

C'était, on se le rappelle, en 1818.

Fantine avait quitté sa province depuis une dizaine d'années. Montreuil-sur-Mer avait changé d'aspect. Tandis que Fantine descendait lentement de misère en misère, sa ville natale avait prospéré.

Depuis deux ans environ, il s'y était accompli un de ces faits industriels qui sont les grands événements des petits pays.

De temps immémorial, Montreuil-sur-Mer avait pour industrie spéciale l'imitation des jais anglais et des verroteries noires d'Allemagne. Cette industrie avait toujours végété, à cause de la cherté des matières premières qui réagissait sur la main-d'œuvre. Au moment où Fantine revint à Montreuil-sur-Mer, une transformation inouïe s'était opérée dans cette production des «articles noirs». Vers la fin de 1815, un homme, un inconnu, était venu s'établir dans la ville et avait eu l'idée de substituer, dans cette fabrication, la gomme-laque à la résine.

En moins de trois ans, l'auteur de ce procédé était devenu riche, ce qui est bien, et avait tout fait riche autour de lui, ce qui est mieux. Il était étranger au département. De son origine, on ne savait rien; de ses commencements, peu de chose.

On contait qu'il était venu dans la ville avec fort peu d'argent, quelques centaines de francs tout au plus.

C'est de ce mince capital, mis au service d'une idée ingénieuse, qu'il avait tiré sa fortune et la fortune de tout ce pays.

À son arrivée à Montreuil-sur-Mer, il n'avait que les vêtements, la tournure et le langage d'un ouvrier.

Le père Madeleine employait tout le monde. Il n'exigeait qu'une chose : Soyez honnête homme ! Soyez honnête fille !

Comme nous l'avons dit, au milieu de cette activité dont il était la cause et le pivot, le père Madeleine faisait sa fortune mais, chose assez singulière dans un simple homme de commerce, il ne paraissait point que ce fût là son principal souci. Il semblait qu'il songeât beaucoup aux autres et peu à lui. En 1820, on lui connaissait une somme de six cent trente mille francs ; mais avant de se réserver ces six cent trente mille francs, il avait dépensé plus d'un million pour la ville et pour les pauvres.

Le pays lui devait beaucoup, les pauvres lui devaient tout ; il était si utile qu'il avait bien fallu qu'on finît par l'honorer, et il était si doux qu'il avait bien fallu qu'on finît par l'aimer ; ses ouvriers en particulier l'adoraient, et il portait cette adoration avec une sorte de gravité mélancolique.

En 1820, cinq ans après son arrivée à Montreuil-sur-Mer, les services qu'il avait rendus au pays étaient si éclatants, le vœu de toute la contrée fut tellement unanime, que le roi le nomma maire de la ville.

On venait de dix lieues à la ronde consulter M. Madeleine. Il terminait les différends, il empêchait les procès, il réconciliait les ennemis. Chacun le prenait pour juge de son bon droit. Il semblait qu'il eût pour âme le livre de la loi naturelle. Ce fut comme une contagion de vénération qui, en six ou sept ans et de proche en proche, gagna tout le pays.

Un seul homme, dans la ville et dans l'arrondissement, se déroba absolument à cette contagion, et, quoi que fît le père Madeleine, y demeura rebelle, comme si une sorte d'instinct incorruptible et imperturbable l'éveillait et l'inquiétait.

Il se nommait Javert, et il était de la police.

Il remplissait à Montreuil-sur-Mer les fonctions pénibles, mais utiles, d'inspecteur. Il n'avait pas vu les commencements de Madeleine. Quand Javert était arrivé à Montreuil-sur-Mer, la fortune du grand manufacturier était déjà faite, et le père Madeleine était devenu M. Madeleine.

Certains officiers de police ont une physionomie à part et qui se complique d'un air de bassesse mêlé à un air d'autorité. Javert avait cette physionomie, moins la bassesse.

Les paysans asturiens sont convaincus que dans toute portée de louve il y a un chien, lequel est tué par la mère, sans quoi en grandissant il dévorerait les autres petits.

Donnez une face humaine à ce chien fils d'une louve, et ce sera Javert.

Javert était né dans une prison d'une tireuse de cartes dont le mari était aux galères. En grandissant il pensa qu'il était en dehors de la société et désespéra d'y rentrer jamais. Il remarqua que la société maintient irrémissiblement en dehors d'elle deux classes d'hommes, ceux qui l'attaquent et ceux qui la gardent; il n'avait le choix qu'entre ces deux classes; en même temps il se sentait je ne sais quel fond de rigidité, de régularité et de probité, compliqué d'une inexprimable haine pour cette race de bohèmes dont il était. Il entra dans la police. Il y réussit. À quarante ans il était inspecteur.

Il avait dans sa jeunesse été employé dans les chiourmes du Midi.

Avant d'aller plus loin, entendons-nous sur ce mot «face humaine» que nous appliquions tout à l'heure à Javert.

La face humaine de Javert consistait en un nez camard, avec deux profondes narines vers lesquelles montaient sur ses deux joues d'énormes favoris. On se sentait mal à l'aise la première fois qu'on voyait ces deux forêts et ces deux cavernes. Quand Javert riait, ce qui était rare et terrible, ses lèvres minces s'écartaient, et laissaient voir, non seulement ses dents, mais ses gencives, et il se faisait autour de son nez un plissement épaté et sauvage comme sur un mufle de bête fauve. Javert sérieux était un dogue; lorsqu'il riait, c'était un tigre. Du reste, peu de crâne, beaucoup de mâchoire; les cheveux cachant le front et tombant sur les sourcils, entre les deux yeux un froncement central permanent, comme une étoile de colère, le regard obscur, la bouche pincée et redoutable, l'air du commandement féroce.

Cet homme était composé de deux sentiments très simples et relativement très bons, mais qu'il faisait presque mauvais à force de les exagérer: le respect de l'autorité, la haine de la rébellion – et à ses yeux le vol, le meurtre, tous les crimes, n'étaient que des formes de la rébellion. Il enveloppait dans une sorte de foi aveugle et profonde tout ce qui a une fonction dans l'État, depuis le Premier ministre jusqu'au garde champêtre. Il couvrait de mépris, d'aversion et de dégoût tout ce qui avait franchi une fois le seuil légal du mal. Il était absolu et n'admettait pas d'exceptions.

Javert était comme un œil toujours fixé sur M. Madeleine. Œil plein de soupçon et de conjectures. M. Madeleine avait fini par s'en apercevoir, mais il sembla que cela fût insignifiant pour lui. Il ne fit pas même une question à Javert, il ne le cherchait ni ne l'évitait, et il portait, sans paraître y faire attention, ce regard gênant et presque pesant. Il traitait Javert comme tout le monde, avec aisance et bonté.

Javert était évidemment quelque peu déconcerté par le complet naturel et la tranquillité de M. Madeleine.

Un jour pourtant son étrange manière parut faire impression sur M. Madeleine. Voici à quelle occasion.

M. Madeleine passait un matin dans une ruelle non pavée de Montreuil-sur-Mer; il entendit du bruit et vit un groupe à quelque distance. Il y alla. Un vieux homme, nommé le père Fauchelevent, venait de tomber sous sa charrette dont le cheval s'était abattu.

Il avait plu la veille, le sol était détrempé, la charrette s'enfonçait dans la terre à chaque instant et comprimait de plus en plus la poitrine du vieux charretier. Il était évident qu'avant cinq minutes il aurait les côtes brisées.

– Écoutez, dit Madeleine, il y a encore assez de place sous la voiture pour qu'un homme s'y glisse et la soulève avec son dos. Y a-t-il quelqu'un qui ait des reins et du cœur? Cinq louis d'or à gagner!

Personne ne bougea dans le groupe.

– Dix louis, dit Madeleine.

Les assistants baissaient les yeux.

– Ce n'est pas la bonne volonté qui leur manque, dit une voix.

M. Madeleine se retourna, et reconnut Javert.

– Monsieur Madeleine, je n'ai jamais connu qu'un seul homme capable de faire ce que vous demandez là.

Madeleine tressaillit.

Javert ajouta avec un air d'indifférence, mais sans quitter des yeux Madeleine :

– C'était un forçat.

– Ah ! dit Madeleine.

– Du bagne de Toulon.

Madeleine devint pâle.

Cependant la charrette continuait à s'enfoncer lentement. Le père Fauchelevent râlait et hurlait.

Madeleine leva la tête, rencontra l'œil de faucon de Javert toujours attaché sur lui, regarda les paysans immobiles, et sourit tristement. Puis, sans dire une parole, il tomba à genoux, et avant même que la foule eût eu le temps de jeter un cri, il était sous la voiture.

Il y eut un affreux moment d'attente et de silence.

Tout à coup on vit l'énorme masse s'ébranler, la charrette se soulevait lentement, les roues sortaient à demi de l'ornière. On entendit une voix étouffée qui criait :

– Dépêchez-vous ! aidez !

C'était Madeleine qui venait de faire un dernier effort.

Ils se précipitèrent. Le dévouement d'un seul avait donné de la force et du courage à tous. La charrette fut enlevée par vingt bras. Le vieux Fauchelevent était sauvé.

Madeleine se releva. Il était blême, quoique ruisselant de sueur. Ses habits étaient déchirés et couverts de boue. Tous pleuraient, le vieillard lui baisait les genoux et l'appelait le bon Dieu. Lui, il avait sur le visage je ne sais quelle expression de souffrance heureuse et céleste, et il fixait son œil tranquille sur Javert qui le regardait toujours.

Fauchelevent s'était démis la rotule dans sa chute. Le père Madeleine le fit transporter dans une infirmerie qu'il avait établie pour ses ouvriers dans le bâtiment même de sa fabrique.

Fauchelevent guérit, mais son genou resta ankylosé. M. Madeleine fit placer le bonhomme comme jardinier dans un couvent de femmes du quartier Saint-Antoine à Paris.

Quelque temps après, M. Madeleine fut nommé maire. La première fois que Javert vit M. Madeleine revêtu de l'écharpe qui lui donnait toute autorité sur la ville, il éprouva cette sorte de frémissement qu'éprouverait un dogue qui flairerait un loup sous les habits de son maître. À partir de ce moment, il l'évita le plus qu'il put.

Cette prospérité créée à Montreuil-sur-Mer par le père Madeleine, avait, outre les signes visibles que nous avons indiqués, un autre symptôme qui, pour n'être pas visible, n'était pas moins significatif. Quand la population souffre, quand le travail manque, quand le commerce est nul, le contribuable résiste à l'impôt par pénurie, épuise et dépasse les délais, et l'État dépense beaucoup d'argent en frais de contrainte et de rentrée. Quand le travail abonde, quand le pays est heureux et riche, l'impôt se paie aisément et coûte peu à l'État. On peut dire que la misère et la richesse publiques ont un thermomètre infaillible, les frais de perception de l'impôt. En sept ans, les frais de perception de l'impôt s'étaient réduits des trois quarts dans l'arrondissement de Montreuil-sur-Mer.

Telle était la situation du pays, lorsque Fantine y revint. Personne ne se souvenait plus d'elle. Heureusement la porte de la fabrique de M. Madeleine était comme un visage ami. Elle s'y présenta, et fut admise dans l'atelier des femmes. Le métier était tout nouveau pour Fantine, elle n'y pouvait être bien adroite, elle ne tirait donc de sa journée de travail que peu de chose ; mais enfin cela suffisait, le problème était résolu, elle gagnait sa vie.

Ne pouvant pas dire qu'elle était mariée, elle s'était bien gardée de parler de sa petite fille.

En ces commencements, on l'a vu, elle payait exactement les Thénardier. Comme elle ne savait que signer, elle était obligée de leur écrire par un écrivain public.

Elle écrivait souvent, cela fut remarqué.

Il n'y a rien de tel pour épier les actions des gens que ceux qu'elles ne regardent pas.

On observa donc Fantine.

On constata qu'elle écrivait, au moins deux fois par mois, toujours à la même adresse, et qu'elle affranchissait la lettre.

On parvint à se procurer l'adresse : *Monsieur Thénardier, aubergiste, à Montfermeil.* On fit jaser au cabaret l'écrivain public, vieux bonhomme qui ne pouvait pas emplir son estomac de vin rouge sans vider sa poche aux secrets. Bref, on sut que Fantine avait un enfant.

Tout cela prit du temps ; Fantine était depuis plus d'un an à la fabrique, lorsqu'un matin la surveillante de l'atelier lui remit, de la part de M. le maire, cinquante francs en lui disant qu'elle ne faisait plus partie de l'atelier et en l'engageant, de la part de M. le maire, à quitter le pays.

C'était précisément dans ce même mois que les Thénardier, après avoir demandé douze francs au lieu de six, venaient d'exiger quinze francs au lieu de douze.

Fantine s'offrit comme servante dans le pays ; elle alla d'une maison à l'autre. Personne ne voulut d'elle. Elle n'avait pu quitter la ville. Le marchand fripier auquel elle devait ses meubles, quels meubles ! lui avait dit :

– Si vous vous en allez, je vous fais arrêter comme voleuse.

Elle se mit à coudre de grosses chemises pour les soldats de la garnison, et gagnait douze sous par jour. Sa fille lui en coûtait dix. C'est en ce moment qu'elle commença à mal payer les Thénardier.

Un jour ils lui écrivirent que sa petite Cosette était toute nue par le froid qu'il faisait, qu'elle avait besoin d'une jupe de laine, et qu'il fallait au moins que la mère envoyât dix francs pour cela. Elle reçut la lettre, et la froissa dans ses mains tout le jour. Le soir elle entra chez un barbier qui habitait le coin de la rue, et défit son peigne. Ses admirables cheveux blonds lui tombèrent jusqu'aux reins.

– Les beaux cheveux! s'écria le barbier.

– Combien m'en donneriez-vous? dit-elle.

– Dix francs.

– Coupez-les.

Un jour elle reçut des Thénardier une lettre ainsi conçue:

Cosette est malade d'une maladie qui est dans le pays. Une fièvre miliaire, qu'ils appellent. Il faut des drogues chères. Cela nous ruine et nous ne pouvons plus payer. Si vous ne nous envoyez pas quarante francs avant huit jours, la petite est morte.

Comme elle passait sur la place, elle vit beaucoup de monde qui entourait une voiture de forme bizarre, sur l'impériale de laquelle pérorait tout debout un homme vêtu de rouge. C'était un bateleur dentiste en tournée, qui offrait au public des râteliers complets, des opiats, des poudres et des élixirs.

Fantine se mêla au groupe et se mit à rire comme les autres de cette harangue où il y avait de l'argot pour la canaille et du jargon pour les gens comme il faut. L'arracheur de dents vit cette belle fille qui riait, et s'écria tout à coup:

– Vous avez de jolies dents, la fille qui riez, là. Si vous voulez me vendre vos deux palettes, je vous donne de chaque un napoléon d'or.

– Qu'est-ce que c'est que ça, mes palettes ? demanda Fantine.

– Les palettes, reprit le professeur dentiste, c'est les dents de devant, les deux d'en haut.

Les deux dents furent arrachées.

Elle envoya les quarante francs à Montfermeil.

Du reste c'était une ruse des Thénardier pour avoir de l'argent. Cosette n'était pas malade.

Fantine jeta son miroir par la fenêtre. Elle n'avait plus de lit, il lui restait une loque qu'elle appelait sa couverture, un matelas à terre et une chaise dépaillée. Elle avait perdu la honte, elle perdit la coquetterie. Dernier signe. Elle sortait avec des bonnets sales. Soit faute de temps, soit indifférence, elle ne raccommodait plus son linge. Les gens auxquels elle devait, lui faisaient des « scènes », et ne lui laissaient aucun repos. Elle les trouvait dans la rue, elle les retrouvait dans son escalier. Elle passait des nuits à pleurer et à songer. Elle avait les yeux très brillants, et elle sentait une douleur fixe dans l'épaule vers le haut de l'omoplate gauche. Elle toussait beaucoup. Elle haïssait profondément le père Madeleine, et ne se plaignait pas. Elle cousait dix-sept heures par jour ; mais un entrepreneur du travail des prisons, qui faisait travailler les prisonnières au rabais, fit tout à coup baisser les prix, ce qui réduisit la journée des ouvrières libres à neuf sous. Dix-sept heures de travail, et neuf sous par jour ! Vers le même temps, le Thénardier lui écrivit que décidément il avait attendu avec beaucoup trop de bonté, et qu'il lui fallait cent francs, tout de suite, sinon, qu'il mettrait à la porte la petite Cosette, toute convalescente de sa grande maladie, par le froid, par les chemins, et qu'elle deviendrait ce qu'elle pourrait, et qu'elle crèverait, si elle voulait. « Cent francs, songea Fantine. Mais où y a-t-il un état à gagner cent sous par jour? Allons! dit-elle, vendons le reste. »

L'infortunée se fit fille publique.

Il y a dans toutes les petites villes, et il y avait à Montreuil-sur-Mer en particulier, une classe de jeunes gens qui grignotent quinze cents livres de rente en province du même air dont leurs pareils dévorent à Paris deux cent mille francs par an. Ce sont des êtres de la grande espèce neutre; hongres, parasites, nuls, qui ont un peu de terre, un peu de sottise et un peu d'esprit, qui seraient des rustres dans un salon et se croient des gentilshommes au cabaret, qui disent: « mes prés, mes bois, mes paysans », sifflent les actrices du théâtre pour prouver qu'ils sont gens de goût, querellent les officiers de la garnison pour montrer qu'ils sont gens de guerre, chassent, fument, bâillent, boivent, sentent le tabac, jouent au billard, regardent les voyageurs descendre de diligence, vivent au café, dînent à l'auberge, ont un chien qui mange les os sous la table et une maîtresse qui pose les plats dessus, tiennent à un sou, exagèrent les modes, admirent la tragédie, méprisent les femmes, usent leurs vieilles bottes, copient Londres à travers Paris et Paris à travers Pont-à-Mousson, vieillissent hébétés, ne travaillent pas, ne servent à rien et ne nuisent pas à grand-chose.

S'ils étaient plus riches, on dirait: Ce sont des élégants; s'ils étaient plus pauvres, on dirait: Ce sont des fainéants. Ce sont tout simplement des désœuvrés. Parmi ces désœuvrés, il y a des ennuyeux, des ennuyés, des rêvasseurs, et quelques drôles.

Dans ce temps-là, un élégant se composait d'un grand col, d'une grande cravate, d'une montre à breloques, de trois gilets superposés de couleurs différentes, le bleu et le rouge en dedans, d'un habit couleur olive à taille courte, à queue de morue, à double rangée de boutons d'argent serrés les uns contre les autres et montant jusque sur l'épaule, et d'un pantalon olive plus clair, orné sur les deux coutures d'un nombre de côtes indéterminé, mais toujours impair, variant de une à onze, limite qui n'était jamais franchie. Ajoutez à cela des souliers-bottes avec de petits fers au talon, un chapeau à haute forme et à bords étroits, des cheveux en touffe, une énorme canne et une conversation rehaussée des calembours de Potier. Sur le tout, des éperons et des moustaches. À cette époque, des moustaches voulaient dire bourgeois et des éperons voulaient dire piéton.

L'élégant de province portait les éperons plus longs et les moustaches plus farouches.

Les chapeaux à petits bords étaient royalistes et se nommaient des morillos ; les libéraux portaient des chapeaux à larges bords qui s'appelaient des bolivars.

Huit ou dix mois donc après ce qui a été raconté dans les pages précédentes, vers les premiers jours de janvier 1823, un soir qu'il avait neigé, un de ces élégants, un de ces désœuvrés, un «bien-pensant», car il avait un morillo, de plus chaudement enveloppé d'un de ces grands manteaux qui complétaient dans les temps froids le costume à la mode, se divertissait à harceler une créature qui rôdait en robe de bal et toute décolletée avec des fleurs sur la tête devant la vitre du café des officiers. Cet élégant fumait, car c'était décidément la mode.

Chaque fois que cette femme passait devant lui, il lui jetait, avec une bouffée de la fumée de son cigare, quelque apostrophe qu'il croyait spirituelle et gaie, comme: – Que tu es laide! Veux-tu te cacher! Tu n'as pas de dents! etc. – ce monsieur s'appelait M. Bamatabois. La femme, triste spectre paré qui allait et venait sur la neige, ne lui répondait pas, ne le regardait même pas, et n'en accomplissait pas moins en silence et avec une régularité sombre sa promenade qui la ramenait de cinq minutes en cinq minutes sous le sarcasme, comme le soldat condamné qui revient sous les verges. Ce peu d'effet piqua sans doute l'oisif qui, profitant d'un moment où elle se retournait, s'avança derrière elle à pas de loup et, en étouffant son rire, se baissa, prit sur le pavé une poignée de neige et la lui plongea brusquement dans le dos entre ses deux épaules nues. La fille poussa un rugissement, se tourna, bondit comme une panthère, et se rua sur l'homme, lui enfonçant ses ongles dans le visage, avec les plus effroyables paroles qui puissent tomber du corps de garde dans le ruisseau. Ces injures, vomies d'une voix enrouée par l'eau-de-vie, sortaient hideusement d'une bouche à laquelle manquaient en effet les deux dents de devant. C'était la Fantine.

Au bruit que cela fit, les officiers sortirent en foule du café, les passants s'amassèrent, et il se forma un grand cercle riant, huant et applaudissant, autour de ce tourbillon composé de deux êtres où l'on avait peine à reconnaître un homme et une femme, l'homme se débattant, son chapeau à terre, la femme frappant des pieds et des poings, décoiffée, hurlant, sans dents et sans cheveux, livide de colère, horrible.

Tout à coup un homme de haute taille sortit vivement de la foule, saisit la femme à son corsage de satin couvert de boue, et lui dit:

– Suis-moi!

La femme leva la tête; sa voix furieuse s'éteignit subitement. Ses yeux étaient vitreux, de livide elle était devenue pâle, et elle tremblait d'un tremblement de terreur. Elle avait reconnu Javert.

Arrivé au bureau de police qui était une salle basse chauffée par un poêle et gardée par un poste, Javert ouvrit la porte, entra avec la Fantine et referma la porte derrière lui, au grand désappointement des curieux.

En entrant, la Fantine alla tomber dans un coin, immobile et muette, accroupie comme une chienne qui a peur.

Le sergent du poste apporta une chandelle allumée sur une table. Javert s'assit, tira de sa poche une feuille de papier timbré et se mit à écrire.

Une prostituée avait attenté à un bourgeois. Il avait vu cela, lui, Javert. Il écrivait en silence.

Quand il eut fini, il signa, plia le papier et dit au sergent du poste, en le lui remettant :

– Prenez trois hommes, et menez cette fille au bloc. Puis se tournant vers la Fantine : Tu en as pour six mois.

La malheureuse tressaillit.

– Six mois de prison ! cria-t-elle. Mais que deviendra Cosette ! ma fille ! ma fille ! Mais je dois encore plus de cent francs aux Thénardier, monsieur l'inspecteur, savez-vous cela ?

Javert tourna le dos.

Les soldats la saisirent par le bras.

Depuis quelques minutes, un homme était entré sans qu'on eût pris garde à lui. Il avait refermé la porte, s'y était adossé, et avait entendu les prières désespérées de la Fantine.

Au moment où les soldats mirent la main sur la malheureuse, il fit un pas, sortit de l'ombre et dit :

– Un instant, s'il vous plaît !

Javert leva les yeux et reconnut M. Madeleine. Il ôta son chapeau, et saluant avec une sorte de gaucherie fâchée :

– Pardon, monsieur le maire…

Ce mot : monsieur le maire, fit sur la Fantine un effet étrange. Elle se dressa debout tout d'une pièce, comme un spectre qui sort de terre, repoussa les soldats des deux bras, marcha droit à M. Madeleine avant qu'on eût pu la retenir, et le regardant fixement, l'air égaré, elle s'écria :

– Ah ! c'est donc toi qui es monsieur le maire !

Puis elle éclata de rire et lui cracha au visage.

M. Madeleine s'essuya le visage et dit :

– Inspecteur Javert, mettez cette femme en liberté.

– Mais, monsieur le maire…

– Je vous rappelle, à vous, l'article 81 de la loi du 13 décembre 1799 sur la détention arbitraire.

– Monsieur le maire, permettez…

– Plus un mot.

– Pourtant…

– Sortez, dit M. Madeleine.

Javert reçut le coup, debout, de face, et en pleine poitrine comme un soldat russe. Il salua jusqu'à terre M. le maire et sortit.

Fantine le regarda avec stupeur passer devant elle.

Quand Javert fut sorti, M. Madeleine se tourna vers elle, et lui dit avec une voix lente :

– Je paierai vos dettes, je ferai venir votre enfant, ou vous irez la rejoindre. Vous vivrez ici, à Paris, où vous voudrez. Je me charge de votre enfant et de vous. Vous ne travaillerez plus, si vous voulez. Je vous donnerai tout l'argent qu'il vous faudra. Vous redeviendrez honnête en redevenant heureuse.

C'en était plus que la pauvre Fantine n'en pouvait supporter. Avoir Cosette! sortir de cette vie infâme! vivre libre, riche, heureuse, honnête, avec Cosette! voir brusquement s'épanouir au milieu de sa misère toutes ces réalités du paradis! Elle regarda comme hébétée cet homme qui lui parlait, et ne put que jeter deux ou trois sanglots: Oh! oh! oh! Ses jarrets plièrent, elle se mit à genoux devant M. Madeleine, et, avant qu'il eût pu l'en empêcher, il sentit qu'elle lui prenait la main et que ses lèvres s'y posaient.

Puis elle s'évanouit.

LIVRE SIXIÈME

Javert

M. Madeleine fit transporter la Fantine à cette infirmerie qu'il avait dans sa propre maison. Il la confia aux sœurs qui la mirent au lit. Une fièvre ardente était survenue.

M. Madeleine l'allait voir deux fois par jour, et chaque fois elle lui demandait:

– Verrai-je bientôt ma Cosette?

Elle ne se rétablissait pas. Au contraire, son état semblait s'aggraver de semaine en semaine. Cette poignée de neige appliquée à nu sur la peau avait déterminé une suppression subite de transpiration à la suite de laquelle la maladie qu'elle couvait depuis plusieurs années finit par se déclarer violemment. Le médecin ausculta la Fantine et hocha la tête.

M. Madeleine dit au médecin:

– Eh bien?

– N'a-t-elle pas un enfant qu'elle désire voir ? dit le médecin.

– Oui.

– Eh bien, hâtez-vous de le faire venir.

M. Madeleine eut un tressaillement.

Fantine lui demanda :

– Qu'a dit le médecin ?

M. Madeleine s'efforça de sourire.

– Il a dit de faire venir bien vite votre enfant. Que cela vous rendra la santé. J'enverrai quelqu'un chercher Cosette ! S'il le faut, j'irai moi-même.

Un matin, M. Madeleine était dans son cabinet, occupé à régler d'avance quelques affaires pressantes de la mairie, pour le cas où il se déciderait à ce voyage de Montfermeil, lorsqu'on vint lui dire que l'inspecteur de police Javert demandait à lui parler. En entendant prononcer ce nom, M. Madeleine ne put se défendre d'une impression désagréable.

– Faites entrer, dit-il.

Javert entra. Il demeura un instant silencieux comme s'il se recueillait, puis éleva la voix avec une sorte de solennité triste qui n'excluait pourtant pas la simplicité.

– Monsieur le maire, il y a six semaines, à la suite de cette scène pour cette fille, j'étais furieux, je vous ai dénoncé.

– Dénoncé !

– À la préfecture de police de Paris.

M. Madeleine, qui ne riait pas beaucoup plus souvent que Javert, se mit à rire :

– Comme maire ayant empiété sur la police ?

– Comme ancien forçat. Je vous prenais pour un nommé Jean Valjean.

– Et que vous a-t-on répondu ?

– Que j'étais fou.

– Eh bien?

– Eh bien, on avait raison.

– C'est heureux que vous le reconnaissiez!

– Il faut bien, puisque le véritable Jean Valjean est trouvé.

La feuille que tenait M. Madeleine lui échappa des mains, il leva la tête, regarda fixement Javert et dit avec un accent inexprimable:

– Ah!

Javert poursuivit:

– Voilà ce que c'est, monsieur le maire. Il paraît qu'il y avait dans le pays une espèce de bonhomme qu'on appelait le père Champmathieu. Dernièrement, cet automne, le père Champmathieu a été arrêté pour vol de pommes à cidre. La geôle étant en mauvais état, M. le juge d'instruction trouve à propos de faire transférer Champmathieu à Arras, où est la prison départementale. Dans cette prison d'Arras, il y a un ancien forçat nommé Brevet, qu'on a fait guichetier de chambrée parce qu'il se conduit bien. Champmathieu n'est pas plus tôt débarqué que voilà Brevet qui s'écrie: – Eh, mais! je connais cet homme-là. Regardez-moi donc, bonhomme! Vous êtes Jean Valjean! – Jean Valjean! qui ça Jean Valjean? Le Champmathieu joue l'étonné. – Ne fais donc pas le sinvre, dit Brevet. Tu es Jean Valjean! Tu as été au bagne de Toulon. Il y a vingt ans. Nous y étions ensemble. Le Champmathieu nie. Parbleu! Vous comprenez. On s'informe à Toulon. Avec Brevet, il n'y a plus que deux forçats qui aient vu Jean Valjean. Ce sont les condamnés à vie Cochepaille et Chenildieu. On les extrait du bagne et on les fait venir. On les confronte au prétendu Champmathieu. Ils n'hésitent pas Pour eux comme pour Brevet, c'est Jean Valjean. Même âge, même taille, même air, même homme enfin, c'est lui. Moi aussi je l'ai reconnu.

M. Madeleine reprit d'une voix très basse :

– Vous êtes sûr ?

Javert se mit à rire de ce rire douloureux qui échappe à une conviction profonde :

– Oh, sûr ! Je vous ai soupçonné injustement. Cela, ce n'est rien. C'est notre droit à nous autres de soupçonner, quoiqu'il y ait pourtant abus à soupçonner au-dessus de soi. Mais, sans preuves, dans un accès de colère, dans le but de me venger, je vous ai dénoncé comme forçat, vous, un homme respectable, un maire, un magistrat ! ceci est grave, très grave. J'ai offensé l'autorité dans votre personne, moi agent de l'autorité ! Si l'un de mes subordonnés avait fait ce que j'ai fait, je l'aurais déclaré indigne du service et chassé. Monsieur le maire, le bien du service veut un exemple. Je demande simplement la destitution de l'inspecteur Javert.

Tout cela était prononcé d'un accent humble, fier, désespéré et convaincu, qui donnait je ne sais quelle grandeur bizarre à cet étrange honnête homme.

– Nous verrons, fit M. Madeleine.

Et il lui tendit la main.

Javert recula, et dit d'un ton farouche :

– Pardon, monsieur le maire, mais cela ne doit pas être. Un maire ne donne pas la main à un mouchard. Puis il salua profondément, et se dirigea vers la porte. Monsieur le maire, dit-il, je continuerai le service jusqu'à ce que je sois remplacé.

Il sortit. M Madeleine resta rêveur, écoutant ce pas ferme et assuré qui s'éloignait sur le pavé du corridor.

LIVRE SEPTIÈME

L'affaire Champmathieu

Le lecteur a sans doute deviné que M. Madeleine n'est autre que Jean Valjean.

Nous avons déjà regardé dans les profondeurs de cette conscience; le moment est venu d'y regarder encore. Il n'existe rien de plus terrifiant que cette sorte de contemplation. L'œil de l'esprit ne peut trouver nulle part plus d'éblouissements ni plus de ténèbres que dans l'homme. Il y a un spectacle plus grand que la mer, c'est le ciel; il y a un spectacle plus grand que le ciel, c'est l'intérieur de l'âme.

Nous n'avons que peu de chose à ajouter à ce que le lecteur connaît déjà de ce qui était arrivé à Jean Valjean depuis l'aventure de Petit-Gervais. À partir de ce moment, on l'a vu, il fut un autre homme. Ce que l'évêque avait voulu faire de lui, il l'exécuta. Ce fut plus qu'une transformation, ce fut une transfiguration.

Il réussit à disparaître, vendit l'argenterie de l'évêque, ne gardant que les flambeaux, comme souvenir, se glissa de ville en ville, traversa la France, vint à Montreuil-sur-Mer, eut l'idée que nous avons dite, accomplit ce que nous avons raconté, parvint à se faire insaisissable et inaccessible, et désormais, il vécut paisible, rassuré et espérant, n'ayant plus que deux pensées: cacher son nom, et sanctifier sa vie; échapper aux hommes et revenir à Dieu.

Jamais les deux idées qui gouvernaient le malheureux homme n'avaient engagé une lutte si sérieuse. Il le comprit confusément, mais profondément, dès les premières paroles que prononça Javert en entrant dans son cabinet. Au moment où fut si étrangement articulé ce nom qu'il avait enseveli sous tant d'épaisseurs, il fut saisi de stupeur et comme enivré par la sinistre bizarrerie de sa destinée, et à travers cette stupeur, il eut ce tressaillement qui précède les grandes secousses ; il se courba comme un chêne à l'approche d'un orage. Il sentit venir sur sa tête des ombres pleines de foudres et d'éclairs. Tout en écoutant Javert il eut une première pensée d'aller, de courir, de se dénoncer, de tirer ce Champmathieu de prison et de s'y mettre ; cela fut douloureux et poignant comme une incision dans la chair vive, puis cela passa – il réprima ce premier mouvement généreux et recula devant l'héroïsme.

Hélas ! ce qu'il voulait mettre à la porte était entré ; ce qu'il voulait aveugler, le regardait. Sa conscience.

Sa conscience, c'est-à-dire Dieu.

Il fallait aller à Arras, délivrer le faux Jean Valjean, dénoncer le véritable ! Hélas ! c'était là le plus grand des sacrifices, la plus poignante des victoires, le dernier pas à franchir ; mais il le fallait. Il n'entrerait dans la sainteté aux yeux de Dieu que s'il rentrait dans l'infamie aux yeux des hommes !

Il était près de huit heures du soir quand la carriole entra sous la porte cochère de l'hôtel de la Poste à Arras. L'homme que nous avons suivi jusqu'à ce moment en descendit.

Il se trouva dans un dédale de ruelles étroites où il se perdit. Un bourgeois cheminait avec un falot. Après quelque hésitation, il prit le parti de s'adresser à ce bourgeois, non sans avoir d'abord regardé devant et derrière lui, comme s'il craignait que quelqu'un n'entendît la question qu'il allait faire.

– Monsieur, dit-il, le palais de justice, s'il vous plaît ?

Il se conforma aux indications du bourgeois, et quelques minutes après, il était dans une salle où il y avait beaucoup de monde et où des groupes mêlés d'avocats en robes chuchotaient çà et là.

C'est toujours une chose qui serre le cœur de voir ces attroupements d'hommes vêtus de noir qui murmurent entre eux à voix basse sur le seuil des chambres de justice. Il est rare que la charité et la pitié sortent de toutes ces paroles. Ce qui en sort le plus souvent, ce sont des condamnations faites d'avance. Tous ces groupes semblent à l'observateur qui passe et qui rêve autant de ruches sombres où des esprits bourdonnants construisent en commun toutes sortes d'édifices ténébreux.

Un huissier se tenait debout près de la porte qui communiquait avec la salle des assises. Il demanda à cet huissier :

– Monsieur, la porte va-t-elle bientôt s'ouvrir ?

– Elle ne s'ouvrira pas, dit l'huissier.

– Pourquoi ?

– Parce que la salle est pleine.

Il ouvrit sa redingote, prit son portefeuille, en tira un crayon, déchira une feuille, et écrivit rapidement sur cette feuille, à la lueur du réverbère, cette ligne :

– *M. Madeleine, maire de Montreuil-sur-Mer.*

– Portez ceci à M. le président.

Quelques minutes après, il se trouvait seul dans une espèce de cabinet lambrissé, d'un aspect sévère, éclairé par deux bougies posées sur une table à tapis vert. Il avait encore dans l'oreille les dernières paroles de l'huissier qui venait de le quitter : « Monsieur, vous voici dans la chambre du conseil, vous n'avez qu'à tourner le bouton de cuivre de cette porte et vous vous trouverez dans l'audience derrière le fauteuil de M. le président. » Ces paroles se mêlaient dans sa pensée à un souvenir vague de corridors étroits et d'escaliers noirs qu'il venait de parcourir.

Tout à coup, sans qu'il sût lui-même comment, il se trouva près de la porte, il saisit convulsivement le bouton; la porte s'ouvrit.

Il était dans la salle d'audience.

C'était une assez vaste enceinte à peine éclairée, tantôt pleine de rumeur, tantôt pleine de silence, où tout l'appareil d'un procès criminel se développait avec sa gravité mesquine et lugubre au milieu de la foule.

À un bout de la salle, celui où il se trouvait, des juges à l'air distrait, en robe usée, se rongeant les ongles ou fermant les paupières; à l'autre bout, une foule en haillons; des avocats dans toutes sortes d'attitudes; des soldats au visage honnête et dur; de vieilles boiseries tachées, un plafond sale, des tables couvertes d'une serge plutôt jaune que verte, des portes noircies par les mains; à des clous plantés dans le lambris, des quinquets d'estaminet donnant plus de fumée que de clarté; sur les tables des chandelles dans des chandeliers de cuivre; l'obscurité, la laideur, la tristesse; et de tout cela se dégageait une impression austère et auguste, car on y sentait cette grande chose humaine qu'on appelle la loi et cette grande chose divine qu'on appelle la justice.

Personne dans cette foule ne fit attention à lui. Tous les regards convergeaient vers un point unique, un banc de bois adossé à une petite porte, le long de la muraille à gauche du président. Sur ce banc, il y avait un homme entre deux gendarmes.

Cet homme, c'était l'homme.

Il ne le chercha pas, il le vit. Ses yeux allèrent là naturellement, comme s'ils avaient su d'avance où était cette figure.

Cet être paraissait au moins soixante ans. Il avait je ne sais quoi de rude, de stupide et d'effarouché.

Au bruit de la porte, on s'était rangé pour lui faire place, le président avait tourné la tête, et comprenant que le personnage qui venait d'entrer était M. le maire de Montreuil-sur-Mer, il l'avait salué. Lui s'en aperçut à peine. Il était en proie à une sorte d'hallucination ; il regardait.

Des juges, un greffier, des gendarmes, une foule de têtes cruellement curieuses, il avait déjà vu cela une fois, autrefois, il y avait vingt-sept ans. Ces choses funestes, il les retrouvait ; elles étaient là, elles remuaient, elles existaient ; ce n'était plus un effort de sa mémoire, un mirage de sa pensée, c'étaient de vrais gendarmes et de vrais juges, une vraie foule et de vrais hommes en chair et en os. C'en était fait, il voyait reparaître et revivre autour de lui, avec tout ce que la réalité a de formidable, les aspects monstrueux de son passé.

Tout cela était béant devant lui.

Il en eut horreur, il ferma les yeux, et s'écria au plus profond de son âme : « Jamais ! »

Et par un jeu tragique de la destinée qui faisait trembler toutes ses idées, et le rendait presque fou, c'était un autre lui-même qui était là ! Cet homme qu'on jugeait, tous l'appelaient Jean Valjean !

Qui était cet homme ? Une enquête avait eu lieu, des témoins venaient d'être entendus, ils avaient été unanimes, des lumières avaient jailli de tout le débat. L'accusation disait :

– Nous ne tenons pas seulement un voleur de fruits, un maraudeur, nous tenons là, dans notre main, un bandit, un relaps en rupture de ban, un ancien forçat, un scélérat des plus dangereux, un malfaiteur appelé Jean Valjean que la justice recherche depuis longtemps, et qui, il y a huit ans, en sortant du bagne de Toulon, a commis un vol de grand chemin à main armée sur la personne d'un enfant savoyard appelé Petit-Gervais, crime prévu par l'article 383 du code pénal, pour lequel nous nous réservons de le poursuivre ultérieurement, quand l'identité sera judiciairement acquise. Il vient de commettre un nouveau vol. C'est un cas de récidive.

Devant cette accusation, devant l'unanimité des témoins, l'accusé paraissait surtout étonné. Il faisait des gestes et des signes qui voulaient dire non, ou bien il considérait le plafond. Il parlait avec peine, répondait avec embarras, mais de la tête aux pieds toute sa personne niait. Il était comme un idiot en présence de toutes ces intelligences rangées en bataille autour de lui, et comme un étranger au milieu de cette société qui le saisissait.

Le défenseur avait assez bien plaidé, dans cette langue de province qui a longtemps constitué l'éloquence du barreau et dont usaient jadis tous les avocats, et qui aujourd'hui, étant devenue classique, n'est plus guère parlée que par les orateurs officiels du parquet; langue où un mari s'appelle *un époux*, une femme *une épouse*, le roi, *le monarque*, Mgr l'évêque, *un saint pontife*, l'avocat général, *l'éloquent interprète de la vindicte*, les plaidoiries, *les accents qu'on vient d'entendre*, le siècle de Louis XIV, *le grand siècle*, un théâtre, *le temple de Melpomène*, la famille régnante, *l'auguste sang de nos rois*, un concert, *une solennité musicale*, M. le général commandant le département, *l'illustre guerrier qui*, etc., les élèves du séminaire, *ces tendres lévites*, les erreurs imputées aux journaux, *l'imposture qui distille son venin dans les colonnes de ces organes*, etc.

L'avocat général répliqua au défenseur. Il fut violent et fleuri, comme sont habituellement les avocats généraux.

Qu'était-ce que Jean Valjean? Description de Jean Valjean; un monstre vomi, etc. L'auditoire et les jurés «frémirent». La description achevée, l'avocat général reprit, dans un mouvement oratoire fait pour exciter au plus haut point le lendemain matin l'enthousiasme du journal de la préfecture :

– Et c'est un pareil homme, etc., vagabond, mendiant, sans moyens d'existence, etc. – accoutumé par sa vie passée aux actions coupables et peu corrigé par son séjour au bagne, comme le prouve le crime commis sur Petit-Gervais, etc. – c'est un homme pareil qui, trouvé sur la voie publique en flagrant délit de vol, nie le flagrant délit, le vol, l'escalade, nie tout, nie jusqu'à son nom, nie jusqu'à son identité !

Pendant que l'avocat général parlait, l'accusé écoutait la bouche ouverte, avec une sorte d'étonnement où il entrait bien quelque admiration. Il était évidemment surpris qu'un homme pût parler comme cela. De temps en temps, aux moments les plus « énergiques » du réquisitoire, dans ces instants où l'éloquence, qui ne peut se contenir, déborde dans un flux d'épithètes flétrissantes et enveloppe l'accusé comme un orage, il remuait lentement la tête de droite à gauche et de gauche à droite, sorte de protestation triste et muette dont il se contentait depuis le commencement des débats. L'avocat général fit remarquer au jury cette attitude hébétée, calculée évidemment, qui dénotait, non l'imbécillité, mais l'adresse, la ruse, l'habitude de tromper la justice, et qui mettait dans tout son jour la « profonde perversité » de cet homme. Il termina en réclamant une condamnation sévère.

Le président transmit un ordre à un huissier et un moment après la porte de la chambre des témoins s'ouvrit. L'huissier, accompagné d'un gendarme prêt à lui prêter main-forte, introduisit le condamné Brevet.

L'ancien forçat Brevet portait la veste noire et grise des maisons centrales.

– Brevet, dit le président, même dans l'homme que la loi a dégradé, il peut rester, quand la pitié divine le permet, un sentiment d'honneur et d'équité. C'est à ce sentiment que je fais appel à cette heure décisive. Brevet, regardez bien l'accusé, recueillez vos souvenirs, et dites-nous, en votre âme et conscience, si vous persistez à reconnaître cet homme pour votre ancien camarade de bagne Jean Valjean.

Brevet regarda l'accusé, puis se retourna vers la cour.

– Oui, monsieur le président. Cet homme est Jean Valjean, entré à Toulon en 1796 et sorti en 1815. Je le reconnais positivement.

On introduisit Chenildieu, forçat à vie, comme l'indiquaient sa casaque rouge et son bonnet vert.

Le président l'invita à se recueillir et lui demanda, comme à Brevet, s'il persistait à reconnaître l'accusé.

Chenildieu éclata de rire.

– Pardieu ! si je le reconnais ! nous avons été cinq ans attachés à la même chaîne. Tu boudes donc, mon vieux ?

– Allez vous asseoir, dit le président.

L'huissier amena Cochepaille ; cet autre condamné à perpétuité, venu du bagne et vêtu de rouge comme Chenildieu, était un de ces malheureux hommes que la nature a ébauchés en bêtes fauves et que la société termine en galériens.

Le président essaya de le remuer par quelques paroles pathétiques et graves et lui demanda, comme aux deux autres, s'il persistait, sans hésitation et sans trouble, à reconnaître l'homme debout devant lui.

– C'est Jean Valjean, dit Cochepaille. Même qu'on l'appelait Jean-le-Cric, tant il était fort !

Une rumeur éclata dans le public et gagna presque le jury. Il était évident que l'homme était perdu.

– Huissiers, dit le président, faites faire silence. Je vais clore les débats.

En ce moment un mouvement se fit tout à côté du président. On entendit une voix qui criait:

– Brevet, Chenildieu, Cochepaille! regardez de ce côté-ci.

Tous ceux qui entendirent cette voix se sentirent glacés, tant elle était lamentable et terrible. Les yeux se tournèrent vers le point d'où elle venait. Un homme, placé parmi les spectateurs privilégiés qui étaient assis derrière la cour, venait de se lever et était debout au milieu de la salle. Le président, l'avocat général, vingt personnes, le reconnurent, et s'écrièrent à la fois:

– Monsieur Madeleine!

Avant même que le président et l'avocat général eussent pu dire un mot, avant que les gendarmes et les huissiers eussent pu faire un geste, l'homme que tous appelaient encore en ce moment M. Madeleine s'était avancé vers les témoins Cochepaille, Brevet et Chenildieu.

– Vous ne me reconnaissez pas? dit-il.

Tous trois demeurèrent interdits et indiquèrent par un signe de tête qu'ils ne le connaissaient point.

Il se tourna vers les trois forçats:

– Je vous reconnais, moi! Brevet! Te rappelles-tu ces bretelles en tricot à damier que tu avais au bagne? Chenildieu, qui te surnommais toi-même Je-nie-Dieu, tu as toute l'épaule droite brûlée profondément, parce que tu t'es couché un jour l'épaule sur un réchaud plein de braise, pour effacer les trois lettres T.F.P., qu'on y voit toujours cependant. Réponds, est-ce vrai?

– C'est vrai, dit Chenildieu.

Il s'adressa à Cochepaille:

– Cochepaille, tu as près de la saignée du bras gauche une date gravée en lettres bleues avec de la poudre brûlée. Cette date, c'est celle du débarquement de l'Empereur à Cannes, 1er mars 1815. Relève ta manche.

Cochepaille releva sa manche, tous les regards se penchèrent autour de lui sur son bras nu. La date y était.

Le malheureux homme se tourna vers l'auditoire et vers les juges avec un sourire. C'était le sourire du triomphe, c'était aussi le sourire du désespoir.

– Vous voyez bien, dit-il, que je suis Jean Valjean.

Il n'y avait plus dans cette enceinte ni juges, ni accusateurs, ni gendarmes ; il n'y avait que des yeux fixes et des cœurs émus. Chose frappante, aucune question ne fut faite, aucune autorité n'intervint. Tous intérieurement se sentaient éblouis.

– Je ne veux pas déranger davantage l'audience, reprit Jean Valjean. Je m'en vais, puisqu'on ne m'arrête pas. J'ai plusieurs choses à faire. M. l'avocat général sait qui je suis, il sait où je vais, il me fera arrêter quand il voudra.

LIVRE HUITIÈME

Contrecoup

Le jour commençait à poindre. Fantine avait eu une nuit de fièvre et d'insomnie, pleine d'ailleurs d'images heureuses ; au matin, elle s'endormit.

M. Madeleine resta quelque temps immobile, regardant tour à tour la malade et le crucifix.

Elle ouvrit les yeux, le vit, et dit paisiblement :

– Et Cosette ?

Il lui prit la main :

– Cosette est belle, dit-il, Cosette se porte bien, vous la verrez bientôt, mais apaisez-vous. Vous parlez trop vivement, et puis vous sortez vos bras du lit, et cela vous fait tousser.

En effet des quintes de toux interrompaient Fantine presque à chaque mot.

Elle se mit à compter sur ses doigts.

– ... Un, deux, trois, quatre... elle a sept ans. Dans cinq ans. Elle aura un voile blanc, des bas à jour, elle aura l'air d'une petite femme.

Et elle se mit à rire.

Il avait quitté la main de Fantine. Il écoutait ces paroles comme on écoute un vent qui souffle, les yeux à terre, l'esprit plongé dans des réflexions sans fond. Tout à coup elle cessa de parler ; cela lui fit lever machinalement la tête. Fantine était devenue effrayante.

Elle ne parlait plus, elle ne respirait plus ; elle s'était soulevée à demi sur son séant, son épaule maigre sortait de sa chemise ; son visage, radieux le moment d'auparavant, était blême, et elle paraissait fixer sur quelque chose de formidable devant elle, à l'autre extrémité de la chambre, son œil agrandi par la terreur.

Il se retourna, et vit Javert.

À l'instant où le regard de Madeleine rencontra le regard de Javert, Javert, sans bouger, sans remuer, sans approcher, devint épouvantable. Aucun sentiment humain ne réussit à être effroyable comme la joie.

La certitude de tenir enfin Jean Valjean fit apparaître sur sa physionomie tout ce qu'il avait dans l'âme. L'humiliation d'avoir un peu perdu la piste et de s'être mépris quelques minutes sur ce Champmathieu, s'effaçait sous l'orgueil d'avoir si bien deviné d'abord et d'avoir eu si longtemps un instinct juste. La difformité du triomphe s'épanouit sur ce front étroit.

La Fantine n'avait point vu Javert depuis le jour où M. le maire l'avait arrachée à cet homme. Son cerveau malade ne se rendit compte de rien, seulement elle ne douta pas qu'il ne revînt la chercher. Elle ne put supporter cette figure affreuse, elle se sentit expirer et cria avec angoisse :

– Monsieur Madeleine, sauvez-moi !

Jean Valjean – nous ne le nommerons plus désormais autrement – s'était levé. Il dit à Fantine de sa voix la plus douce et la plus calme :

– Soyez tranquille. Ce n'est pas pour vous qu'il vient.

Alors elle vit une chose inouïe, tellement inouïe que jamais rien de pareil ne lui était apparu dans les plus noirs délires de la fièvre. Elle vit le mouchard Javert saisir au collet M. le maire ; elle vit M. le maire courber la tête. Il lui sembla que le monde s'évanouissait.

– Monsieur le maire ! cria Fantine.

Javert éclata de rire, de cet affreux rire qui lui déchaussait toutes les dents.

– Il n'y a plus de M. le maire ici !

Jean Valjean n'essaya pas de déranger la main qui tenait le col de sa redingote. Il dit :

– Monsieur, je voudrais vous dire un mot en particulier.

– Tout haut ! parle tout haut, répondit Javert ; on me parle tout haut à moi !

Jean Valjean continua en baissant la voix :

– C'est une prière que j'ai à vous faire…

– Qu'est-ce que cela me fait ? je n'écoute pas !

Jean Valjean se tourna vers lui et lui dit rapidement :

– Accordez-moi trois jours! Trois jours pour aller chercher l'enfant de cette malheureuse femme! Je paierai ce qu'il faudra! Vous m'accompagnerez, si vous voulez.

– Tu veux rire! cria Javert. Tu me demandes trois jours pour t'en aller! Tu dis que c'est pour aller chercher l'enfant de cette fille! Ah! ah! voilà qui est bon!

Fantine eut un tremblement.

– Mon enfant! s'écria-t-elle, aller chercher mon enfant! Elle n'est donc pas ici!

Elle se dressa en sursaut, appuyée sur ses bras roides et sur ses deux mains, elle regarda Jean Valjean, elle regarda Javert, un râle sortit du fond de sa gorge, ses dents claquèrent, elle étendit les bras avec angoisse, ouvrant convulsivement les mains, et cherchant autour d'elle comme quelqu'un qui se noie, puis elle s'affaissa subitement sur l'oreiller.

Sa tête heurta le chevet du lit et vint retomber sur sa poitrine, la bouche béante, les yeux ouverts et éteints.

Elle était morte.

Javert déposa Jean Valjean à la prison de la ville.

L'arrestation de M. Madeleine produisit à Montreuil-sur-Mer une sensation ou, pour mieux dire, une commotion extraordinaire. Nous sommes triste de ne pouvoir dissimuler que sur ce seul mot: *c'était un galérien*, tout le monde à peu près l'abandonna. En moins de deux heures tout le bien qu'il avait fait fut oublié, et ce ne fut plus qu'un «galérien».

C'est ainsi que ce fantôme qui s'était appelé M. Madeleine se dissipa à Montreuil-sur-Mer. Trois ou quatre personnes seulement dans toute la ville restèrent fidèles à cette mémoire.

Deuxième partie

Cosette

LIVRE PREMIER

Waterloo

S'il n'avait pas plu dans la nuit du 17 au 18 juin 1815, l'avenir de l'Europe était changé. Quelques gouttes d'eau de plus ou de moins ont fait pencher Napoléon. Pour que Waterloo fût la fin d'Austerlitz, la Providence n'a eu besoin que d'un peu de pluie, et un nuage traversant le ciel à contresens de la saison a suffi pour l'écroulement d'un monde.

La bataille de Waterloo, et ceci a donné à Blücher le temps d'arriver, n'a pu commencer qu'à onze heures et demie. Pourquoi ? Parce que la terre était mouillée. Il a fallu attendre un peu de raffermissement pour que l'artillerie pût manœuvrer.

Napoléon était officier d'artillerie et il s'en ressentait. Faire converger l'artillerie sur un point donné, c'était là sa clef de victoire. Il traitait la stratégie du général ennemi comme une citadelle, et il la battait en brèche. Il accablait le point faible de mitraille ; il nouait et dénouait les batailles avec le canon. Il y avait du tir dans son génie. Enfoncer les carrés, pulvériser les régiments, rompre les lignes, broyer et disperser les masses, tout pour lui était là, frapper, frapper, frapper sans cesse, et il confiait cette besogne au boulet. Méthode redoutable, et qui, jointe au génie, a fait invincible pendant quinze ans ce sombre athlète du pugilat de la guerre.

Le 18 juin 1815, il comptait d'autant plus sur l'artillerie qu'il avait pour lui le nombre. Wellington n'avait que cent cinquante-neuf bouches à feu ; Napoléon en avait deux cent quarante.

Supposez la terre sèche, l'artillerie pouvant rouler, l'action commençait à six heures du matin. La bataille était gagnée et finie à deux heures, trois heures avant la péripétie prussienne.

Quelle quantité de faute y a-t-il de la part de Napoléon dans la perte de cette bataille ? le naufrage est-il imputable au pilote ?

Nous ne le pensons point.

Son plan de bataille était, de l'aveu de tous, un chef-d'œuvre. Aller droit au centre de la ligne alliée, faire un trou dans l'ennemi, le couper en deux, pousser la moitié britannique sur Hal et la moitié prussienne sur Tongres, faire de Wellington et de Blücher deux tronçons, enlever Mont-Saint-Jean, saisir Bruxelles, jeter l'Allemand dans le Rhin et l'Anglais dans la mer. Tout cela, pour Napoléon, était dans cette bataille. Ensuite on verrait.

Esquisser ici l'aspect de Napoléon, à cheval, sa lunette à la main, sur la hauteur de Rossomme, à l'aube du 18 juin 1815, cela est presque de trop. Avant qu'on le montre, tout le monde l'a vu. Ce profil calme sous le petit chapeau de l'école de Brienne, cet uniforme vert, le revers blanc cachant la plaque, la redingote cachant les épaulettes, l'angle du cordon rouge sous le gilet, la culotte de peau, le cheval blanc avec sa housse de velours pourpre ayant aux coins des N couronnés et des aigles, les bottes à l'écuyère sur des bas de soie, les éperons d'argent, l'épée de Marengo, toute cette figure du dernier César est debout dans les imaginations, acclamée des uns, sévèrement regardée par les autres.

L'Empereur n'avait jamais été de si bonne humeur que ce jour-là. Depuis le matin, son impénétrabilité souriait. L'homme qui avait été sombre à Austerlitz fut gai à Waterloo.

Donc, le matin de Waterloo, Napoléon était content.

Il donna l'ordre aux cuirassiers de Milhaud d'enlever le plateau de Mont-Saint-Jean.

Ils étaient trois mille cinq cents. Ils faisaient un front d'un quart de lieue. C'étaient des hommes géants sur des chevaux colosses. Ils étaient vingt-six escadrons ; et ils avaient derrière eux, pour les appuyer, la division de Lefebvre-Desnouettes, les cent six gendarmes d'élite, les chasseurs de la garde, onze cent quatre-vingt-dix-sept hommes, et les lanciers de la garde, huit cent quatre-vingts lances.

L'aide de camp Bernard leur porta l'ordre de l'Empereur. Ney tira son épée et prit la tête. Les escadrons énormes s'ébranlèrent.

Alors on vit un spectacle formidable.

Toute cette cavalerie, sabres levés, étendards et trompettes au vent, formée en colonne par division, descendit, d'un même mouvement et comme un seul homme, avec la précision d'un bélier de bronze qui ouvre une brèche, la colline de la Belle-Alliance, y disparut dans la fumée, puis, sortant de cette ombre, reparut de l'autre côté du vallon, toujours compacte et serrée, montant au grand trot, à travers un nuage de mitraille crevant sur elle, l'épouvantable pente de boue du plateau de Mont-Saint-Jean. Ils montaient, graves, menaçants, imperturbables; dans les intervalles de la mousqueterie et de l'artillerie, on entendait ce piétinement colossal. Étant deux divisions, ils étaient deux colonnes. On croyait voir de loin s'allonger vers la crête du plateau deux immenses couleuvres d'acier. Cela traversa la bataille comme un prodige.

Il semblait que cette masse était devenue monstre et n'eût qu'une âme. Chaque escadron ondulait et se gonflait comme un anneau du polype. On les apercevait à travers une vaste fumée déchirée çà et là. Pêle-mêle de casques, de cris, de sabres, bondissement orageux des croupes de chevaux dans le canon et la fanfare, tumulte discipliné et terrible.

Bizarre coïncidence numérique, vingt-six bataillons allaient recevoir ces vingt-six escadrons. Derrière la crête du plateau, à l'ombre de la batterie masquée, l'infanterie anglaise, formée en treize carrés, deux bataillons par carré, calme, muette, immobile, attendait. Elle ne voyait pas les cuirassiers et les cuirassiers ne la voyaient pas. Elle écoutait monter cette marée d'hommes. Elle entendait le grossissement du bruit des trois mille chevaux, le frappement alternatif et symétrique des sabots au grand trot, le froissement des cuirasses, le cliquetis des sabres, et une sorte de grand souffle farouche. Il y eut un silence redoutable, puis, subitement, une longue file de bras levés brandissant des sabres apparut au-dessus de la crête, et les casques, et les trompettes et les étendards, et trois mille têtes à moustaches grises criant: Vive l'Empereur! Toute cette cavalerie déboucha sur le plateau, et ce fut comme l'entrée d'un tremblement de terre.

Tout à coup, chose tragique, à la gauche des Anglais, à

notre droite, la tête de colonne des cuirassiers se cabra avec une clameur effroyable. Parvenus au point culminant de la crête, effrénés, tout à leur furie et à leur course d'extermination sur les carrés et les canons, les cuirassiers venaient d'apercevoir entre eux et les Anglais un fossé, une fosse. C'était le chemin creux d'Ohain.

L'instant fut épouvantable. Le ravin était là, inattendu, béant, à pic sous les pieds des chevaux, profond de deux toises entre son double talus ; le second rang y poussa le premier, et le troisième y poussa le second ; les chevaux se dressaient, se rejetaient en arrière, tombaient sur la croupe, glissaient les quatre pieds en l'air, pilant et bouleversant les cavaliers, aucun moyen de reculer, toute la colonne n'était plus qu'un projectile, la force acquise pour écraser les Anglais écrasa les Français, le ravin inexorable ne pouvait se rendre que comblé ; cavaliers et chevaux y roulèrent pêle-mêle, se broyant les uns les autres, ne faisant qu'une chair dans ce gouffre, et quand cette fosse fut pleine d'hommes vivants, on marcha dessus et le reste passa.

Ceci commença la perte de la bataille.

Napoléon, avant d'ordonner cette charge des cuirassiers de Milhaud, avait scruté le terrain, mais n'avait pu voir ce chemin creux qui ne faisait pas même une ride à la surface du plateau. Averti pourtant et mis en éveil par la petite chapelle blanche qui en marque l'angle sur la chaussée de Nivelles, il avait fait, probablement sur l'éventualité d'un obstacle, une question au guide Lacoste. Le guide avait répondu non. On pourrait presque dire que de ce signe de tête d'un paysan est sortie la catastrophe de Napoléon.

D'autres fatalités encore devaient surgir.

Était-il possible que Napoléon gagnât cette bataille ? nous

répondons non. Pourquoi ? à cause de Wellington ? à cause de Blücher ? non. À cause de Dieu.

Bonaparte vainqueur à Waterloo, ceci n'était plus dans la loi du XIXe siècle. Une autre série de faits se préparait, où Napoléon n'avait plus de place. La mauvaise volonté des événements s'était annoncée de longue date.

Il était temps que cet homme vaste tombât.

L'excessive pesanteur de cet homme dans la destinée humaine troublait l'équilibre. Cet individu comptait à lui seul plus que le groupe universel. Ces pléthores de toute la vitalité humaine concentrée dans une seule tête, le monde montant au cerveau d'un homme, cela serait mortel à la civilisation, si cela durait. Le moment était venu pour l'incorruptible équité suprême d'aviser. Le sang qui fume, le trop-plein des cimetières, les mères en larmes, ce sont des plaidoyers redoutables. Il y a, quand la terre souffre d'une surcharge, de mystérieux gémissements de l'ombre, que l'abîme entend.

Napoléon avait été dénoncé dans l'infini, et sa chute était décidée.

Il gênait Dieu.

Waterloo n'est point une bataille ; c'est le changement de front de l'univers

Quelques carrés de la garde tinrent jusqu'à la nuit. La nuit venant, la mort aussi, ils attendirent cette ombre double, et, inébranlables, s'en laissèrent envelopper. Chaque régiment, isolé des autres et n'ayant plus de lien avec l'armée rompue de toutes parts, mourait pour son compte. Ils avaient pris position, pour faire cette dernière action, les uns sur les hauteurs de Rossomme, les autres dans la plaine de Mont-Saint-Jean. Là, abandonnés, vaincus, terribles, ces carrés sombres agonisaient formidablement. Ulm, Wagram, Iéna, Friedland, mouraient en eux.

Au crépuscule, vers neuf heures du soir, au bas du plateau de Mont-Saint-Jean, il en restait un. Dans ce vallon funeste, au pied de cette pente gravie par les cuirassiers, inondée maintenant par les masses anglaises, sous les feux convergents de l'artillerie ennemie victorieuse, sous une effroyable densité de projectiles, ce carré luttait. Il était commandé par un officier obscur nommé Cambronne. À chaque décharge, le carré diminuait, et ripostait. Il répliquait à la mitraille par la fusillade, rétrécissant continuellement ses quatre murs.

Quand cette légion ne fut plus qu'une poignée, quand leur drapeau ne fut plus qu'une loque, quand leurs fusils épuisés de balles ne furent plus que des bâtons, quand le tas de cadavres fut plus grand que le groupe vivant, il y eut parmi les vainqueurs une sorte de terreur sacrée autour de ces mourants sublimes, et l'artillerie anglaise, reprenant haleine, fit silence. Ce fut une espèce de répit. Ces combattants avaient autour d'eux comme un fourmillement de spectres, des silhouettes d'hommes à cheval, le profil noir des canons, le ciel blanc aperçu à travers les roues et les affûts; la colossale tête de mort que les héros entrevoient toujours dans la fumée au fond de la bataille, s'avançait sur eux et les regardait. Ils purent entendre dans l'ombre crépusculaire qu'on chargeait les pièces, les mèches allumées pareilles à des yeux de tigre dans la nuit firent un cercle autour de leurs têtes; tous les boutefeux des batteries anglaises s'approchèrent des canons, et alors, ému, tenant la minute suprême suspendue au-dessus de ces hommes, un général anglais leur cria:

– Braves Français, rendez-vous!

Cambronne répondit:

– Merde !

Au mot de Cambronne, la voix anglaise répondit : – Feu ! les batteries flamboyèrent, la colline trembla, de toutes ces bouches d'airain sortit un dernier vomissement de mitraille, épouvantable ; une vaste fumée, vaguement blanchie du lever de la lune, roula, et quand la fumée se dissipa, il n'y avait plus rien. Ce reste formidable était anéanti ; la garde était morte.

Nous ne sommes pas de ceux qui flattent la guerre. La guerre a d'affreuses beautés que nous n'avons point cachées ; elle a aussi, convenons-en, quelques laideurs. Une des plus surprenantes, c'est le prompt dépouillement des morts après la victoire. L'aube qui suit une bataille se lève toujours sur des cadavres nus.

Toute l'armée a une queue, et c'est là ce qu'il faut accuser. Des êtres chauves-souris, mi-partis brigands et valets, toutes les espèces de vespertilio qu'engendre ce crépuscule qu'on appelle la guerre, des porteurs d'uniforme qui ne combattent pas, de faux malades, des éclopés redoutables, des cantiniers interlopes trottant, quelquefois avec leurs femmes, sur de petites charrettes et volant ce qu'ils revendent, des mendiants s'offrant pour guides aux officiers, des goujats, des maraudeurs, les armées en marche autrefois traînaient tout cela, si bien que, dans la langue spéciale, cela s'appelait les « traînards ». Aucune armée ni aucune nation n'étaient responsables de ces êtres ; ils parlaient italien et suivaient les Allemands ; ils parlaient français et suivaient les Anglais. De la maraude naissait le maraud. La détestable maxime : *Vivre sur l'ennemi*, produisait cette lèpre, qu'une forte discipline pouvait seule guérir.

Dans la nuit du 18 au 19 juin, on dépouilla les morts. Wellington fut rigide ; ordre de passer par les armes quiconque serait pris en flagrant délit; mais la rapine est tenace. Les maraudeurs volaient dans un coin du champ de bataille pendant qu'on les fusillait dans l'autre.

Vers minuit, un homme rôdait, ou plutôt rampait, du côté du chemin creux d'Ohain. C'était, selon toute apparence, un de ceux que nous venons de caractériser, ni Anglais, ni Français, ni paysan, ni soldat, moins homme que goule, attiré par le flair des morts, ayant pour victoire le vol, venant dévaliser Waterloo. Il était vêtu d'une blouse qui était un peu une capote, il était inquiet et audacieux, il allait devant lui et regardait derrière lui. Qu'était-ce que cet homme? La nuit probablement en savait plus sur son compte que le jour. Il n'avait point de sac, mais évidemment de larges poches sous sa capote. De temps en temps, il s'arrêtait, examinait la plaine autour de lui comme pour voir s'il n'était pas observé, se penchait brusquement, dérangeait à terre quelque chose de silencieux et d'immobile, puis se redressait et s'esquivait.

Il passait on ne sait quelle hideuse revue des morts. Il marchait les pieds dans le sang. Tout à coup il s'arrêta.

À quelques pas devant lui, dans le chemin creux, au point où finissait le monceau des morts, de dessous cet amas d'hommes et de chevaux, sortait une main ouverte, éclairée par la lune.

Cette main avait au doigt quelque chose qui brillait, et qui était un anneau d'or.

L'homme se courba, demeura un moment accroupi, et quand il se releva, il n'y avait plus d'anneau à cette main.

Il ne se releva pas précisément; il resta dans une attitude fauve et effarouchée, tournant le dos au tas de morts, scrutant l'horizon, à genoux, tout l'avant du corps portant sur les deux index appuyés à terre, la tête guettant par-dessus le bord du chemin creux. Les quatre pattes du chacal conviennent à de certaines actions.

Puis, prenant son parti, il se dressa.

En ce moment il eut un soubresaut. Il sentit que par-derrière on le tenait.

Il se retourna ; c'était la main ouverte qui s'était refermée et qui avait saisi le pan de sa capote.

Un honnête homme eût eu peur. Celui-ci se mit à rire.

– Tiens, dit-il, ce n'est que le mort. J'aime mieux un revenant qu'un gendarme.

Cependant la main défaillit et le lâcha. L'effort s'épuise vite dans la tombe.

– Ah çà ! reprit le rôdeur, est-il vivant, ce mort ?

Il se pencha de nouveau, fouilla le tas, écarta ce qui faisait obstacle, saisit la main, empoigna le bras, dégagea la tête, tira le corps, et quelques instants après il traînait dans l'ombre du chemin creux un homme inanimé, au moins évanoui. C'était un cuirassier, un officier, un officier même d'un certain rang ; une grosse épaulette d'or sortait de dessous la cuirasse. Un furieux coup de sabre balafrait son visage où l'on ne voyait que du sang.

Il avait sur la cuirasse la croix d'argent de la Légion d'honneur. Le rôdeur arracha cette croix qui disparut dans un des gouffres qu'il avait sous sa capote.

Après quoi, il tâta le gousset de l'officier, y sentit une montre et la prit. Puis, il fouilla le gilet, y trouva une bourse et l'empocha.

Comme il en était à cette phase des secours qu'il portait à ce mourant, l'officier ouvrit les yeux.

– Merci, dit-il faiblement.

La brusquerie des mouvements de l'homme qui le maniait, la fraîcheur de la nuit, l'air respiré librement, l'avaient tiré de sa léthargie.

Le rôdeur ne répondit point. Il leva la tête. On entendait un bruit de pas dans la plaine ; probablement quelque patrouille qui approchait.

L'officier murmura, car il y avait encore de l'agonie dans sa voix :

– Cherchez dans mes poches. Vous y trouverez une bourse et une montre. Prenez-les.

C'était déjà fait.

Le rôdeur exécuta le semblant demandé, et dit :

– Il n'y a rien.

– On m'a volé, reprit l'officier, j'en suis fâché. C'eût été pour vous.

Les pas de la patrouille devenaient de plus en plus distincts.

– Voici qu'on vient, dit le rôdeur, faisant le mouvement d'un homme qui s'en va.

L'officier, soulevant péniblement le bras, le retint :

– Vous m'avez sauvé la vie. Qui êtes-vous ?

Le rôdeur répondit vite et bas :

– J'étais comme vous de l'armée française. Il faut que je vous quitte. Si l'on me prenait, on me fusillerait. Je vous ai sauvé la vie. Tirez-vous d'affaire maintenant.

– Quel est votre grade ?

– Sergent.

– Comment vous appelez-vous ?

– Thénardier.

– Je n'oublierai pas ce nom, dit l'officier. Et vous, retenez le mien. Je me nomme Pontmercy.

LIVRE DEUXIÈME

Le vaisseau l'*Orion*

Vers la fin d'octobre de l'année 1823, les habitants de Toulon virent rentrer dans leur port, à la suite d'un gros temps et pour réparer quelques avaries, le vaisseau l'*Orion*.

Il était mouillé près de l'Arsenal. Il était en armement et on le réparait. La coque n'avait pas été endommagée à tribord, mais quelques bordages étaient décloués çà et là, selon l'usage, pour laisser pénétrer de l'air dans la carcasse. Un matin la foule qui le contemplait fut témoin d'un accident.

L'équipage était occupé à enverguer les voiles Le gabier chargé de prendre l'empointure du grand hunier tribord perdit l'équilibre. On le vit chanceler, la multitude amassée sur le quai de l'Arsenal jeta un cri, la tête emporta le corps, l'homme tourna autour de la vergue, les mains étendues vers l'abîme ; il saisit, au passage, le faux marchepied d'une main d'abord, puis de l'autre, et il y resta suspendu. L'homme allait et venait au bout de cette corde comme la pierre d'une fronde.

Ses bras se tordaient dans un tiraillement horrible. On n'attendait plus que la minute où il lâcherait la corde et par instants toutes les têtes se détournaient afin de ne pas le voir passer.

Tout à coup, on aperçut un homme qui grimpait dans le gréement avec l'agilité d'un chat-tigre. Cet homme était vêtu de rouge, c'était un forçat ; il avait un bonnet vert, c'était un forçat à vie. Arrivé à la hauteur de la hune, un coup de vent emporta son bonnet et laissa voir une tête toute blanche ; ce n'était pas un jeune homme.

On le vit parcourir la vergue en courant. Parvenu à la

pointe, il y attacha un bout de la corde qu'il avait apportée, et laissa pendre l'autre bout, puis il se mit à descendre avec les mains le long de cette corde, et alors ce fut une inexprimable angoisse, au lieu d'un homme suspendu sur le gouffre, on en vit deux.

Cependant le forçat était parvenu à s'affaler près du matelot.

Il était temps ; une minute de plus, l'homme, épuisé et désespéré, se laissait tomber dans l'abîme ; le forçat l'avait amarré solidement avec la corde à laquelle il se tenait d'une main pendant qu'il travaillait de l'autre. Enfin on le vit remonter sur la vergue et y haler le matelot ; puis il le saisit dans ses bras et le porta en marchant sur la vergue jusqu'au chouquet, et de là dans la hune où il le laissa dans les mains de ses camarades.

Lui, cependant, s'était mis en devoir de redescendre pour rejoindre sa corvée. Pour être plus promptement arrivé, il se laissa glisser dans le gréement et se mit à courir sur une basse vergue. Tous les yeux le suivaient. À un certain moment, on eut peur ; soit qu'il fût fatigué, soit que la tête lui tournât, on crut le voir hésiter et chanceler. Tout à coup la foule poussa un grand cri, le forçat venait de tomber à la mer.

Le lendemain, le journal de Toulon imprimait ces quelques lignes :

*17 novembre 1823. Hier, un forçat, de corvée à bord de l'*Orion*, en revenant de porter secours à un matelot, est tombé à la mer et s'est noyé. On n'a pu retrouver son cadavre. Cet homme était écroué sous le n° 9430 et se nommait Jean Valjean.*

LIVRE TROISIÈME

Accomplissement de la promesse faite à la morte

Montfermeil est situé entre Livry et Chelles, sur la lisière méridionale de ce haut plateau qui sépare l'Ourque de la Marne. C'était un endroit paisible et charmant, qui n'était sur la route de rien; on y vivait à bon marché de cette vie paysanne si abondante et si facile. Seulement l'eau y était rare à cause de l'élévation du plateau.

Il fallait aller la chercher assez loin.

C'était donc une assez rude besogne pour chaque ménage que cet approvisionnement de l'eau. Les grosses maisons, l'aristocratie, la gargote Thénardier en faisait partie, payaient un liard par seau d'eau à un bonhomme dont c'était l'état, mais ce bonhomme ne travaillait que jusqu'à sept heures du soir l'été et jusqu'à cinq heures l'hiver, et une fois la nuit venue, qui n'avait pas d'eau à boire en allait chercher ou s'en passait.

C'était là la terreur de ce pauvre être que le lecteur n'a peut-être pas oublié, de la petite Cosette. On se souvient que Cosette était utile aux Thénardier de deux manières: ils se faisaient payer par la mère et ils se faisaient servir par l'enfant. Aussi quand la mère cessa tout à fait de payer, les Thénardier gardèrent Cosette. Elle leur remplaçait une servante. En cette qualité, c'était elle qui courait chercher de l'eau quand il en fallait. Aussi l'enfant, fort épouvantée de l'idée d'aller à la source la nuit, avait-elle grand soin que l'eau ne manquât jamais à la maison.

On n'a encore aperçu dans ce livre les Thénardier que de profil; le moment est venu de tourner autour de ce couple et de le regarder sous toutes ses faces.

Thénardier venait de dépasser ses cinquante ans; Mme Thénardier touchait à la quarantaine, qui est la cinquantaine de la femme.

Les lecteurs ont peut-être, dès sa première apparition, conservé quelque souvenir de cette Thénardier grande, blonde, rouge, grasse, charnue, carrée, énorme et agile; elle tenait, nous l'avons dit, de la race de ces sauvagesses colosses qui se cambrent dans les foires avec des pavés pendus à leur chevelure. Elle faisait tout dans le logis, les lits, les chambres, la lessive, la cuisine, la pluie, le beau temps, le diable. Elle avait pour tout domestique Cosette; une souris au service d'un éléphant. Tout tremblait au son de sa voix, les vitres, les meubles et les gens. Son large visage, criblé de taches de rousseur, avait l'aspect d'une écumoire. Elle avait de la barbe. C'était l'idéal d'un fort de la halle habillé en fille. Elle jurait splendidement; elle se vantait de casser une noix d'un coup de poing. Sans les romans qu'elle avait lus, et qui, par moments, faisaient bizarrement reparaître la mijaurée sous l'ogresse, jamais l'idée ne fût venue à personne de dire d'elle: C'est une femme. Cette Thénardier était comme le produit de la greffe d'une donzelle sur une poissarde. Quand on l'entendait parler, on disait: C'est un gendarme; quand on la regardait boire, on disait: C'est un charretier; quand on la voyait manier Cosette, on disait: C'est le bourreau. Au repos, il lui sortait de la bouche une dent.

Le Thénardier était un homme petit, maigre, blême, anguleux, osseux, chétif, qui avait l'air malade et qui se portait à merveille, sa fourberie commençait là. Il souriait habituellement par précaution, et était poli à peu près avec tout le monde, même avec le mendiant auquel il refusait un liard. Il avait le regard d'une fouine et la mine d'un homme de lettres. Sa coquetterie consistait à boire avec les rouliers. Personne n'avait jamais pu le griser. Il fumait dans une grosse pipe. Il portait une blouse et sous sa blouse un vieil habit noir. Il avait des prétentions à la littérature et au matérialisme. Il affirmait avoir un «système». Du reste fort escroc. Un filousophe. Cette nuance existe. Il contait avec quelque luxe qu'à Waterloo, étant sergent, il avait, seul contre un escadron de hussards de la Mort, couvert de son corps et sauvé à travers la mitraille «un général dangereusement blessé». De là, venait, pour son mur, sa flamboyante enseigne, et, pour son auberge, dans le pays, le nom de «cabaret du sergent de Waterloo».

Sa prouesse à Waterloo, on la connaît. Comme on voit, il l'exagérait un peu.

Outre toutes ses autres qualités, Thénardier était attentif et pénétrant, silencieux ou bavard à l'occasion, et toujours avec une haute intelligence. Thénardier était un homme d'État.

Tout nouveau venu qui entrait dans la gargote disait en voyant la Thénardier: Voilà le maître de la maison. Erreur. Elle n'était même pas la maîtresse. Le maître et la maîtresse, c'était le mari. Elle faisait, il créait. Il dirigeait tout par une sorte d'action magnétique invisible et continuelle. Un mot lui suffisait, quelquefois un signe; le mastodonte obéissait. Le Thénardier était pour la Thénardier une espèce d'être particulier et souverain. Quoique leur accord n'eût pour résultat que le mal, il y avait de la contemplation dans la soumission de la Thénardier à son mari. Cette montagne de bruit et de chair se mouvait sous le petit doigt de ce despote frêle.

Tels étaient ces deux êtres. Cosette était entre eux, subissant leur double pression, comme une créature qui serait à la fois broyée par une meule et déchiquetée par une tenaille. L'homme et la femme avaient chacun une manière différente ; Cosette était rouée de coups, cela venait de la femme ; elle allait pieds nus l'hiver, cela venait du mari.

La pauvre enfant, passive, se taisait.

Il était arrivé quatre nouveaux voyageurs.

Cosette songeait tristement ; car, quoiqu'elle n'eût que huit ans, elle avait déjà tant souffert qu'elle rêvait avec l'air lugubre d'une vieille femme.

Elle avait la paupière noire d'un coup de poing que la Thénardier lui avait donné, ce qui faisait de temps en temps dire à la Thénardier :

– Est-elle laide avec son pochon sur l'œil !

Cosette pensait donc qu'il était nuit, très nuit, qu'il avait fallu remplir à l'improviste les pots et les carafes dans les chambres des voyageurs survenus, et qu'il n'y avait plus d'eau dans la fontaine.

La Thénardier ouvrit toute grande la porte de la rue :

– Va en chercher !

Cosette baissa la tête, et alla prendre un seau vide qui était au coin de la cheminée.

Ce seau était plus grand qu'elle, et l'enfant aurait pu s'asseoir dedans et y tenir à l'aise.

Elle resta immobile, le seau à la main, la porte ouverte devant elle. Elle semblait attendre qu'on vînt à son secours :

– Va donc ! cria la Thénardier.

Cosette sortit. La porte se referma

Elle sortit du village en courant, elle entra dans le bois en courant, ne regardant plus rien, n'écoutant plus rien. Elle n'arrêta sa course que lorsque la respiration lui manqua, mais elle n'interrompit point sa marche. Elle allait devant elle, éperdue.

Tout en courant elle avait envie de pleurer.

Elle ne pensait plus, elle ne voyait plus. L'immense nuit faisait face à ce petit être. D'un côté, toute l'ombre ; de l'autre, un atome.

Il n'y avait que sept ou huit minutes de la lisière du bois à la source. Cosette connaissait le chemin pour l'avoir fait plusieurs fois le jour. Chose étrange, elle ne se perdit pas. Un reste d'instinct la conduisait vaguement. Elle ne jetait cependant les yeux ni à droite ni à gauche, de crainte de voir des choses dans les branches et dans les broussailles. Elle arriva ainsi à la source.

Cosette ne prit pas le temps de respirer. Il faisait très noir, mais elle avait l'habitude de venir à cette fontaine. Elle chercha de la main gauche dans l'obscurité un jeune chêne incliné sur la source qui lui servait ordinairement de point d'appui, rencontra une branche, s'y suspendit, se pencha et plongea le seau dans l'eau. Elle était dans un moment si violent que ses forces étaient triplées. Elle retira le seau presque plein et le posa sur l'herbe.

Cela fait, elle s'aperçut qu'elle était épuisée de lassitude. Elle eût bien voulu repartir tout de suite ; mais l'effort de remplir le seau avait été tel qu'il lui fut impossible de faire un pas. Elle fut bien forcée de s'asseoir. Elle se laissa tomber sur l'herbe et y demeura accroupie.

Alors, par une sorte d'instinct, pour sortir de cet état singulier qu'elle ne comprenait pas, mais qui l'effrayait, elle se mit à compter à haute voix un, deux, trois, quatre, jusqu'à dix, et quand elle eut fini, elle recommença. Cela lui rendit la perception vraie des choses qui l'entouraient. Elle sentit le froid à ses mains qu'elle avait mouillées en puisant de l'eau. Elle se leva. La peur lui était revenue, une peur naturelle et insurmontable. Elle n'eut plus qu'une pensée, s'enfuir; s'enfuir à toutes jambes, à travers bois, à travers champs, jusqu'aux maisons, jusqu'aux fenêtres, jusqu'aux chandelles allumées. Son regard tomba sur le seau qui était devant elle. Tel était l'effroi que lui inspirait la Thénardier qu'elle n'osa pas s'enfuir sans le seau d'eau. Elle saisit l'anse à deux mains. Elle eut de la peine à soulever le seau.

Elle fit ainsi une douzaine de pas, mais le seau était plein, il était lourd, elle fut forcée de le reposer à terre. Elle respira un instant, puis elle enleva l'anse de nouveau, et se remit à marcher, cette fois un peu plus longtemps.

En ce moment, elle sentit tout à coup que le seau ne pesait plus rien. Une main, qui lui parut énorme, venait de saisir l'anse et la soulevait vigoureusement. Elle leva la tête. Une grande forme noire, droite et debout, marchait auprès d'elle dans l'obscurité. C'était un homme qui était arrivé derrière elle et qu'elle n'avait pas entendu venir. Cet homme, sans dire un mot, avait empoigné l'anse du seau qu'elle portait.

Il y a des instincts pour toutes les rencontres de la vie.

L'enfant n'eut pas peur.

L'homme lui adressa la parole. Il parlait d'une voix grave et presque basse:

– Mon enfant, c'est bien lourd ce que vous portez là.

Cosette leva la tête et répondit:

– Oui, monsieur.

– Donnez, reprit l'homme, je vais vous le porter.

Cosette lâcha le seau. L'homme se mit à cheminer près d'elle.

– C'est très lourd, en effet, dit-il entre ses dents. Puis il ajouta: Petite, quel âge as-tu?

– Huit ans, monsieur.

– Et viens-tu de loin comme cela?

– De la source qui est dans le bois.

– Et est-ce loin où tu vas?

– À un bon quart d'heure d'ici.

L'homme resta un moment sans parler, puis il dit brusquement:

– Tu n'as donc pas de mère?

– Je ne sais pas, répondit l'enfant.

Avant que l'homme eût eu le temps de reprendre la parole, elle ajouta:

– Je ne crois pas. Les autres en ont. Moi, je n'en ai pas. Et après un silence, elle reprit: Je crois que je n'en ai jamais eu.

L'homme s'arrêta, il posa le seau à terre, se pencha et mit ses deux mains sur les deux épaules de l'enfant, faisant effort pour la regarder et voir son visage dans l'obscurité.

– Comment t'appelles-tu? dit l'homme.

– Cosette.

L'homme eut comme une secousse électrique. Il la regarda encore, puis il ôta ses mains de dessus les épaules de Cosette, saisit le seau, et se remit à marcher. Comme ils approchaient de l'auberge, Cosette lui toucha le bras timidement:

– Monsieur?

– Quoi, mon enfant?

– Nous voilà tout près de la maison. Voulez-vous me laisser reprendre le seau à présent?

– Pourquoi?

– C'est que si madame voit qu'on me l'a porté, elle me battra.

L'homme lui remit le seau. Un instant après ils étaient à la porte de la gargote.

Le lendemain matin, deux heures au moins avant le jour, le mari Thénardier, attablé près d'une chandelle dans la salle basse du cabaret, une plume à la main, composait la carte du voyageur. La femme, debout, à demi courbée sur lui, le suivait des yeux.

– Vingt-trois francs! s'écria la femme avec un enthousiasme mêlé de quelque hésitation.

Le Thénardier fit son rire froid et dit:

– Il paiera.

Puis il sortit. Il était à peine hors de la salle que le voyageur y entra. Le Thénardier reparut sur-le-champ derrière lui et demeura immobile dans la porte entrebâillée.

Le voyageur semblait préoccupé et distrait.

– Madame, je m'en vais.

– Monsieur n'avait donc pas d'affaires à Montfermeil?

– Non, je passe par ici. Voilà tout. Madame, ajouta-t-il, qu'est-ce que je dois?

La Thénardier lui tendit la carte pliée.

L'homme déplia le papier, et le regarda; mais son attention était visiblement ailleurs.

– Madame, reprit-il, faites-vous de bonnes affaires dans ce Montfermeil?

– Oh, monsieur, les temps sont bien durs! Si nous n'avions pas par-ci par-là des voyageurs généreux et riches comme monsieur! nous avons tant de charges. Tenez, cette petite nous coûte les yeux de la tête.

– Quelle petite?

– Eh bien, la petite, vous savez! Cosette! l'Alouette comme on dit dans le pays.

– Et si l'on vous en débarrassait?

– De qui? de la Cosette?

– Oui.

La face rouge et violente de la gargotière s'illumina d'un épanouissement hideux.

– Ah, mon bon monsieur! prenez-la, gardez-la, emmenez-la, sucrez-la, truffez-la, buvez-la, mangez-la, et soyez béni de la bonne Sainte Vierge et de tous les saints du paradis!

– C'est dit.

– Vrai? vous l'emmenez?

– Je l'emmène.

– Tout de suite?

– Tout de suite. Appelez l'enfant.

En ce moment, le Thénardier s'avança au milieu de la salle et dit:

– Monsieur, il me faut quinze cents francs.

L'étranger prit dans sa poche un vieux portefeuille et en tira trois billets de banque qu'il posa sur la table. Puis il appuya son large pouce sur ces billets et dit au gargotier:

– Faites venir Cosette.

Un instant après, Cosette entrait dans la salle basse.

Le jour paraissait lorsque ceux des habitants de Montfermeil qui commençaient à ouvrir leurs portes virent passer dans la rue de Paris un bonhomme pauvrement vêtu donnant la main à une petite fille. Ils se dirigeaient du côté de Livry.

Cosette marchait gravement. De temps en temps elle regardait le bonhomme. Elle sentait quelque chose comme si elle était près du bon Dieu.

Jean Valjean n'était pas mort.

En tombant à la mer, ou plutôt en s'y jetant, il était, comme on l'a vu, sans fers. Il nagea entre deux eaux jusque sous un navire au mouillage, auquel était amarrée une embarcation. Il trouva moyen de se cacher dans cette embarcation jusqu'au soir. À la nuit, il se jeta de nouveau à la nage et atteignit la côte à peu de distance du cap Brun. Là, comme ce n'était pas l'argent qui lui manquait, il put se procurer des vêtements. Une guinguette aux environs de Balaguier était alors le vestiaire des forçats évadés, spécialité lucrative. Puis, Jean Valjean, comme tous ces tristes fugitifs qui tâchent de dépister le guet de la loi et la fatalité sociale, suivit un itinéraire obscur et ondulant.

Il gagna Paris. On vient de le voir à Montfermeil.

On le croyait mort, et cela épaississait l'obscurité qui s'était faite sur lui. À Paris, il lui tomba sous la main un des journaux qui enregistraient le fait. Il se sentit rassuré et presque en paix comme s'il était réellement mort.

Le soir même du jour où Jean Valjean avait tiré Cosette des griffes des Thénardier, il rentrait dans Paris.

LIVRE QUATRIÈME

La masure Gorbeau

Il y a quarante ans, le promeneur solitaire qui s'aventurait dans les pays perdus de la Salpêtrière, et qui montait par le boulevard jusque vers la barrière d'Italie, arrivait à des endroits où l'on eût pu dire que Paris disparaissait. Ce n'était pas la solitude, il y avait des maisons et des rues; ce n'était pas une ville, les rues avaient des ornières comme les grandes routes et l'herbe y poussait; ce n'était pas un village, les maisons étaient trop hautes. Qu'était-ce donc? C'était un lieu habité où il n'y avait personne, c'était un lieu désert où il y avait quelqu'un ; c'était un boulevard de la grande ville, une rue de Paris, plus farouche la nuit qu'une forêt, plus morne le jour qu'un cimetière.

Là, près d'une usine et entre deux murs de jardins, on voyait en ce temps-là une masure qui, au premier coup d'œil, semblait petite comme une chaumière et qui en réalité était grande comme une cathédrale. Elle se présentait sur la voie publique de côté, par le pignon ; de là son exiguïté apparente.

Les facteurs de la poste appelaient cette masure le numéro 50-52 ; mais elle était connue dans le quartier sous le nom de maison Gorbeau.

Jean Valjean n'avait jamais rien aimé. Depuis vingt-cinq ans il était seul au monde. Il n'avait jamais été père, amant, mari, ami. Au bagne il était mauvais, sombre, chaste, ignorant et farouche. Le cœur de ce vieux forçat était plein de virginités. Sa sœur et les enfants de sa sœur ne lui avaient laissé qu'un souvenir vague et lointain qui avait fini par s'évanouir presque entièrement. Il avait fait tous ses efforts pour les retrouver, et n'ayant pu les retrouver, il les avait oubliés. La nature humaine est ainsi faite. Les autres émotions tendres de sa jeunesse, s'il en avait eu, étaient tombées dans un abîme.

Quand il vit Cosette, quand il l'eut prise, emportée et délivrée, il sentit se remuer ses entrailles. Tout ce qu'il y avait de passionné et d'affectueux en lui s'éveilla et se précipita vers cet enfant.

C'était la deuxième apparition blanche qu'il rencontrait. L'évêque avait fait lever à son horizon l'aube de la vertu ; Cosette y faisait lever l'aube de l'amour.

De son côté, Cosette, elle aussi, devenait autre, à son insu. Elle était si petite quand sa mère l'avait quittée qu'elle ne s'en souvenait plus. Comme tous les enfants, pareils aux jeunes pousses de la vigne qui s'accrochent à tout, elle avait essayé d'aimer. Elle n'y avait pu réussir. Tous l'avaient repoussée, les Thénardier, leurs enfants, d'autres enfants. Chose lugubre à dire, à huit ans elle avait le cœur froid. Ce n'était pas sa faute, ce n'était point la faculté d'aimer qui lui manquait; hélas! c'était la possibilité. Aussi, dès le premier jour, tout ce qui sentait et songeait en elle se mit à aimer ce bonhomme. Elle éprouvait ce qu'elle n'avait jamais ressenti, une sensation d'épanouissement.

Le bonhomme ne lui faisait même plus l'effet d'être vieux, ni d'être pauvre.

La chambre à cabinet qu'il occupait avec Cosette était celle dont la fenêtre donnait sur le boulevard. Cette fenêtre étant unique dans la maison, aucun regard de voisin n'était à craindre, pas plus de côté qu'en face.

Les semaines se succédèrent. Ces deux êtres menaient dans ce taudis misérable une existence heureuse.

Dès l'aube Cosette riait, jasait, chantait. Les enfants ont leur chant du matin comme les oiseaux.

Jean Valjean s'était mis à lui enseigner à lire. Parfois, tout en faisant épeler l'enfant, il songeait que c'était avec l'idée de faire le mal qu'il avait appris à lire au bagne. Cette idée avait tourné à montrer à lire à un enfant.

Il sentait là une préméditation d'en haut, une volonté de quelqu'un qui n'est pas l'homme, et il se perdait dans la rêverie. Les bonnes pensées ont leurs abîmes comme les mauvaises.

Apprendre à lire à Cosette, et la laisser jouer, c'était à peu près là toute la vie de Jean Valjean. Et puis il lui parlait de sa mère et il la faisait prier.

Elle l'appelait : *père*, et ne lui savait pas d'autre nom.

Il y avait près de Saint-Médard un pauvre qui s'accroupissait sur la margelle d'un puits banal condamné, et auquel Jean Valjean faisait volontiers la charité. Il ne passait guère devant cet homme sans lui donner quelque sou.

Un soir que Jean Valjean passait par là, il aperçut le mendiant à sa place ordinaire sous le réverbère qu'on venait d'allumer. Jean Valjean alla à lui et lui mit dans la main son aumône accoutumée. Le mendiant leva brusquement les yeux, regarda fixement Jean Valjean, puis baissa rapidement la tête. Ce mouvement fut comme un éclair, Jean Valjean eut un tressaillement. Il lui sembla qu'il venait d'entrevoir, à la lueur du réverbère, une figure effrayante et connue.

C'est à peine s'il osait s'avouer à lui-même que cette figure qu'il avait cru voir était la figure de Javert.

LIVRE CINQUIÈME

À chasse noire, meute muette

C'était une nuit de pleine lune. Jean Valjean n'en fut pas fâché. La lune, encore très près de l'horizon, coupait dans les rues de grands pans d'ombre et de lumière. Jean Valjean pouvait se glisser le long des maisons et des murs dans le côté sombre et observer le côté clair. Il ne réfléchissait peut-être pas assez que le côté obscur lui échappait.

Cosette marchait sans faire de questions.

Jean Valjean, pas plus que Cosette, ne savait où il allait. Il se confiait à Dieu comme elle se confiait à lui. Il lui semblait qu'il tenait, lui aussi, quelqu'un de plus grand que lui par la main; il croyait sentir un être qui le menait, invisible. Du reste, il n'avait aucune idée arrêtée, aucun plan, aucun projet. Il n'était même pas absolument sûr que ce fût Javert, et puis ce pouvait être Javert sans que Javert sût que c'était lui Jean Valjean. N'était-il pas déguisé? ne le croyait-on pas mort? Cependant depuis quelques jours il se passait des choses qui devenaient singulières. Il ne lui en fallait pas davantage. Comme l'animal chassé du gîte, il cherchait un trou où se cacher, en attendant qu'il en trouvât un où se loger.

Il regarda à gauche. La ruelle était ouverte, et, au bout de deux cents pas environ, tombait dans une rue dont elle était l'affluent. C'était de côté-là qu'était le salut.

Au moment où Jean Valjean songeait à tourner à gauche, pour tâcher de gagner la rue qu'il entrevoyait au bout de la ruelle, il aperçut à l'angle de la ruelle et de cette rue vers laquelle il allait se diriger, une espèce de statue noire, immobile.

C'était quelqu'un, un homme, qui venait d'être posté là évidemment, et qui, barrant le passage, attendait.

Jean Valjean recula.

Ce qu'il avait vu remuer dans l'ombre, c'était sans doute Javert et son escouade. Javert était probablement déjà au commencement de la rue à la fin de laquelle était Jean Valjean. Javert, selon toute apparence, connaissait ce petit dédale, et avait pris ses précautions en envoyant un de ses hommes garder l'issue. Avancer, c'était tomber sur cet homme. Reculer, c'était se jeter dans Javert. Jean Valjean se sentait pris comme dans un filet qui se resserrait lentement. Il regarda le ciel avec désespoir.

Toutes les situations extrêmes ont leurs éclairs qui tantôt nous aveuglent, tantôt nous illuminent.

Le regard désespéré de Jean Valjean rencontra la potence du réverbère du cul-de-sac Genrot.

À cette époque il n'y avait point de becs de gaz dans les rues de Paris. À la nuit tombante on y allumait des réverbères, lesquels montaient et descendaient au moyen d'une corde qui traversait la rue de part en part et qui s'ajustait dans la rainure d'une potence. Le tourniquet où se dévidait cette corde était scellé au-dessous de la lanterne dans une petite armoire de fer dont l'allumeur avait la clef.

Jean Valjean franchit la rue d'un bond, entra dans le cul-de-sac, fit sauter le pêne de la petite armoire avec la pointe de son couteau, et un instant après il était revenu près de Cosette. Il avait une corde. Ils vont vite en besogne, ces sombres trouveurs d'expédients, aux prises avec la fatalité.

Alors, sans se hâter, mais avec une précision ferme et brève, d'autant plus remarquable en un pareil moment que la patrouille et Javert pouvaient survenir d'un instant à l'autre, il défit sa cravate, la passa autour du corps de Cosette sous les aisselles, rattacha cette cravate à un bout de la corde au moyen de ce nœud que les gens de mer appellent nœud d'hirondelle, prit l'autre bout de cette corde dans ses dents, monta sur le massif de maçonnerie et commença à s'élever dans l'angle du mur et du pignon avec autant de solidité et de certitude que s'il eût eu des échelons sous les talons et sous les coudes. Une demi-minute ne s'était pas écoulée qu'il était à genoux sur le mur.

Cosette le considérait avec stupeur, sans dire une parole.

Avant qu'elle eût le temps de se reconnaître, elle était au haut de la muraille.

Jean Valjean la saisit, la mit sur son dos, lui prit ses deux petites mains dans sa main gauche, se coucha à plat ventre et rampa sur le haut du mur jusqu'au pan coupé. Il y avait là une bâtisse dont le toit descendait fort près de terre, selon un plan assez doucement incliné.

Jean Valjean se laissa glisser le long du toit, tout en soutenant Cosette, et sauta à terre.

Il se trouvait dans une espèce de jardin fort vaste et d'un aspect singulier; un de ces jardins tristes qui semblent faits pour être regardés l'hiver et la nuit.

Cosette tremblait et se serrait contre lui. On entendait le bruit tumultueux de la patrouille qui fouillait le cul-de-sac et la rue, les coups de crosse contre les pierres, les appels de Javert aux mouchards qu'il avait postés, et ses imprécations mêlées de paroles qu'on ne distinguait point.

Tout à coup, un nouveau bruit s'éleva; un bruit céleste, divin, ineffable, aussi ravissant que l'autre était horrible. C'était un hymne qui sortait des ténèbres; des voix de femmes, mais des voix composées à la fois de l'accent pur des vierges et de l'accent naïf des enfants, de ces voix qui ne sont pas de la terre et qui ressemblent à celles que les nouveau-nés entendent encore et que les moribonds entendent déjà.

Pendant que ces voix chantaient, Jean Valjean ne songeait plus à rien. Il ne voyait plus la nuit, il voyait un ciel bleu. Il lui semblait sentir s'ouvrir ces ailes que nous avons tous au-dedans de nous.

Cependant, à travers la rêverie où il était tombé, il entendait depuis quelque temps un bruit singulier. C'était comme un grelot qu'on agitait. Ce bruit fit retourner Jean Valjean.

Il regarda, et vit qu'il y avait quelqu'un dans le jardin.

Il marcha droit à l'homme qu'il apercevait dans le jardin. Il avait pris à sa main le rouleau d'argent qui était dans la poche de son gilet.

Cet homme baissait la tête et ne le voyait pas venir. En quelques enjambées, Jean Valjean fut à lui.

Jean Valjean l'aborda en criant :

– Cent francs !

L'homme fit un soubresaut et leva les yeux.

– Cent francs à gagner, reprit Jean Valjean, si vous me donnez asile pour cette nuit !

La lune éclairait en plein le visage effaré de Jean Valjean.

– Tiens, c'est vous, père Madeleine ! dit l'homme.

Ce nom, ainsi prononcé, à cette heure obscure, dans ce lieu inconnu, par cet homme inconnu, fit reculer Jean Valjean.

Il s'attendait à tout, excepté à cela. Celui qui lui parlait était un vieillard courbé et boiteux, vêtu à peu près comme un paysan, qui avait au genou gauche une genouillère de cuir où pendait une assez grosse clochette. On ne distinguait pas son visage qui était dans l'ombre.

– Qui êtes-vous ? et qu'est-ce que c'est que cette maison-ci ? demanda Jean Valjean.

– Ah, pardieu, voilà qui est fort, s'écria le vieillard, je suis celui que vous avez fait placer ici, et cette maison est celle où vous m'avez fait placer. Comment ! vous ne me reconnaissez pas !

– Non, dit Jean Valjean. Et comment se fait-il que vous me connaissiez, vous ?

– Vous m'avez sauvé la vie, dit l'homme.

Il se tourna, un rayon de lune lui dessina le profil, et Jean Valjean reconnut le vieux Fauchelevent.

Jean Valjean, se sentant connu par cet homme, du moins sous son nom de Madeleine, n'avançait plus qu'avec précaution. Il multipliait les questions.

– Et qu'est-ce que c'est que cette sonnette que vous avez au genou ?

– Ça ? répondit Fauchelevent, c'est pour qu'on m'évite.

– Comment ! pour qu'on vous évite !

Le vieux Fauchelevent cligna de l'œil d'un air inexprimable.

– Ah dame ! il n'y a que des femmes dans cette maison-ci ; beaucoup de jeunes filles. Il paraît que je serais dangereux à rencontrer. La sonnette les avertit. Quand je viens, elles s'en vont.

– Qu'est-ce que c'est que cette maison-ci ?

– Eh bien, c'est le couvent du Petit-Picpus donc !

Les souvenirs revenaient à Jean Valjean. Le hasard, c'est-à-dire la Providence, l'avait jeté précisément dans ce couvent du quartier Saint-Antoine où le vieux Fauchelevent, estropié par la chute de sa charrette, avait été admis sur sa recommandation, il y avait deux ans de cela.

Jean Valjean s'approcha du vieillard et lui dit d'une voix grave :

– Père Fauchelevent, je vous ai sauvé la vie. Vous pouvez faire aujourd'hui pour moi ce que j'ai fait autrefois pour vous.

Fauchelevent prit dans ses vieilles mains ridées et tremblantes les deux robustes mains de Jean Valjean, et fut quelques secondes comme s'il ne pouvait parler. Enfin il s'écria :

– Oh ! ce serait une bénédiction du bon Dieu si je pouvais vous rendre un peu cela! moi! vous sauver la vie! monsieur le maire, disposez du vieux bonhomme!

Moins d'une demi-heure après, Cosette dormait dans le lit du vieux jardinier.

LIVRE SIXIÈME

Le Petit-Picpus

Ce couvent, qui en 1824 existait depuis de longues années déjà petite rue Picpus, était une communauté de bernardines de l'obédience de Martin Verga.

Ces bernardines, par conséquent, se rattachaient, non à Clairvaux, comme les bernardins, mais à Cîteaux, comme les bénédictins. En d'autres termes, elles étaient sujettes, non de saint Bernard, mais de saint Benoît.

Les bernardines-bénédictines de cette obédience font maigre toute l'année, jeûnent le carême et beaucoup d'autres jours qui leur sont spéciaux, se relèvent dans leur premier sommeil depuis une heure du matin jusqu'à trois pour lire le bréviaire et chanter matines, couchent dans des draps de serge en toute saison et sur la paille, n'usent point de bains, n'allument jamais de feu, se donnent la discipline tous les vendredis, observent la règle du silence, ne se parlent qu'aux récréations, lesquelles sont très courtes, et portent des chemises de bure pendant six mois, du 14 septembre, qui est l'exaltation de la Sainte-Croix, jusqu'à Pâques. Ces six mois sont une modération; la règle dit toute l'année; mais cette chemise de bure, insupportable dans les chaleurs de l'été, produisait des fièvres et des spasmes nerveux. Il a fallu en restreindre l'usage. Même avec cet adoucissement, le 14 septembre, quand les religieuses mettent cette chemise, elles ont trois ou quatre jours de fièvre. Obéissance, pauvreté, chasteté, stabilité sous clôture ; voilà leurs vœux, fort aggravés par la règle.

Elles ne voient jamais le prêtre officiant, qui leur est toujours caché par une serge tendue à neuf pieds de haut Au sermon, quand le prédicateur est dans la chapelle, elles baissent leur voile sur leur visage ; elles doivent toujours parler bas, marcher les yeux à terre et la tête inclinée.

Quand on les voit, on ne voit jamais que leur bouche.

Toutes ont les dents jaunes. Jamais une brosse à dents n'est entrée dans le couvent. Se brosser les dents est au haut d'une échelle au bas de laquelle il y a : perdre son âme.

Elles ne disent jamais de rien *ma* ni *mon*. Elles n'ont rien à elles et ne doivent tenir à rien. Quelquefois elles s'attachent à quelque petit objet, à un livre d'heures, à une relique, à une médaille bénie. Dès qu'elles s'aperçoivent qu'elles commencent à tenir à cet objet, elles doivent le donner.

La prieure seule peut communiquer avec des étrangers. Les autres ne peuvent voir que leur famille étroite, et très rarement. Si par hasard une personne du dehors se présente pour voir une religieuse qu'elle a connue ou aimée dans le monde, il faut toute une négociation. Si c'est une femme, l'autorisation peut être quelquefois accordée ; la religieuse vient et on lui parle à travers les volets, lesquels ne s'ouvrent que pour une mère ou une sœur. Il va sans dire que la permission est toujours refusée aux hommes.

Telle est la règle de saint Benoît, aggravée par Martin Verga.

LIVRE SEPTIÈME

Parenthèse

Ce livre est un drame dont le premier personnage est l'infini. L'homme est le second.

Cela étant, comme un couvent s'est trouvé sur notre chemin, nous avons dû y pénétrer. Pourquoi ? C'est que le couvent, qui est propre à l'Orient comme à l'Occident, à l'Antiquité comme aux Temps modernes, au paganisme, au bouddhisme, au mahométisme, comme au christianisme, est un des appareils d'optique appliqués par l'homme sur l'infini.

Tout en maintenant absolument nos réserves, nos restrictions, et même nos indignations, toutes les fois que nous rencontrons dans l'homme l'infini, bien ou mal compris, nous nous sentons pris de respect. Il y a dans la synagogue, dans la mosquée, dans la pagode, dans le wigwam, un côté hideux que nous exécrons et un côté sublime que nous adorons. Quelle contemplation pour l'esprit et quelle rêverie sans fond ! la réverbération de Dieu sur le mur humain.

Y a-t-il un infini hors de nous ? Cet infini est-il un, immanent, permanent ; nécessairement substantiel, puisqu'il est infini, et que, si la matière lui manquait, il serait borné là ; nécessairement intelligent, puisqu'il est infini, et que, si l'intelligence lui manquait, il serait fini là ? Cet infini éveille-t-il en nous l'idée d'essence, tandis que nous ne pouvons nous attribuer à nous-mêmes que l'idée d'existence ? En d'autres termes, n'est-il pas l'absolu dont nous sommes le relatif ?

En même temps qu'il y a un infini hors de nous, n'y a-t-il pas un infini en nous ? Ces deux infinis (quel pluriel effrayant!) ne se superposent-ils pas l'un à l'autre? Le second infini n'est-il pas pour ainsi dire sous-jacent au premier? n'en est-il pas le miroir, le reflet, l'écho, abîme concentrique à un autre abîme? Ce second infini est-il intelligent lui aussi? Pense-t-il? aime-t-il? veut-il? Si les deux infinis sont intelligents, chacun d'eux a un principe voulant, et il y a un moi dans l'infini d'en haut comme il y a un moi dans l'infini d'en bas. Le moi d'en bas, c'est l'âme; le moi d'en haut, c'est Dieu.

Mettre, par la pensée, l'infini d'en bas en contact avec l'infini d'en haut, cela s'appelle prier.

Ne retirons rien à l'esprit humain; supprimer est mauvais. Il faut réformer et transformer. Certaines facultés de l'homme sont dirigées vers l'Inconnu; la pensée, la rêverie, la prière. L'Inconnu est un océan. Qu'est-ce que la conscience? C'est la boussole de l'Inconnu. Pensée, rêverie, prière, ce sont là de grands rayonnements mystérieux. Respectons-les.

La grandeur de la démocratie, c'est de ne rien nier et de ne rien renier de l'humanité. Près du droit de l'Homme, au moins à côté, il y a le droit de l'Âme.

Écraser les fanatismes et vénérer l'infini, telle est la loi. Ne nous bornons pas à nous prosterner sous l'arbre Création, et à contempler ses immenses branchages pleins d'astres. Nous avons un devoir: travailler à l'âme humaine, défendre le mystère contre le miracle, adorer l'incompréhensible et rejeter l'absurde, n'admettre, en fait d'inexplicable, que le nécessaire, assainir la croyance, ôter les superstitions de dessus la religion; écheniller Dieu.

Nous sommes de ceux qui croient à la misère des oraisons et à la sublimité de la prière.

Pris en soi, et idéalement, le monastère, le couvent de

femmes surtout, car dans notre société, c'est la femme qui souffre le plus, et dans cet exil ou cloître il y a de la protestation, le couvent de femmes a incontestablement une certaine majesté.

Cette existence claustrale si austère et si morne, dont nous venons d'indiquer quelques linéaments, ce n'est pas la vie, car ce n'est pas la liberté ; ce n'est pas la tombe, car ce n'est pas la plénitude ; c'est le lieu étrange d'où l'on aperçoit, comme de la crête d'une haute montagne, d'un côté l'abîme où nous sommes, de l'autre l'abîme où nous serons ; c'est une frontière étroite et brumeuse séparant deux mondes, éclairée et obscurcie par les deux à la fois, où le rayon affaibli de la vie se mêle au rayon vague de la mort ; c'est la pénombre du tombeau.

Quant à nous, qui ne croyons pas ce que ces femmes croient, mais qui vivons comme elles par la foi, nous n'avons jamais pu considérer sans une espèce de terreur religieuse et tendre, sans une sorte de pitié pleine d'envie, ces créatures dévouées, tremblantes et confiantes, ces âmes humbles qui osent vivre au bord même du mystère, attendant, entre le monde qui est fermé et le ciel qui n'est pas ouvert, tournées vers la clarté qu'on ne voit pas, ayant seulement le bonheur de penser qu'elles savent où elle est, aspirant au gouffre et à l'inconnu, l'œil fixé sur l'obscurité immobile, agenouillées, éperdues, stupéfaites, frissonnantes, à demi soulevées à de certaines heures par les souffles profonds de l'éternité.

LIVRE HUITIÈME

Les cimetières prennent ce qu'on leur donne

C'est dans cette maison que Jean Valjean était, comme avait dit Fauchelevent, « tombé du ciel ».

Il avait franchi le mur du jardin qui faisait l'angle de la rue Polonceau. Cet hymne des anges qu'il avait entendu au milieu de la nuit, c'étaient les religieuses chantant matines.

Une fois Cosette couchée, Jean Valjean et Fauchelevent avaient soupé d'un verre de vin et d'un morceau de fromage devant un bon fagot flambant ; puis, le seul lit qu'il y eût dans la baraque étant occupé par Cosette, ils s'étaient jetés chacun sur une botte de paille. Avant de fermer les yeux, Jean Valjean avait dit :

– Il faut désormais que je reste ici.

Cette parole avait trotté toute la nuit dans la tête de Fauchelevent.

À vrai dire, ni l'un ni l'autre n'avaient dormi.

Jean Valjean, se sentant découvert et Javert sur sa piste, comprenait que lui et Cosette étaient perdus s'ils rentraient dans Paris. Puisque le nouveau coup de vent qui venait de souffler sur lui l'avait échoué dans ce cloître, Jean Valjean n'avait plus qu'une pensée, y rester. Or, pour un malheureux dans sa position, ce couvent était à la fois le lieu le plus dangereux et le plus sûr ; le plus dangereux, car, aucun homme ne pouvant y pénétrer, si on l'y découvrait, c'était un flagrant délit, et Jean Valjean ne faisait qu'un pas du couvent à la prison ; le plus sûr, car si l'on parvenait à s'y faire accepter et à y demeurer, qui viendrait vous chercher là ? Habiter un lieu impossible, c'était le salut.

De son côté, Fauchelevent se creusait la cervelle. Il commençait par se déclarer qu'il n'y comprenait rien. Comment M. Madeleine se trouvait-il là, avec les murs qu'il y avait? des murs de cloître ne s'enjambent pas. Comment s'y trouvait-il avec un enfant? On n'escalade pas une muraille à pic avec un enfant dans ses bras. Qu'était-ce que cet enfant? d'où venaient-ils tous les deux? Depuis que Fauchelevent était dans le couvent, il n'avait plus entendu parler de Montreuil-sur-Mer, et il ne savait rien de ce qui s'était passé. Le père Madeleine avait cet air qui décourage les questions; et d'ailleurs Fauchelevent se disait: « On ne questionne pas un saint. »

Il décida qu'il sauverait M. Madeleine.

Au point du jour, ayant énormément songé, le père Fauchelevent ouvrit les yeux et vit M. Madeleine qui, assis sur sa botte de paille, regardait Cosette dormir. Fauchelevent se dressa sur son séant et dit:

– Maintenant que vous êtes ici, comment allez-vous faire pour y entrer?

Ce mot résumait la situation, et réveilla Jean Valjean de sa rêverie.

Les deux bonshommes tinrent conseil.

Moins de dix minutes après, le père Fauchelevent, dont le grelot mettait sur son passage les religieuses en déroute, frappait un petit coup à une porte, et une voix douce répondait: *À jamais*. *À jamais*, c'est-à-dire: *Entrez*.

Cette porte était celle du parloir réservé au jardinier pour les besoins du service.

Le jardinier fit un salut craintif, et resta sur le seuil de la cellule. La prieure, qui égrenait son rosaire, leva les yeux et dit:

– Ah! c'est vous, père Fauvent.

Cette abréviation avait été adoptée dans le couvent.

Le bonhomme, avec l'assurance de celui qui se sent apprécié, entama une harangue campagnarde assez diffuse et très profonde. Il parla longuement de son âge, de ses infirmités, de la surcharge des années, des exigences croissantes du travail, de la grandeur du jardin, et il finit par aboutir à ceci : qu'il avait un frère, – (la prieure fit un mouvement) – un frère point jeune, – (second mouvement de la prieure, mais mouvement rassuré) – que si on le voulait bien, ce frère pourrait venir loger avec lui et l'aider, qu'il était excellent jardinier, que la communauté en tirerait de bons services, meilleurs que les siens à lui ; que, autrement, si l'on n'admettait point son frère, comme lui, l'aîné, il se sentait cassé, et insuffisant à la besogne, il serait, avec bien du regret, obligé de s'en aller ; et que son frère avait une petite fille qu'il amènerait avec lui, qui s'élèverait en Dieu dans la maison et qui peut-être, qui sait ? ferait une religieuse un jour.

Quand il eut fini de parler, la prieure interrompit le glissement de son rosaire entre ses doigts, et lui dit :

– Pourriez-vous, d'ici à ce soir, vous procurer une forte barre de fer ?

– Pour quoi faire ?

– Pour servir de levier. Vous savez qu'une mère est morte ce matin. C'est la mère Crucifixion. Une bienheureuse. Il faut obéir aux morts. Être enterrée dans le caveau sous l'autel de la chapelle, ne point aller en sol profane, rester morte là où elle a prié vivante ; ç'a été le vœu suprême de la mère Crucifixion. Elle nous l'a demandé, c'est-à-dire commandé.

– Mais c'est défendu.

– Défendu par les hommes, ordonné par Dieu. Père Fauvent, l'office commence à minuit. Il faut que tout soit fini un bon quart d'heure auparavant.

– Je ferai tout pour prouver mon zèle à la communauté. Voilà qui est dit. Je clouerai le cercueil. À onze heures précises, je serai dans la chapelle. Nous ouvrirons le caveau, nous descendrons le cercueil, et nous refermerons le caveau. Après quoi, plus trace de rien. Le gouvernement ne s'en doutera pas. Révérende mère, tout est arrangé ainsi ?

– Non.

– Qu'y a-t-il donc encore ?

– Père Fauvent, que fera-t-on de la bière ?

– On la portera en terre.

– Vide ?

– Révérende mère, je mettrai de la terre dans la bière, cela fera l'effet de quelqu'un.

– Vous avez raison. La terre, c'est la même chose que l'homme. Ainsi vous arrangerez la bière vide ?

– J'en fais mon affaire.

Le visage de la prieure, jusqu'alors trouble et obscur, se rasséréna. Elle lui fit le signe du supérieur congédiant l'inférieur. Fauchelevent se dirigea vers la porte. Comme il allait sortir, la prieure éleva doucement la voix :

– Père Fauvent, je suis contente de vous ; demain, après l'enterrement, amenez-moi votre frère, et dites-lui qu'il m'amène sa fille.

Des enjambées de boiteux sont comme des œillades de borgne ; elles n'arrivent pas vite au but. En outre, Fauchelevent était perplexe. Il mit près d'un quart d'heure à revenir dans la baraque du jardin. Cosette était éveillée. Jean Valjean l'avait assise près du feu. Au moment où Fauchelevent entra, Jean Valjean lui montrait la hotte du jardinier et lui disait :

– Écoute-moi bien, ma petite Cosette. Il faudra nous en aller de cette maison, mais nous y reviendrons et nous y serons très bien. Le bonhomme d'ici t'emportera sur son dos là-dedans. Tu m'attendras chez une dame. J'irai te retrouver. Surtout, si tu ne veux pas que la Thénardier te reprenne, obéis et ne dis rien!

Cosette fit un signe de tête d'un air grave.

Au bruit de Fauchelevent poussant la porte, Jean Valjean se retourna.

– Eh bien?

– Tout est arrangé, et rien ne l'est, dit Fauchelevent. J'ai permission de vous faire entrer; mais avant de vous faire entrer, il faut vous faire sortir. C'est là qu'est l'embarras de charrettes. Pour la petite, c'est aisé.

– Vous l'emporterez?

– Et elle se taira?

– J'en réponds.

Fauchelevent, se parlant plus à lui-même qu'à Jean Valjean, grommela:

– Il y a une autre chose qui me tourmente. J'ai dit que j'y mettrai de la terre. C'est que je pense que de la terre là-dedans, au lieu d'un corps, ça ne sera pas ressemblant, ça n'ira pas, ça se déplacera, ça remuera. Les hommes le sentiront. Vous comprenez, père Madeleine, le gouvernement s'en apercevra.

Jean Valjean le considéra entre les deux yeux, et crut qu'il délirait.

Alors il expliqua à Jean Valjean qu'il entrait dans ses attributions de participer aux sépultures, qu'il clouait les bières et assistait le fossoyeur au cimetière. Qu'une religieuse morte le matin avait demandé d'être enterrée dans le caveau sous l'autel de la chapelle. Que cela était défendu par les règlements de police, mais que c'était une de ces mortes à qui l'on ne refuse rien. Que la prieure et les mères vocales entendaient exécuter le vœu de la défunte. Que tant pis pour le gouvernement. Que lui Fauchelevent clouerait le cercueil dans la cellule, lèverait la pierre dans la chapelle, et descendrait la morte dans le caveau. Et que, pour le remercier, la prieure admettait dans la maison son frère comme jardinier et sa nièce comme pensionnaire. Que son frère, c'était M. Madeleine, et que sa nièce, c'était Cosette. Que la prieure lui avait dit d'amener son frère le lendemain soir, après l'enterrement postiche au cimetière. Mais qu'il ne pouvait pas amener du dehors M. Madeleine, si M. Madeleine n'était pas dehors. Que c'était là le premier embarras. Et puis qu'il avait encore un embarras : la bière vide.

– Mettez-y quelque chose.

– Un mort ? Je n'en ai pas.

– Non.

– Quoi donc ?

– Un vivant.

– Quel vivant ?

– Moi, dit Jean Valjean.

Fauchelevent, qui s'était assis, se leva comme si un pétard fût parti sous sa chaise.

– Vous !

Jean Valjean poursuivit :

– Il s'agit de sortir d'ici sans être vu. C'est un moyen.

Le lendemain, comme le soleil déclinait, les allants et venants fort clairsemés du boulevard du Maine ôtaient leur chapeau au passage d'un corbillard vieux modèle, orné de têtes de mort, de tibias et de larmes. Dans ce corbillard il y avait un cercueil couvert d'un drap blanc sur lequel s'étalait une vaste croix noire, pareille à une grande morte dont les bras pendent. Un carrosse drapé où l'on apercevait un prêtre en surplis, et un enfant de chœur en calotte rouge, suivait. Deux croque-morts en uniforme gris à parements noirs marchaient à droite et à gauche du corbillard. Le cortège se dirigeait vers le cimetière Vaugirard.

Fauchelevent boitait derrière le corbillard, très content. Ses deux complots jumeaux, l'un avec les religieuses, l'autre avec M. Madeleine, l'un pour le couvent, l'autre contre, avaient réussi de front. Le calme de Jean Valjean était de ces tranquillités puissantes qui se communiquent. Fauchelevent ne doutait plus du succès. Ce qui restait à faire n'était rien. Depuis deux ans, il avait grisé dix fois le fossoyeur, le brave père Mestienne, un bonhomme joufflu. Il en jouait, du père Mestienne. Il en faisait ce qu'il voulait. La sécurité de Fauchelevent était complète.

Tout à coup le corbillard s'arrêta ; on était à la grille. Il fallait exhiber le permis d'inhumer. L'homme des pompes funèbres s'aboucha avec le portier du cimetière. Pendant ce colloque, quelqu'un, un inconnu, vint se placer derrière le corbillard à côté de Fauchelevent. C'était une espèce d'ouvrier qui avait une veste aux larges poches, et une pioche sous le bras.

Fauchelevent regarda cet inconnu.

– Qui êtes-vous ? demanda-t-il.

L'homme répondit :

– Le fossoyeur !

Si l'on survivait à un boulet de canon en pleine poitrine, on ferait la figure que fit Fauchelevent.

– Le fossoyeur ! Le fossoyeur, c'est le père Mestienne.

– C'était.

– Comment ! c'était ?

– Il est mort.

Qui était dans la bière ? on le sait. Jean Valjean.

Jean Valjean s'était arrangé pour vivre là-dedans, et il respirait à peu près.

Du fond de cette bière, il avait pu suivre et il suivait toutes les phases du drame redoutable qu'il jouait avec la mort.

À un bruit sourd, il avait deviné qu'on traversait le pont d'Austerlitz. Au premier temps d'arrêt, il avait compris qu'on entrait dans le cimetière ; au second temps d'arrêt, il s'était dit : « Voici la fosse. »

Brusquement il sentit que des mains saisissaient la bière, puis un frottement rauque sur les planches ; il se rendit compte que c'était une corde qu'on nouait autour du cercueil pour le descendre dans l'excavation.

Puis il eut une espèce d'étourdissement.

Probablement les croque-morts et le fossoyeur avaient laissé basculer le cercueil et descendu la tête avant les pieds. Il revint pleinement à lui en se sentant horizontal et immobile. Il venait de toucher le fond.

Il sentit un certain froid.

Il songea : « Cela va être fini. Encore un peu de patience. Le prêtre va s'en aller. Fauchelevent emmènera Mestienne boire. On me laissera. Puis Fauchelevent reviendra seul et je sortirai. Ce sera l'affaire d'une bonne heure. »

Tout à coup il entendit sur sa tête un bruit qui lui sembla la chute du tonnerre.

C'était une pelletée de terre qui tombait sur le cercueil.

Une seconde pelletée de terre tomba.

Un des trous par où il respirait venait de se boucher.

Une troisième pelletée de terre tomba.

Puis une quatrième.

Il est des choses plus fortes que l'homme le plus fort. Jean Valjean perdit connaissance.

Voici ce qui se passait au-dessus de la bière où était Jean Valjean.

Quand le corbillard se fut éloigné, quand le prêtre et l'enfant de chœur furent remontés en voiture et partis, Fauchelevent, qui ne quittait pas des yeux le fossoyeur, le vit se pencher et empoigner sa pelle.

Tout en chargeant sa pelle, le fossoyeur se courbait, et la poche de sa veste bâillait.

Le regard égaré de Fauchelevent tomba machinalement dans cette poche, et s'y arrêta.

Sans que le fossoyeur, tout à sa pelletée de terre, s'en aperçût, il lui plongea par-derrière la main dans la poche, et retira de cette poche la chose blanche qui était au fond.

Le fossoyeur envoya dans la fosse la quatrième pelletée.

Au moment où il se retournait pour prendre la cinquième, Fauchelevent le regarda avec un profond calme et lui dit :

– À propos, nouveau, avez-vous votre carte ?

Le fossoyeur s'interrompit.

– Quelle carte ?

– La grille du cimetière va se fermer.

– Eh bien, après ?

– Avez-vous votre carte ?

– Ah, ma carte ! dit le fossoyeur. Et il fouilla dans sa poche. Mais non, dit-il, je n'ai pas ma carte. Je l'aurai oubliée.

– Quinze francs d'amende, dit Fauchelevent.

Le fossoyeur devint vert. Le vert est la pâleur des gens livides.

– D'ici à cinq minutes, vous n'avez pas le temps de remplir la fosse, elle est creuse comme le diable, cette fosse, et d'arriver à temps pour sortir avant que la grille soit fermée.

– C'est juste.

– En ce cas quinze francs d'amende.

– Quinze francs.

– Mais vous avez le temps… Où demeurez-vous?

– À deux pas de la barrière. À un quart d'heure d'ici. Rue de Vaugirard, numéro 87.

– Vous avez le temps, en pendant vos guiboles à votre cou, de sortir tout de suite.

– C'est exact.

– Une fois hors de la grille, vous galopez chez vous, vous prenez votre carte, vous revenez, le portier du cimetière vous ouvre. Ayant votre carte, rien à payer. Et vous enterrez votre mort. Moi, je vais vous le garder en attendant pour qu'il ne se sauve pas.

– Je vous dois la vie, paysan.

Le fossoyeur, éperdu de reconnaissance, lui secoua la main, et partit en courant.

Quand le fossoyeur eut disparu dans le fourré, Fauchelevent se pencha vers la fosse et dit à demi-voix:

– Père Madeleine!

Rien ne répondit.

Fauchelevent, ne respirant plus à force de tremblement, prit son ciseau à froid et son marteau, et fit sauter la planche de dessus. La face de Jean Valjean apparut dans le crépuscule, les yeux fermés, pâle.

Les cheveux de Fauchelevent se hérissèrent, il se leva de-

bout, puis tomba adossé à la paroi de la fosse, prêt à s'affaisser sur la bière. Il regarda Jean Valjean.

Jean Valjean gisait, blême et immobile. Fauchelevent murmura d'une voix basse comme un souffle :

– Il est mort !

On entendit au loin dans les arbres un grincement aigu. C'était la grille du cimetière qui se fermait.

Fauchelevent se pencha sur Jean Valjean, et tout à coup eut une sorte de rebondissement et tout le recul qu'on peut avoir dans une fosse. Jean Valjean avait les yeux ouverts et le regardait.

Voir une mort est effrayant, voir une résurrection l'est presque autant. Fauchelevent devint comme de pierre, pâle, hagard, bouleversé par tous ces excès d'émotions, ne sachant s'il avait affaire à un vivant ou à un mort, regardant Jean Valjean qui le regardait.

– Je m'endormais, dit Jean Valjean.

Et il se mit sur son séant.

Fauchelevent tomba à genoux.

– Juste bonne Vierge! m'avez-vous fait peur!

Jean Valjean n'était qu'évanoui. Le grand air l'avait réveillé.

Il sortit de la bière et aida Fauchelevent à en reclouer le couvercle.

Trois minutes après, ils étaient hors de la fosse.

Du reste Fauchelevent était tranquille. Il prit son temps. Le cimetière était fermé. La survenue du fossoyeur n'était pas à craindre. Ce «conscrit» était chez lui, occupé à chercher sa carte, et bien empêché de la trouver dans son logis puisqu'elle était dans la poche de Fauchelevent. Sans carte, il ne pouvait rentrer au cimetière.

Fauchelevent prit la pelle et Jean Valjean la pioche et tous deux firent l'enterrement de la bière vide.

Une heure après, par la nuit noire, deux hommes et un enfant se présentaient au numéro 62 de la petite rue Picpus.

C'étaient Fauchelevent, Jean Valjean et Cosette.

Les deux bonshommes étaient allés chercher Cosette, chez la fruitière de la rue du Chemin-Vert, où Fauchelevent l'avait déposée.

La prieure, son rosaire à la main, les attendait.

Cosette s'habitua assez vite au couvent.

Le père Fauchelevent fut récompensé de sa bonne action; d'abord il en fut heureux; puis il eut beaucoup moins de besogne, la partageant.

Les religieuses appelèrent Jean Valjean *l'autre Fauvent.*

Si ces saintes filles avaient eu quelque chose du regard de

Javert, elles auraient pu finir par remarquer que, lorsqu'il y avait quelque course à faire au-dehors pour l'entretien du jardin, c'était toujours l'aîné Fauchelevent, le vieux, l'infirme, le bancal, qui sortait, et jamais l'autre ; mais, soit que les yeux toujours fixés sur Dieu ne sachent pas espionner, soit qu'elles fussent, de préférence, occupées à se guetter entre elles, elles n'y firent point attention.

Du reste bien en prit à Jean Valjean de se tenir coi et de ne pas bouger. Javert observa le quartier plus d'un grand mois.

Ce couvent était pour Jean Valjean comme une île entourée de gouffres. Ces quatre murs étaient désormais le monde pour lui. Il y voyait le ciel assez pour être serein et Cosette assez pour être heureux.

Une vie très douce recommença pour lui.

Tout ce qui l'entourait, ce jardin paisible, ces fleurs embaumées, ces enfants poussant des cris joyeux, ces femmes graves et simples, ce cloître silencieux, le pénétraient lentement, et peu à peu son âme se composait de silence comme ce cloître, de parfum comme ces fleurs, de paix comme ce jardin, de simplicité comme ces femmes, de joie comme ces enfants. Et puis il songeait que c'étaient deux maisons de Dieu qui l'avaient successivement recueilli aux deux instants critiques de sa vie, la première lorsque toutes les portes se fermaient et que la société humaine le repoussait, la deuxième au moment où la société humaine se remettait à sa poursuite et où le bagne se rouvrait ; et que sans la première il serait retombé dans le crime et sans la seconde dans le supplice.

Tout son cœur se fondait en reconnaissance et il aimait de plus en plus.

Plusieurs années s'écoulèrent ainsi ; Cosette grandissait.

Troisième partie

Marius

LIVRE PREMIER

Paris étudié dans son atome

Paris a un enfant et la forêt a un oiseau ; l'oiseau s'appelle le moineau ; l'enfant s'appelle le gamin.

Accouplez ces deux idées qui contiennent, l'une toute la fournaise, l'autre toute l'aurore, choquez ces deux étincelles, Paris, l'enfance ; il en jaillit un petit être.

Ce petit être est joyeux. Il ne mange pas tous les jours et il va au spectacle, si bon lui semble, tous les soirs. Il n'a pas de chemise sur le corps, pas de souliers aux pieds, pas de toit sur la tête ; il est comme les mouches du ciel qui n'ont rien de tout cela. Il a de sept à treize ans, vit par bandes, bat le pavé, loge en plein air, porte un vieux pantalon de son père qui lui descend plus bas que les talons, un vieux chapeau de quelque autre père qui lui descend plus bas que les oreilles, une seule bretelle en lisière jaune, court, guette, quête, perd le temps, culotte des pipes, jure comme un damné, hante le cabaret, connaît des voleurs, tutoie des filles, parle argot, chante des chansons obscènes, et n'a rien de mauvais dans le cœur. C'est qu'il a dans l'âme une perle, l'innocence; et les perles ne se dissolvent pas dans la boue. Tant que l'homme est enfant, Dieu veut qu'il soit innocent.

Si l'on demandait à l'énorme ville: Qu'est-ce que c'est que cela? elle répondrait: C'est mon petit.

Le gamin de Paris, c'est le nain de la géante.

N'exagérons point, ce chérubin du ruisseau a quelquefois une chemise, mais alors il n'en a qu'une; il a quelquefois des souliers, mais alors ils n'ont point de semelles; il a quelquefois un logis, et il l'aime, car il y trouve sa mère; mais il préfère la rue, parce qu'il y trouve la liberté. Il a ses jeux à lui, ses malices à lui dont la haine des bourgeois fait le fond; ses métaphores à lui; être mort, cela s'appelle *manger des pissenlits par la racine*; ses métiers à lui, amener des fiacres, baisser les marchepieds des voitures, établir des péages d'un côté de la rue à l'autre dans les grosses pluies, ce qu'il appelle faire des *ponts des arts*, crier les discours prononcés par l'autorité en faveur du peuple français, gratter l'entre-deux des pavés; il a sa monnaie à lui, qui se compose de tous les petits morceaux de cuivre façonné qu'on peut trouver sur la voie publique. Cette curieuse monnaie, qui prend le nom de *loques*, a un cours invariable et fort bien réglé dans cette petite bohème d'enfants.

Quant à des mots, cet enfant en a comme Talleyrand. Il n'est pas moins cynique, mais il est plus honnête. Il est doué d'on ne sait quelle jovialité imprévue; il ahurit le boutiquier de son fou rire. Sa gamme va gaillardement de la haute comédie à la farce.

Un enterrement passe. Parmi ceux qui accompagnent le mort, il y a un médecin.

– Tiens, s'écrie un gamin, depuis quand les médecins reportent-ils leur ouvrage?

Huit ou neuf ans environ après les événements racontés dans la deuxième partie de cette histoire, on remarquait sur le boulevard du Temple un petit garçon de onze à douze ans qui eût assez correctement réalisé cet idéal du gamin ébauché plus haut, si, avec le rire de son âge sur les lèvres, il n'eût pas eu le cœur absolument sombre et vide. Cet enfant était bien affublé d'un pantalon d'homme, mais il ne le tenait pas de son père, et d'une camisole de femme, mais il ne la tenait pas de sa mère. Des gens quelconques l'avaient habillé de chiffons par charité. Pourtant il avait un père et une mère. Mais son père ne songeait pas à lui et sa mère ne l'aimait point. C'était un de ces enfants dignes de pitié entre tous qui ont père et mère et qui sont orphelins.

Cet enfant ne se sentait jamais si bien que dans la rue. Le pavé lui était moins dur que le cœur de sa mère.

Ses parents l'avaient jeté dans la vie d'un coup de pied.

Il n'avait pas de gîte, pas de pain, pas de feu, pas d'amour; mais il était joyeux parce qu'il était libre.

Pourtant, si abandonné que fût cet enfant, il arrivait parfois, tous les deux ou trois mois, qu'il disait: Tiens, je vais voir maman! Alors il quittait le boulevard, descendait aux quais, passait les ponts, gagnait les faubourgs, atteignait la Salpêtrière, et arrivait où? Précisément à ce double numéro 50-52 que le lecteur connaît.

Les plus misérables entre ceux qui habitaient la masure étaient une famille de quatre personnes, le père, la mère et deux filles déjà assez grandes, tous les quatre logés dans le même galetas.

Cette famille n'offrait au premier abord rien de très particulier que son extrême dénuement; le père en louant la chambre avait dit s'appeler Jondrette.

Cette famille était la famille du joyeux va-nu-pieds. Il y arrivait et il y trouvait la détresse, et, ce qui est plus triste, aucun sourire; le froid dans l'âtre et le froid dans les cœurs.

Nous avons oublié de dire que sur le boulevard du Temple on nommait cet enfant le petit Gavroche. Pourquoi s'appelait-il Gavroche? Probablement parce que son père s'appelait Jondrette.

Casser le fil semble être l'instinct de certaines familles misérables.

La chambre que les Jondrette habitaient dans la masure était la dernière au bout du corridor. La cellule d'à côté était occupée par un jeune homme très pauvre qu'on nommait Marius.

Disons ce que c'était que M. Marius.

LIVRE DEUXIÈME

Le grand bourgeois

Rue Boucherat, rue de Normandie et rue de Saintonge, il existe encore quelques anciens habitants qui ont gardé le souvenir d'un bonhomme appelé M. Gillenormand, et qui en parlent avec complaisance.

M. Gillenormand était un vieillard particulier, et bien véritablement l'homme d'un autre âge, le vrai bourgeois complet et un peu hautain du XVIIIe siècle, portant sa bonne vieille bourgeoisie de l'air dont les marquis portaient leur marquisat. Il avait dépassé quatre-vingt-dix ans, marchait droit, parlait haut, voyait clair, buvait sec, mangeait, dormait et ronflait. Il avait ses trente-deux dents. Il ne mettait de lunettes que pour lire. Il était d'humeur amoureuse, mais disait que depuis une dizaine d'années il avait décidément et tout à fait renoncé aux femmes. Il ne pouvait plus plaire, disait-il; il n'ajoutait pas: – Je suis trop vieux, mais: – Je suis trop pauvre. Il disait: – Si je n'étais pas ruiné... hééé! Il ne lui restait en effet qu'un revenu d'environ quinze mille livres. Son rêve était de faire un héritage et d'avoir cent mille francs de rente pour avoir des maîtresses. Il n'appartenait point, comme on voit, à cette variété malingre d'octogénaires, qui, comme M. de Voltaire, ont été mourants toute leur vie; ce n'était pas une longévité de pot fêlé; ce vieillard gaillard s'était toujours bien porté. Il était superficiel, rapide, aisément courroucé. Il entrait en tempête à tout propos, le plus souvent à contresens du vrai. Quand on le contredisait, il levait sa canne; il battait les gens comme au grand siècle. Il avait une fille de cinquante ans passés, non mariée, qu'il rossait très fort quand il se mettait en colère et qu'il eût volontiers fouettée. Elle lui faisait l'effet d'avoir huit ans.

Si quelque jeune homme s'avisait de faire devant lui l'éloge de la république, il devenait bleu et s'irritait à s'évanouir.

Chez M. Gillenormand la douleur se traduisait en colère; il était furieux d'être désespéré. Il avait tous les préjugés et prenait toutes les licences. Une des choses dont il composait son relief extérieur et sa satisfaction intime, c'était d'être resté vert-galant, et de passer énergiquement pour tel. Il appelait cela avoir «royale renommée». La royale renommée lui attirait parfois de singulières aubaines. Un jour on apporta chez lui dans une bourriche un gros garçon nouveau-né qu'une servante chassée six mois auparavant lui attribuait. M. Gillenormand avait alors ses parfaits quatre-vingt-quatre ans. Indignation et clameur dans l'entourage: Et à qui cette effrontée drôlesse espérait-elle faire accroire cela? Quelle audace! M. Gillenormand, lui, n'eut aucune colère. Il regarda le maillot avec l'aimable sourire d'un bonhomme flatté de la calomnie, et dit à la cantonade:

– Eh bien, quoi? qu'est-ce? qu'y a-t-il? Ces choses-là n'ont rien que d'ordinaire. Je déclare que ce petit monsieur n'est pas de moi. Qu'on en prenne soin. Ce n'est pas sa faute.

Le procédé était débonnaire. La créature, qui se nommait Magnon, lui fit un deuxième envoi l'année d'après. C'était encore un garçon. Pour le coup, M. Gillenormand capitula. Il remit à la mère les deux mioches, s'engageant à payer pour leur entretien quatre-vingts francs par mois, à la condition que ladite mère ne recommencerait plus. Il ajouta:

– J'entends que la mère les traite bien. Je les irai voir de temps en temps.

Ce qu'il fit.

Il avait eu deux femmes; de la première une fille qui était restée fille, et de la seconde une autre fille, morte vers l'âge de trente ans, laquelle avait épousé par amour ou par hasard ou autrement un soldat de fortune qui avait servi dans les armées de la république et de l'Empire, avait eu la croix à Austerlitz et avait été fait colonel à Waterloo. *C'est la honte de ma famille*, disait le vieux bourgeois.

Tel était M. Luc-Esprit Gillenormand, lequel n'avait point perdu ses cheveux, plutôt gris que blancs, et était toujours coiffé en oreilles de chien. En somme, et avec tout cela, vénérable.

Il tenait du XVIIIe siècle : frivole et grand.

Quant aux deux filles de M. Gillenormand, elles étaient nées à dix ans d'intervalle. Dans leur jeunesse, elles s'étaient fort peu ressemblé, et, par le caractère comme par le visage, avaient été aussi peu sœurs que possible.

La cadette avait épousé l'homme de ses songes, mais elle était morte. L'aînée ne s'était pas mariée.

Au moment où elle fait son entrée dans l'histoire que nous racontons, c'était une vieille vertu, une prude incombustible, un des nez les plus pointus et un des esprits les plus obtus qu'on pût voir. Détail caractéristique : en dehors de la famille étroite, personne n'avait jamais su son petit nom. On l'appelait *Mlle Gillenormand l'aînée.*

Elle tenait la maison de son père. Ces ménages d'un vieillard et d'une vieille fille ne sont point rares et ont l'aspect toujours touchant de deux faiblesses qui s'appuient l'une sur l'autre.

Il y avait en outre dans la maison, entre cette vieille fille et ce vieillard, un enfant, un petit garçon, toujours tremblant et muet devant M. Gillenormand. M. Gillenormand ne parlait jamais à cet enfant que d'une voix sévère et quelquefois la canne levée : – *Ici ! monsieur – maroufle, polisson, approchez ! – Répondez, drôle ! – Que je vous voie, vaurien !* etc. Il l'idolâtrait.

C'était son petit-fils.

LIVRE TROISIÈME

Le grand-père et le petit-fils

Lorsque M. Gillenormand habitait la rue Servandoni, il hantait plusieurs salons très bons et très nobles. Quoique bourgeois, M. Gillenormand était reçu.

M. Gillenormand venait habituellement accompagné de sa fille et d'un beau petit garçon de sept ans, blanc, rose, frais, avec des yeux heureux et confiants, lequel n'apparaissait jamais sans entendre toutes les voix bourdonner autour de lui : Qu'il est joli ! quel dommage ! pauvre enfant ! Cet enfant était celui dont nous avons dit un mot tout à l'heure. On l'appelait « pauvre enfant » parce qu'il avait pour père un « brigand de la Loire ».

Ce brigand de la Loire était ce gendre de M. Gillenormand dont il a déjà été fait mention, et que M. Gillenormand qualifiait *la honte de sa famille.*

Quelqu'un qui aurait lu les mémoires militaires, les biographies, le *Moniteur* et les bulletins de la Grande Armée, aurait pu être frappé d'un nom qui y revient assez souvent, le nom de Georges Pontmercy.

À Eylau, il était dans le cimetière où l'héroïque capitaine Louis Hugo, oncle de l'auteur de ce livre, soutint seul avec sa compagnie de quatre-vingt-trois hommes, pendant deux heures, tout l'effort de l'armée ennemie. Pontmercy fut un des trois qui sortirent de ce cimetière vivants. Il fut de Friedland. Puis il vit Moscou, puis la Bérézina, puis Lützen, Bautzen, Dresde ; puis Montmirail, Château-Thierry, Craon, les bords de la Marne, les bords de l'Aisne et la redoutable position de Laon. À Waterloo il était chef d'escadron de cuirassiers dans la brigade Dubois. Ce fut lui qui prit le drapeau du bataillon de Lunebourg. Il vint jeter le drapeau aux pieds de l'Empereur. Il était couvert de sang. Il avait reçu, en arrachant le drapeau, un coup de sabre à travers le visage. L'Empereur, content, lui cria : *Tu es colonel, tu es baron, tu es officier de la Légion d'honneur!* Pontmercy répondit : *Sire, je vous remercie pour ma veuve.* Une heure après, il tombait dans le ravin d'Ohain. Maintenant qu'était-ce que ce Georges Pontmercy? C'était ce même brigand de la Loire.

On a déjà vu quelque chose de son histoire. Après Waterloo, Pontmercy, tiré, on s'en souvient, du chemin creux d'Ohain, avait réussi à regagner l'armée, et s'était traîné d'ambulance en ambulance jusqu'aux cantonnements de la Loire.

La Restauration l'avait mis à la demi-solde, puis l'avait envoyé en résidence, c'est-à-dire en surveillance, à Vernon.

Il n'avait rien, que sa très chétive demi-solde de chef d'escadron. Il avait loué à Vernon la plus petite maison qu'il avait pu trouver. Il y vivait seul. Sous l'Empire, entre deux guerres, il avait trouvé le temps d'épouser Mlle Gillenormand. Le vieux bourgeois, indigné au fond, avait consenti en soupirant et en disant : *Les plus grandes familles y sont forcées.* En 1815, Mme Pontmercy, femme du reste de tout point admirable, élevée et rare et digne de son mari, était morte, laissant un enfant. Cet enfant eût été la joie du colonel dans sa solitude ; mais l'aïeul avait impérieusement réclamé son petit-fils, déclarant que, si on ne le lui donnait pas, il le déshériterait. Le père avait cédé dans l'intérêt du petit.

Il était expressément convenu que Pontmercy n'essaierait jamais de voir son fils ni de lui parler, sous peine qu'on le lui rendît chassé et déshérité. Pour les Gillenormand, Pontmercy était un pestiféré. Ils entendaient élever l'enfant à leur guise.

Le colonel eut tort peut-être d'accepter ces conditions, mais il les subit, croyant bien faire et ne sacrifier que lui.

L'héritage du père Gillenormand était peu de chose, mais l'héritage de Mlle Gillenormand aînée était considérable. Cette tante, restée fille, était fort riche du côté maternel, et le fils de sa sœur était son héritier naturel. L'enfant, qui s'appelait Marius, savait qu'il avait un père, mais rien de plus. Personne ne lui en ouvrait la bouche.

Pendant qu'il grandissait ainsi, tous les deux ou trois mois, le colonel s'échappait, venait furtivement à Paris comme un repris de justice qui rompt son ban et allait se poster à Saint-Sulpice, à l'heure où la tante Gillenormand menait Marius à la messe. Là, tremblant que la tante ne se retournât, caché derrière un pilier, immobile, n'osant respirer, il regardait son enfant.

Deux fois par an, Marius écrivait à son père des lettres de devoir que sa tante dictait ; c'était tout ce que tolérait M. Gillenormand ; et le père répondait des lettres fort tendres que l'aïeul fourrait dans sa poche sans les lire.

Marius Pontmercy fit comme tous les enfants des études quelconques. Quand il sortit des mains de la tante Gillenormand, son grand-père le confia à un digne professeur de la plus pure innocence classique. Cette jeune âme qui s'ouvrit passa d'une prude à un cuistre. Marius eut ses années de collège, puis il entra à l'école de droit. Il était royaliste, fanatique et austère. Il aimait peu son grand-père dont la gaieté et le cynisme le froissaient, et il était sombre à l'endroit de son père.

C'était du reste un garçon ardent et froid, noble, généreux, fier, religieux, exalté ; digne jusqu'à la dureté, pur jusqu'à la sauvagerie.

En 1827, Marius venait d'atteindre ses dix-sept ans. Comme il rentrait un soir, il vit son grand-père qui tenait une lettre à la main.

– Marius, dit M. Gillenormand, tu partiras demain pour Vernon.

– Pourquoi ? dit Marius.

– Pour voir ton père.

Marius eut un tremblement. Il avait songé à tout, excepté à ceci, qu'il pourrait un jour se faire qu'il eût à voir son père. Rien ne pouvait être pour lui plus inattendu, plus surprenant et, disons-le, plus désagréable.

Il fut si stupéfait qu'il ne questionna pas M. Gillenormand. Le grand-père reprit :

– Il paraît qu'il est malade. Il te demande.

Le lendemain à la brune, Marius arrivait à Vernon. Il demanda au premier passant venu *la maison de M. Pontmercy.*

On lui indiqua le logis. Il sonna, une femme vint lui ouvrir, une petite lampe à la main.

– Monsieur Pontmercy ? dit Marius.

La femme fit de la tête un signe affirmatif.

– Pourrais-je lui parler ?

La femme fit un signe négatif.

– Mais je suis son fils ! reprit Marius. Il m'attend.

– Il ne vous attend plus, dit la femme.

Alors il s'aperçut qu'elle pleurait.

Elle lui désigna du doigt la porte d'une salle basse ; il entra.

Dans cette salle qu'éclairait une chandelle de suif posée sur la cheminée, il y avait trois hommes, un qui était debout, un qui était à genoux, et un qui était à terre, en chemise, couché tout de son long sur le carreau. Celui qui était à terre était le colonel.

Les deux autres étaient un médecin et un prêtre qui priait.

Le colonel était depuis trois jours atteint d'une fièvre cérébrale. Au début de la maladie, ayant un mauvais pressentiment, il avait écrit à M. Gillenormand pour demander son fils. La maladie avait empiré. Le soir même de l'arrivée de Marius à Vernon, le colonel avait eu un accès de délire; il s'était levé de son lit malgré la servante, en criant:

– Mon fils n'arrive pas! je vais au-devant de lui!

Puis il était sorti de sa chambre et était tombé sur le carreau de l'antichambre. Il venait d'expirer.

Marius considéra cet homme qu'il voyait pour la première fois, et pour la dernière.

La tristesse qu'il éprouvait fut la tristesse qu'il aurait ressentie devant tout autre homme qu'il aurait vu étendu mort.

Le colonel ne laissait rien. La vente du mobilier paya à peine l'enterrement. La servante trouva un chiffon de papier qu'elle remit à Marius. Il y avait ceci, écrit de la main du colonel:

Pour mon fils. L'Empereur m'a fait baron sur le champ de bataille de Waterloo. Puisque la Restauration me conteste ce titre que j'ai payé de mon sang, mon fils le prendra et le portera. Il va sans dire qu'il en sera digne. Derrière, le colonel avait ajouté: *À cette même bataille de Waterloo, un sergent m'a sauvé la vie. Cet homme s'appelle Thénardier. Dans ces derniers temps, je crois qu'il tenait une petite auberge dans un village des environs de Paris, à Chelles ou à Montfermeil. Si mon fils le rencontre, il fera à Thénardier tout le bien qu'il pourra.*

Marius avait gardé les habitudes religieuses de son enfance. Un dimanche qu'il était allé entendre la messe à Saint-Sulpice, à cette même chapelle de la Vierge où sa tante le menait quand il était petit, étant ce jour-là distrait et rêveur plus qu'à l'ordinaire, il s'était placé derrière un pilier et agenouillé sur une chaise en velours d'Utrecht au dossier de laquelle était écrit ce nom: *M. Mabeuf, marguillier.* La messe commençait à peine qu'un vieillard se présenta et dit à Marius:

– Monsieur, c'est ma place. Voyez-vous, je tiens à cette place. Il me semble que la messe y est meilleure. C'est à cette place-là que j'ai vu venir, pendant dix années, tous les deux ou trois mois régulièrement, un pauvre brave père qui n'avait pas d'autre occasion et pas d'autre manière de voir son enfant, parce que, pour des arrangements de famille, on l'en empêchait. Il venait à l'heure où il savait qu'on menait son fils à la messe. Le petit ne se doutait pas que son père était là. Il ne savait même peut-être pas qu'il avait un père, l'innocent. Le père, lui, se tenait derrière un pilier, pour qu'on ne le vît pas. Il regardait son enfant, et il pleurait. J'ai un peu connu ce malheureux monsieur. Il avait un beau-père, une tante riche, des parents, je ne sais plus trop, qui menaçaient de déshériter l'enfant si, lui, le père, il le voyait. Il s'était sacrifié pour que son fils fût riche un jour et heureux. On l'en séparait pour opinion politique. Certainement j'approuve les opinions politiques, mais il y a des gens qui ne savent pas s'arrêter. Mon Dieu! parce qu'un homme a été à Waterloo, ce n'est pas un monstre; on ne sépare point pour cela un père de son enfant. C'était un colonel de Bonaparte. Il est mort, je crois. Il demeurait à Vernon, et il s'appelait quelque chose comme Pontmarie ou Montpercy...

– Pontmercy, dit Marius en pâlissant.

– Précisément, Pontmercy. Est-ce que vous l'avez connu?

– Monsieur, dit Marius, c'était mon père.

Le vieux marguillier joignit les mains, et s'écria:

– Ah! vous êtes l'enfant! Oui, c'est cela, ce doit être un homme à présent. Eh bien! pauvre enfant, vous pouvez dire que vous avez eu un père qui vous a bien aimé!

Marius offrit son bras au vieillard et le ramena jusqu'à son logis. Le lendemain, il dit à M. Gillenormand:

– Nous avons arrangé une partie de chasse avec quelques amis. Voulez-vous me permettre de m'absenter trois jours?

– Quatre! répondit le grand-père, va, amuse-toi.

Et, clignant de l'œil, il dit bas à sa fille:

– Quelque amourette!

Marius fut trois jours absent, puis il revint à Paris, alla droit à la bibliothèque de l'école de droit et demanda la collection du *Moniteur*.

Il lut le *Moniteur*, il lut toutes les histoires de la république et de l'Empire, le *Mémorial de Sainte-Hélène*, tous les mémoires, les journaux, les bulletins, les proclamations; il dévora tout. La première fois qu'il rencontra le nom de son père dans les bulletins de la Grande Armée, il en eut la fièvre toute une semaine. Marius arriva à connaître pleinement cet homme rare, sublime et doux, cette espèce de lion-agneau qui avait été son père.

La république, l'Empire, n'avaient été pour lui jusqu'alors que des mots monstrueux. La république, une guillotine dans un crépuscule; l'Empire, un sabre dans la nuit. Il venait d'y regarder, et là où il s'attendait à ne trouver qu'un chaos de ténèbres, il avait vu, avec une sorte de surprise inouïe mêlée de crainte et de joie, étinceler des astres, Mirabeau, Vergniaud, Saint-Just, Robespierre, Camille Desmoulins, Danton, et se lever un soleil, Napoléon. Il ne savait où il en était. Il reculait aveuglé de clartés. Peu à peu, l'étonnement passé, il s'accoutuma à ces rayonnements, il considéra les actions sans vertige, il examina les personnages sans terreur; la Révolution et l'Empire se mirent lumineusement en perspective devant sa prunelle visionnaire; il vit chacun de ces deux groupes d'événements et d'hommes se résumer dans deux faits énormes; la république dans la souveraineté du droit civique restituée aux masses, l'Empire dans la souveraineté de l'idée française imposée à l'Europe; il vit sortir de la Révolution la grande figure du peuple et de l'Empire la grande figure de la France. Il se déclara dans sa conscience que tout cela avait été bon.

De la réhabilitation de son père il avait naturellement passé à la réhabilitation de Napoléon.

Par une autre conséquence naturelle, à mesure qu'il se rapprochait de son père, de sa mémoire, il s'éloignait de son grand-père.

Marius éprouvait des mouvements de révolte inexprimables en songeant que c'était M. Gillenormand qui, pour des motifs stupides, l'avait arraché sans pitié au colonel, privant ainsi le père de l'enfant et l'enfant du père.

À force de piété pour son père, Marius en était presque venu à l'aversion pour son aïeul.

Marius quitta la maison.

Le lendemain, M. Gillenormand dit à sa fille:

– Vous enverrez tous les six mois soixante pistoles à ce buveur de sang, et vous ne m'en parlerez jamais.

Marius s'en était allé, sans dire où il allait, et sans savoir où il allait, avec trente francs, sa montre, et quelques hardes dans un sac de nuit. Il était monté dans un cabriolet de place, l'avait pris à l'heure et s'était dirigé à tout hasard vers le pays latin.

Qu'allait devenir Marius?

LIVRE QUATRIÈME

Les amis de l'A B C

À cette époque, indifférente en apparence, un certain frisson révolutionnaire courait vaguement. Des souffles, revenus des profondeurs de 1789 et de 1792, étaient dans l'air. La jeunesse était, qu'on nous passe le mot, en train de muer. On se transformait presque sans s'en douter, par le mouvement même du temps. L'aiguille qui marche sur le cadran marche aussi dans les âmes. Chacun faisait en avant le pas qu'il avait à faire. Les royalistes devenaient libéraux, les libéraux devenaient démocrates.

Il n'y avait pas encore en France alors de ces vastes organisations sous-jacentes comme le Tugendbund allemand et le carbonarisme italien; mais çà et là des creusements obscurs, se ramifiant. Il y avait à Paris, entre autres affiliations de ce genre, la Société des Amis de l'A B C. Qu'était-ce que les Amis de l'A B C? une société ayant pour but, en apparence l'éducation des enfants, en réalité le redressement des hommes.

On se déclarait les amis de l'A B C. L'*Abaissé*, c'était le peuple. On voulait le relever. Calembour dont on aurait tort de rire. Les calembours sont quelquefois graves en politique.

La plupart des Amis de l'A B C étaient des étudiants, en entente cordiale avec quelques ouvriers. Voici les noms des principaux. Ils appartiennent dans une certaine mesure à l'Histoire: Enjolras, Combeferre, Jean Prouvaire, Feuilly, Courfeyrac, Bahorel, Lesgle ou Laigle, Joly, Grantaire.

Ces jeunes gens faisaient entre eux une sorte de famille, à force d'amitié. Tous, Laigle excepté, étaient du Midi.

Enjolras, que nous avons nommé le premier, était un

jeune homme charmant, capable d'être terrible. Il était angéliquement beau. Il était officiant et militant ; au point de vue immédiat, soldat de la démocratie ; au-dessus du mouvement contemporain, prêtre de l'idéal. Il avait la prunelle profonde, la paupière un peu rouge, la lèvre inférieure épaisse et facilement dédaigneuse, le front haut. Beaucoup de front dans un visage, c'est comme beaucoup de ciel dans un horizon. Déjà homme, il semblait encore enfant. Ses vingt-deux ans en paraissaient dix-sept ; il était grave, il ne semblait pas savoir qu'il y eût sur la terre un être appelé la femme. Il n'avait qu'une passion, le droit, qu'une pensée, renverser l'obstacle.

À côté d'Enjolras, qui représentait la logique de la révolution, Combeferre en représentait la philosophie. Entre la logique de la révolution et sa philosophie, il y a cette différence que sa logique peut conclure à la guerre, tandis que sa philosophie ne peut aboutir qu'à la paix. Combeferre complétait et rectifiait Enjolras. Il était moins haut et plus large. Il voulait qu'on versât aux esprits les principes étendus d'idées générales ; il disait : – Révolution, mais civilisation ; et autour de la montagne à pic il ouvrait le vaste horizon bleu. De là, dans toutes les vues de Combeferre, quelque chose d'accessible et de praticable.

Jean Prouvaire était une nuance plus adoucie encore que Combeferre. Jean Prouvaire était amoureux, cultivait un pot de fleurs, jouait de la flûte, faisait des vers, aimait le peuple, plaignait la femme, pleurait sur l'enfant, confondait dans la même confiance l'avenir et Dieu, et blâmait la Révolution d'avoir fait tomber une tête royale, celle d'André Chénier. Il avait la voix habituellement délicate et tout à coup virile. Il était lettré jusqu'à l'érudition, et presque orientaliste. Il était bon par-dessus tout ; et, chose toute simple pour qui sait combien la bonté confine à la grandeur, en fait de poésie, il préférait l'immense.

Feuilly était un ouvrier éventailliste, orphelin de père et de mère, qui gagnait péniblement trois francs par jour, et qui n'avait qu'une pensée, délivrer le monde. Il avait une autre préoccupation encore : s'instruire ; ce qu'il appelait aussi se délivrer. Il s'était enseigné à lui-même à lire et à écrire ; tout ce qu'il savait, il l'avait appris seul.

Courfeyrac avait cette verve de jeunesse qu'on pourrait appeler la beauté du diable de l'esprit. Plus tard, cela s'éteint comme la gentillesse du petit chat, et toute cette grâce aboutit, sur deux pieds, au bourgeois, et sur quatre pattes, au matou.

Seulement Courfeyrac était un brave garçon.

Bahorel était un être de bonne humeur et de mauvaise compagnie, brave, panier percé, prodigue et rencontrant la générosité, bavard et rencontrant l'éloquence, hardi et rencontrant l'effronterie ; la meilleure pâte de diable qui fût possible ; ayant des gilets téméraires et des opinions écarlates ; tapageur en grand, c'est-à-dire n'aimant rien tant qu'une querelle, si ce n'est une émeute, et rien tant qu'une émeute, si ce n'est une révolution ; toujours prêt à casser un carreau, puis à dépaver une rue, puis à démolir un gouvernement, pour voir l'effet.

Il y avait dans ce conclave de jeunes têtes un membre chauve. Le membre chauve du groupe signait Lègle (de Meaux). Ses camarades, pour abréger, l'appelaient Bossuet.

Bossuet était un garçon gai qui avait du malheur. Sa spécialité était de ne réussir à rien. Par contre, il riait de tout. Il était pauvre, mais son gousset de bonne humeur était inépuisable. Il arrivait vite à son dernier sou, jamais à son dernier éclat de rire.

Joly étudiait la médecine. Il avait deux ans de moins que

Bossuet. Joly était le malade imaginaire jeune. Ce qu'il avait gagné à la médecine, c'était d'être plus malade que médecin. À vingt-trois ans, il se croyait valétudinaire et passait sa vie à regarder sa langue dans son miroir. Joly avait l'habitude de se toucher le nez avec le bout de sa canne, ce qui est l'indice d'un esprit sagace.

Tous ces jeunes gens, si divers, et dont, en somme, il ne faut parler que sérieusement, avaient une même religion : le Progrès.

Affiliés et initiés, ils ébauchaient souterrainement l'idéal.

Parmi tous ces cœurs passionnés et tous ces esprits convaincus, il y avait un sceptique. Comment se trouvait-il là ? par juxtaposition. Ce sceptique s'appelait Grantaire.

Tous ces mots : droits du peuple, droits de l'homme, contrat social, Révolution française, république, démocratie, humanité, civilisation, religion, progrès, étaient, pour Grantaire, très voisins de ne rien signifier du tout. Il en souriait. Le scepticisme, cette carie de l'intelligence, ne lui avait pas laissé une idée entière dans l'esprit. Il vivait avec ironie.

Du reste ce sceptique avait un fanatisme. Ce fanatisme n'était ni une idée, ni un dogme, ni un art, ni une science ; c'était un homme : Enjolras. Grantaire admirait, aimait et vénérait Enjolras.

Grantaire, vrai satellite d'Enjolras, habitait ce cercle de jeunes gens ; il y vivait ; il ne se plaisait que là ; il les suivait partout. Sa joie était de voir aller et venir ces silhouettes dans les fumées du vin. On le tolérait pour sa bonne humeur.

En quelques jours, Marius fut l'ami de Courfeyrac. La jeunesse est la saison des promptes soudures et des cicatrisations rapides. Marius près de Courfeyrac respirait librement, chose assez nouvelle pour lui. Courfeyrac ne lui fit pas de questions. Il n'y songea même pas. À cet âge, les visages disent tout de suite tout. La parole est inutile.

Courfeyrac introduisit Marius au café Musain. Puis il lui chuchota à l'oreille avec un sourire :

– Il faut que je vous donne vos entrées dans la révolution.

Et il le mena dans la salle des Amis de l'A B C. Il le présenta aux autres camarades en disant à demi-voix ce simple mot que Marius ne comprit pas :

– Un élève.

Marius était tombé dans un guêpier d'esprits. Du reste, quoique silencieux et grave, il n'était ni le moins ailé ni le moins armé.

Un matin, il trouva une lettre de sa tante et les *soixante pistoles*, c'est-à-dire six cents francs en or dans une boîte cachetée.

Marius renvoya les trente louis à sa tante avec une lettre respectueuse où il déclarait pouvoir suffire désormais à tous ses besoins. En ce moment-là il lui restait trois francs.

LIVRE CINQUIÈME

Excellence du malheur

La vie devint sévère pour Marius. Il mangea de cette chose inexprimable qu'on appelle de *la vache enragée*. Chose horrible, qui contient les jours sans pain, les nuits sans sommeil, les soirs sans chandelle, l'âtre sans feu, les semaines sans travail, l'avenir sans espérance, l'habit percé au coude, le vieux chapeau qui fait rire les jeunes filles, l'insolence du portier et du gargotier, les ricanements des voisins, les humiliations, la dignité refoulée, les besognes quelconques acceptées, les dégoûts, l'amertume, l'accablement. Marius apprit comment on dévore tout cela, et comment ce sont souvent les seules choses qu'on ait à dévorer. À l'âge où la jeunesse vous gonfle le cœur d'une fierté impériale, il abaissa plus d'une fois ses yeux sur ses bottes trouées et il connut les hontes injustes et les rougeurs poignantes de la misère. Admirable et terrible épreuve dont les faibles sortent infâmes, dont les forts sortent sublimes. Creuset où la destinée jette un homme, toutes les fois qu'elle veut avoir un gredin ou un demi-dieu.

À plusieurs reprises la tante Gillenormand fit des tentatives, et lui adressa les soixante pistoles. Marius les renvoya constamment, en disant qu'il n'avait besoin de rien.

À travers tout cela, il se fit recevoir avocat. Il était censé habiter la chambre de Courfeyrac, qui était décente et où un certain nombre de bouquins de droit soutenus et complétés par des volumes de romans dépareillés figuraient la bibliothèque voulue par les règlements.

À cette époque, Marius avait vingt ans. Il y avait trois ans qu'il avait quitté son grand-père. On était resté dans les mêmes termes de part et d'autre, sans tenter de rapprochement et sans chercher à se revoir. D'ailleurs, se revoir, à quoi bon? pour se heurter? Lequel eût eu raison de l'autre? Marius était le vase d'airain, mais le père Gillenormand était le pot de fer.

Le jour où son grand-père l'avait chassé, il n'était encore qu'un enfant, maintenant il était un homme. Il le sentait. La misère, insistons-y, lui avait été bonne. La pauvreté dans la jeunesse, quand elle réussit, a cela de magnifique qu'elle tourne toute la volonté vers l'effort et toute l'âme vers l'aspiration. La pauvreté met tout de suite la vie matérielle à nu et la fait hideuse; de là d'inexprimables élans vers la vie idéale. Le jeune homme riche a cent distractions brillantes et grossières, les courses de chevaux, la chasse, les chiens, le tabac, le jeu, les bons repas, et le reste; occupations des bas côtés de l'âme aux dépens des côtés hauts et délicats. Le jeune homme pauvre se donne de la peine pour avoir son pain; il mange; quand il a mangé, il n'a plus que la rêverie. Il va aux spectacles gratis que Dieu donne; il regarde le ciel, l'espace, les astres, les fleurs, les enfants, l'humanité dans laquelle il souffre, la création dans laquelle il rayonne. Il regarde tant l'humanité qu'il voit l'âme, il regarde tant la Création qu'il voit Dieu. Il rêve, il se sent grand; il rêve encore, et il se sent tendre. De l'égoïsme de l'homme qui souffre, il passe à la compassion de l'homme qui médite. Un admirable sentiment éclate en lui, l'oubli de soi et la pitié pour tous. Toute haine s'en va de son cœur à mesure que toute clarté entre dans son esprit. D'ailleurs, est-il malheureux? Non. Chaque matin il se remet à gagner son pain; et tandis que ses mains gagnent du pain, son épine dorsale gagne de la fierté, son cerveau gagne des idées. Sa besogne finie, il revient aux extases ineffables, aux contemplations, aux joies; il vit les pieds dans les afflictions, dans les obstacles, sur le pavé, dans les ronces, quelquefois dans la boue, la tête dans la lumière. Il est ferme, serein, doux, paisible, attentif, sérieux, content de peu, bienveillant; et il bénit Dieu de lui avoir donné ces deux richesses qui manquent à bien des riches: le travail qui le fait libre et la pensée qui le fait digne.

C'était là ce qui s'était passé en Marius.

LIVRE SIXIÈME

La conjonction de deux étoiles

Marius à cette époque était un beau jeune homme de moyenne taille avec d'épais cheveux très noirs, un front haut et intelligent, les narines ouvertes et passionnées, l'air sincère et calme, et sur tout son visage je ne sais quoi qui était hautain, pensif et innocent. Son profil, dont toutes les lignes étaient arrondies sans cesser d'être fermes, avait cette douceur germanique qui a pénétré dans la physionomie française par l'Alsace et la Lorraine. Il était à cette saison de la vie où l'esprit des hommes qui pensent se compose, presque à proportions égales, de profondeur et de naïveté. Une situation grave étant donnée, il avait tout ce qu'il fallait pour être stupide; un tour de clef de plus, il pouvait être sublime.

Au temps de sa pire misère, il remarquait que les jeunes filles se retournaient quand il passait, et il se sauvait ou se cachait, la mort dans l'âme. Il pensait qu'elles le regardaient pour ses vieux habits et qu'elles en riaient; le fait est qu'elles le regardaient pour sa grâce et qu'elles en rêvaient.

Ce muet malentendu entre lui et les jolies passantes l'avait rendu farouche. Il n'en choisit aucune, pour l'excellente raison qu'il s'enfuyait devant toutes. Il vécut ainsi indéfiniment, bêtement, disait Courfeyrac.

Il y avait pourtant dans toute l'immense Création deux femmes que Marius ne fuyait pas et auxquelles il ne prenait point garde. L'une était la vieille barbue qui balayait sa chambre; l'autre était une espèce de petite fille qu'il voyait très souvent et qu'il ne regardait jamais.

Depuis plus d'un an, Marius remarquait dans une allée

déserte du Luxembourg, l'allée qui longe le parapet de la Pépinière, un homme et une toute jeune fille presque toujours assis côte à côte sur le même banc à l'extrémité la plus solitaire de l'allée, du côté de la rue de l'Ouest. L'homme pouvait avoir une soixantaine d'années; il paraissait triste et sérieux; toute sa personne offrait cet aspect robuste et fatigué des gens de guerre retirés du service. Il avait l'air bon, mais inabordable, et il n'arrêtait jamais son regard sur le regard de personne. Il portait un pantalon bleu, une redingote bleue et un chapeau à bords larges, qui paraissaient toujours neufs, une cravate noire et une chemise de quaker, c'est-à-dire éclatante de blancheur, mais de grosse toile.

La jeune fille qui l'accompagnait était une façon de fille de treize ou quatorze ans, maigre, au point d'en être presque laide, gauche, insignifiante, et qui promettait peut-être d'avoir d'assez beaux yeux. Seulement ils étaient toujours levés avec une sorte d'assurance déplaisante. Elle avait cette mise à la fois vieille et enfantine des pensionnaires de couvent; une robe mal coupée de gros mérinos noir. Ils avaient l'air du père et de la fille.

Ce personnage et cette jeune fille, quoiqu'ils parussent et peut-être parce qu'ils paraissaient éviter les regards, avaient naturellement quelque peu éveillé l'attention des cinq ou six étudiants qui se promenaient de temps en temps le long de la Pépinière. Courfeyrac les avait observés quelque temps, mais trouvant la fille laide, il s'en était bien vite et soigneusement écarté. Il s'était enfui comme un Parthe en leur décochant un sobriquet. Il avait appelé la fille *Mlle Lanoire* et le père *M. Leblanc*, si bien que, personne ne les connaissant d'ailleurs, en l'absence du nom, le surnom avait fait loi.

Marius les vit ainsi presque tous les jours à la même heure

pendant la première année. Il trouvait l'homme à son gré, mais la fille assez maussade.

La seconde année, précisément au point de cette histoire où le lecteur est parvenu, il arriva que cette habitude de Luxembourg s'interrompit, sans que Marius sût trop pourquoi lui-même, et qu'il fut près de six mois sans mettre les pieds dans son allée. Un jour enfin il y retourna; c'était par une sereine matinée d'été, Marius était joyeux comme on l'est quand il fait beau.

Il alla droit à «son allée», et, quand il fut au bout, il aperçut, toujours sur le même banc, ce couple connu. Seulement, quand il approcha, c'était bien le même homme, mais il lui parut que ce n'était plus la même fille. La personne qu'il voyait maintenant était une grande et belle créature ayant toutes les formes les plus charmantes de la femme à ce moment précis où elles se combinent encore avec toutes les grâces les plus naïves de l'enfant; moment fugitif et pur que peuvent seuls traduire ces deux mots: quinze ans. C'étaient d'admirables cheveux châtains nuancés de veines dorées, un front qui semblait fait de marbre, des joues qui semblaient faites d'une feuille de rose, un incarnat pâle, une blancheur émue, une bouche exquise d'où le sourire sortait comme une clarté et la parole comme une musique, une tête que Raphaël eût donnée à Marie posée sur un cou que Jean Goujon eût donné à Vénus.

Ce n'était plus la pensionnaire avec son chapeau de peluche, sa robe de mérinos, ses souliers d'écolier et ses mains rouges; le goût lui était venu avec la beauté; c'était une personne bien mise avec une sorte d'élégance simple et riche et sans manières. Quand on passait près d'elle, toute sa toilette exhalait un parfum jeune et pénétrant.

L'air était tiède, le Luxembourg était inondé d'ombre et de soleil, le ciel était pur comme si les anges l'eussent lavé le matin, Marius avait ouvert toute son âme à la nature, il ne pensait à rien, il vivait et il respirait, il passa près de ce banc, la jeune fille leva les yeux sur lui, leurs deux regards se rencontrèrent.

Qu'y avait-il dans le regard de la jeune fille? Marius n'eût pu le dire. Il n'y avait rien et il y avait tout. Ce fut un étrange éclair.

Elle baissa les yeux, et il continua son chemin.

Ce qu'il venait de voir, ce n'était pas l'œil ingénu et simple d'un enfant, c'était un gouffre mystérieux qui s'était entrouvert, puis brusquement refermé.

Tout un grand mois s'écoula, pendant lequel Marius alla tous les jours au Luxembourg. L'heure venue, rien ne pouvait le retenir. Marius vivait dans les ravissements. Il est certain que la jeune fille le regardait.

À partir de ce moment, Marius ajouta à son bonheur de la voir au Luxembourg le bonheur de la suivre jusque chez elle.

Un soir, il dit vaillamment au portier:

– C'est le monsieur du premier qui vient de rentrer?

– Non, répondit le portier. C'est le monsieur du troisième.

Encore un pas de fait. Ce succès enhardit Marius.

– Sur le devant? demanda-t-il.

– Parbleu! fit le portier, la maison n'est bâtie que sur la rue.

– Et quel est l'état de ce monsieur? repartit Marius.

– C'est un rentier, monsieur. Un homme bien bon, et qui fait du bien aux malheureux, quoique pas riche.

– Comment s'appelle-t-il? reprit Marius.

Le portier leva la tête, et dit:

– Est-ce que monsieur est mouchard?

Marius s'en alla assez penaud, mais fort ravi. Il avançait.

Le lendemain M. Leblanc et sa fille ne firent au Luxembourg qu'une courte apparition; ils s'en allèrent qu'il faisait grand jour. Marius les suivit rue de l'Ouest comme il en avait pris l'habitude. En arrivant à la porte cochère, M. Leblanc fit passer sa fille devant, puis s'arrêta avant de franchir le seuil, se retourna et regarda Marius fixement.

Le jour d'après, ils ne vinrent pas au Luxembourg. Marius attendit en vain toute la journée.

À la nuit tombée, il alla rue de l'Ouest, et vit de la lumière aux fenêtres du troisième. Il se promena sous ces fenêtres, jusqu'à ce que cette lumière fût éteinte.

Le jour suivant, personne au Luxembourg. Marius attendit tout le jour, puis alla faire sa faction de nuit sous les croisées. Cela le conduisait jusqu'à dix heures du soir. Son dîner devenait ce qu'il pouvait. La fièvre nourrit le malade et l'amour l'amoureux.

Il se passa huit jours de la sorte. M. Leblanc et sa fille ne paraissaient plus au Luxembourg. Marius faisait des conjectures tristes; il n'osait guetter la porte cochère pendant le jour. Il se contentait d'aller à la nuit contempler la clarté rougeâtre des vitres. Il y voyait par moments passer des ombres, et le cœur lui battait.

Le huitième jour, quand il arriva sous les fenêtres, il n'y avait pas de lumière. Il s'en alla très sombre.

Le lendemain, il ne trouva personne au Luxembourg, il s'y attendait; à la brune, il alla à la maison. Aucune lueur aux fenêtres; les persiennes étaient fermées; le troisième était tout noir.

Marius frappa à la porte cochère, entra et dit au portier :

– Le monsieur du troisième ?

– Déménagé, répondit le portier.

Marius chancela et dit faiblement :

– Depuis quand donc ?

– D'hier.

– Où demeure-t-il maintenant ?

– Je n'en sais rien.

– Il n'a donc point laissé sa nouvelle adresse ?

– Non.

Et le portier levant le nez reconnut Marius.

– Tiens ! c'est vous ! dit-il, mais vous êtes donc décidément quart-d'œil[1] ?

LIVRE SEPTIÈME

Patron-Minette

Les sociétés humaines ont toutes ce qu'on appelle dans les théâtres un « troisième dessous ». Le sol social est partout miné, tantôt pour le bien, tantôt pour le mal. Ces travaux se superposent. Il y a les mines supérieures et les mines inférieures. Il y a un haut et un bas dans cet obscur sous-sol qui s'effondre parfois sous la civilisation, et que notre indifférence et notre insouciance foulent aux pieds.

Au-dessous de toutes ces mines, au-dessous de toutes ces

1. En argot, commissaire de police (parce qu'il y en avait quatre par arrondissement, ou de *cardeuil*, la robe noire des anciens commissaires).

galeries, au-dessous de tout cet immense système veineux souterrain du progrès et de l'utopie, bien plus avant dans la terre, plus bas que Marat, plus bas que Babeuf, plus bas, beaucoup plus bas, et sans relation aucune avec les étages supérieurs, il y a la dernière sape. Lieu formidable. C'est ce que nous avons nommé le troisième dessous. C'est la fosse des ténèbres. C'est la cave des aveugles. *Inferi*.

Ceci communique aux abîmes.

Les silhouettes farouches qui rôdent dans cette fosse, presque bêtes, presque fantômes, ne s'occupent pas du progrès universel, elles n'ont souci que de l'assouvissement individuel. Elles sont presque inconscientes, et il y a au-dedans d'elles une sorte d'effacement effrayant. Elles ont deux mères, toutes deux marâtres, l'ignorance et la misère. Elles ont un guide, le besoin ; et, pour toutes les formes de la satisfaction, l'appétit. Elles sont brutalement voraces, c'est-à-dire féroces ; non à la façon du tyran, mais à la façon du tigre. De la souffrance ces larves passent au crime ; filiation fatale, engendrement vertigineux, logique de l'ombre. Ce qui rampe dans le troisième dessous social, ce n'est plus la réclamation étouffée de l'absolu ; c'est la protestation de la matière. L'homme y devient dragon. Avoir faim, avoir soif, c'est le point de départ ; être Satan, c'est le point d'arrivée.

Un quatuor de bandits, Claquesous, Gueulemer, Babet et Montparnasse, gouvernait de 1830 à 1835 le troisième dessous de Paris.

Gueulemer était un hercule déclassé. Il avait six pieds de haut, des pectoraux de marbre, des biceps d'airain, une respiration de caverne, le torse d'un colosse, un crâne d'oiseau. Ses muscles sollicitaient le travail, sa stupidité n'en voulait pas. C'était une grosse force paresseuse. Il était assassin par nonchalance.

La diaphanéité de Babet contrastait avec la viande de Gueulemer. Babet était maigre et savant. Il était transparent, mais impénétrable. On voyait le jour à travers les os, mais rien à travers la prunelle. Il avait été marié et avait eu des enfants. Il ne savait ce que sa femme et ses enfants étaient devenus. Il les avait perdus comme on perd son mouchoir.

Qu'était-ce que Claquesous ? C'était la nuit. Il attendait pour se montrer que le ciel se fût barbouillé de noir. Le soir il sortait d'un trou où il rentrait avant le jour. Où était ce trou ? Personne ne le savait. Dans la plus complète obscurité, à ses complices, il ne parlait qu'en tournant le dos. S'appelait-il Claquesous ? non. Il disait : Je m'appelle Pas-du-tout. Si une chandelle survenait, il mettait un masque. Il était ventriloque. Claquesous était vague, errant, terrible.

Un être lugubre, c'était Montparnasse. Montparnasse était un enfant ; moins de vingt ans, un joli visage, des lèvres qui ressemblaient à des cerises, de charmants cheveux noirs, la clarté du printemps dans les yeux ; il avait tous les vices et aspirait à tous les crimes. La digestion du mal le mettait en appétit du pire. C'était le gamin tourné voyou, et le voyou devenu escarpe. Il était gentil, efféminé, gracieux, robuste, mou, féroce. À dix-huit ans, il avait déjà plusieurs cadavres derrière lui.

Ces quatre hommes n'étaient point quatre hommes ; c'était une sorte de mystérieux voleur à quatre têtes travaillant en grand sur Paris ; c'était le polype monstrueux du mal habitant la crypte de la société.

Grâce à leurs ramifications, et au réseau sous-jacent de leurs relations, Babet, Gueulemer, Claquesous et Montparnasse avaient l'entreprise générale des guets-apens du département de la Seine.

Patron-Minette, tel était le nom qu'on donnait dans la circulation souterraine à l'association de ces quatre hommes.

LIVRE HUITIÈME

Le mauvais pauvre

L'été passa, puis l'automne ; l'hiver vint. Ni M. Leblanc, ni la jeune fille n'avaient remis les pieds au Luxembourg. Marius n'avait plus qu'une pensée, revoir ce doux et adorable visage. Il cherchait toujours, il cherchait partout ; il ne trouvait rien. Ce n'était plus Marius le rêveur enthousiaste, l'homme résolu, ardent et ferme, le hardi provocateur de la destinée, le cerveau qui échafaudait avenir sur avenir, le jeune esprit encombré de plans, de projets, de fiertés, d'idées et de volontés ; c'était un chien perdu. Il tomba dans une tristesse noire. C'était fini. Le travail le rebutait, la promenade le fatiguait, la solitude l'ennuyait. Il lui semblait que tout avait disparu.

Un jour de cet hiver-là, Marius montait à pas lents le boulevard vers la barrière afin de gagner la rue Saint-Jacques. Il marchait pensif, la tête baissée.

Tout à coup, il se sentit coudoyé dans la brume ; il se retourna, et vit deux jeunes filles en haillons qui passaient rapidement, essoufflées, effarouchées, et comme ayant l'air de s'enfuir ; elles venaient à sa rencontre, ne l'avaient pas vu, et l'avaient heurté en passant.

Elles s'enfoncèrent sous les arbres du boulevard derrière

lui, et y firent pendant quelques instants dans l'obscurité une espèce de blancheur vague qui s'effaça.

Marius s'était arrêté un moment.

Il allait continuer son chemin lorsqu'il aperçut un petit paquet grisâtre à terre à ses pieds. Il se baissa et le ramassa. C'était une façon d'enveloppe qui paraissait contenir des papiers.

– Bon, dit-il, ces malheureuses auront laissé tomber cela !

Il revint sur ses pas, il appela, il ne les retrouva plus ; il pensa qu'elles étaient déjà loin, mit le paquet dans sa poche, et s'en alla dîner.

Le soir, comme il se déshabillait pour se coucher, sa main rencontra dans la poche de son habit le paquet qu'il avait ramassé sur le boulevard. Il l'avait oublié. Il songea qu'il serait utile de l'ouvrir, et que ce paquet contenait peut-être l'adresse de ces jeunes filles, si, en réalité, il leur appartenait, et dans tous les cas les renseignements nécessaires pour le restituer à la personne qui l'avait perdu.

Il défit l'enveloppe.

Elle n'était pas cachetée et contenait des lettres, non cachetées également.

Les adresses y étaient mises.

Toutes exhalaient une odeur d'affreux tabac.

À Madame, madame la comtesse de Montvernet,
rue Cassette, n° 9.

Madame la Comtesse,

C'est une malheureusse meré de famille de six enfants dont le dernier n'a que huit mois. Moi malade depuis ma dernière couche, abandonnée de mon mari depuis cinq mois n'aiyant aucune réssource au monde dans la plus affreuse indigance.

Dans l'espoir de Madame la comtesse, elle a l'honneur d'être, madame, avec un profond respect,

Femme BALIZARD.

Au Monsieur bienfaisant de l'église Saint-Jacques-du-Haut-Pas.

Homme bienfaisant,

Si vous daignez accompagner ma fille, vous verrez une calamité missérable et je vous montrerai mes certificats.

À l'aspect de ces écrits votre âme généreuse sera mue d'un sentiment de sensible bienveillance, car les vrais philosophes éprouvent toujours de vives émotions.

Convenez, homme compatissant, qu'il faut éprouver le plus cruel besoin, et qu'il est bien douloureux, pour obtenir quelque soulagement, de le faire attester par l'autorité comme si l'on n'était pas libre de souffrir et de mourir d'inanition en attendant que l'on soulage notre missère. Les destins sont bien fatals pour d'aucuns et trop prodigue ou trop protecteur pour d'autres.

J'attends votre présence ou votre offrande, si vous daignez la faire, et je vous prie de vouloir bien agréer les sentiments respectueux avec lesquels je m'honore d'être, homme vraiment magnanime,

votre très humble et très obéissant serviteur,

P. FABANTOU, *artiste dramatique.*

Après avoir lu ces lettres, Marius ne se trouva pas beaucoup plus avancé qu'auparavant.

Après tout, c'étaient des paperasses évidemment sans aucune valeur.

Marius les remit dans l'enveloppe, jeta le tout dans un coin et se coucha.

Vers sept heures du matin, il venait de se lever et de déjeuner, et il essayait de se mettre au travail lorsqu'on frappa doucement à sa porte.

Comme il ne possédait rien, il n'ôtait jamais sa clef.

– Pardon, monsieur...

Marius se tourna vivement et vit une jeune fille.

C'était une créature hâve, chétive, décharnée; rien qu'une chemise et une jupe sur une nudité frissonnante et glacée. Pour ceinture une ficelle, pour coiffure une ficelle, des épaules pointues sortant de la chemise, une pâleur blonde et lymphatique, des clavicules terreuses, des mains rouges, la bouche entrouverte et dégradée, des dents de moins, l'œil terne, hardi et bas, les formes d'une jeune fille avortée et le regard d'une vieille femme corrompue; cinquante ans mêlés à quinze ans; un de ces êtres qui sont tout ensemble faibles et horribles et qui font frémir ceux qu'ils ne font pas pleurer.

Marius s'était levé et considérait avec une sorte de stupeur cet être, presque pareil aux formes de l'ombre qui traversent les rêves.

Ce visage n'était pas absolument inconnu à Marius. Il croyait se rappeler l'avoir vu quelque part.

– Que voulez-vous, mademoiselle? demanda-t-il.

La jeune fille répondit avec sa voix de galérien ivre:

– C'est une lettre pour vous.

Marius en ouvrant cette lettre remarqua que le pain à cacheter large et énorme était encore mouillé. Le message ne pouvait venir de bien loin. Il lut:

Mon aimable voisin, jeune homme!

Ma fille aînée vous dira que nous sommes sans un morceau de pain depuis deux jours, quatre personnes, et mon épouse malade. Si je ne suis point dessu dans ma pensée, je crois devoir espérer que votre cœur généreux s'humanisera à cet exposé et vous subjuguera le désir de m'être propice en daignant me prodiguer un léger bienfait.

Je suis avec la considération distinguée qu'on doit aux bienfaiteurs de l'humanité,

JONDRETTE.

P.-S. Ma fille attendra vos ordres, cher monsieur Marius.

Cette lettre, au milieu de l'aventure obscure qui occupait Marius depuis la veille au soir, c'était une chandelle dans une cave. Tout fut brusquement éclairé.

Cette lettre venait d'où venaient les autres. C'étaient la même écriture, le même style, la même orthographe, le même papier, la même odeur de tabac.

Depuis assez longtemps déjà que Marius habitait la masure, il n'avait eu, nous l'avons dit, que de bien rares occasions de voir, d'entrevoir même son très infime voisinage. Il avait l'esprit ailleurs, et où est l'esprit est le regard. Il avait dû plus d'une fois croiser les Jondrette dans le corridor et dans l'escalier; mais ce n'étaient pour lui que des silhouettes; il y avait pris si peu garde que la veille au soir il avait heurté sur le boulevard sans les reconnaître les filles Jondrette, car c'était évidemment elles, et que c'était à grand-peine que celle-ci, qui venait d'entrer dans sa chambre, avait éveillé en lui, à travers le dégoût et la pitié, un vague souvenir de l'avoir rencontrée ailleurs.

Maintenant il voyait clairement tout. Il comprenait que son voisin Jondrette avait pour industrie dans sa détresse d'exploiter la charité des personnes bienfaisantes, qu'il se procurait des adresses, et qu'il écrivait sous des noms supposés à des gens qu'il jugeait riches et pitoyables des lettres que ses filles portaient, à leurs risques et périls, car ce père en était là qu'il risquait ses filles; il jouait une partie avec la destinée et il les mettait au jeu.

Tandis que Marius attachait sur elle un regard étonné et douloureux, la jeune fille allait et venait dans la mansarde avec une audace de spectre.

Elle s'approcha de la table.

– Ah! dit-elle, des livres!

Une lueur traversa son œil vitreux. Elle reprit, et son accent exprimait le bonheur de se vanter de quelque chose, auquel nulle créature humaine n'est insensible:

– Je sais lire, moi. Et je sais écrire aussi!

Elle trempa la plume dans l'encre, et se tournant vers Marius:

– Tenez, je vais écrire un mot pour voir.

Et avant qu'il eût eu le temps de répondre, elle écrivit sur une feuille de papier blanc qui était au milieu de la table:

Les cognes sont là.

Puis, jetant la plume:

– Il n'y a pas de fautes d'orthographe. Vous pouvez regarder. Nous avons reçu de l'éducation, ma sœur et moi. Nous n'étions pas faites...

Ici elle s'arrêta, fixa sa prunelle éteinte sur Marius, et éclata de rire en disant avec une intonation qui contenait toutes les angoisses étouffées par tous les cynismes:

– Bah!

Marius s'était reculé doucement.

– Mademoiselle, dit-il avec sa gravité froide, j'ai là un paquet qui est, je crois, à vous. Permettez-moi de vous le remettre.

Et il lui tendit l'enveloppe qui renfermait les quatre lettres.

Elle frappa dans ses deux mains, et s'écria:

– Dieu de Dieu! avons-nous cherché, ma sœur et moi!

Elle avait déplié la supplique adressée au «monsieur bienfaisant de l'église Saint-Jacques-du-Haut-Pas».

– Tiens! dit-elle, c'est celle pour ce vieux qui va à la messe. Au fait, c'est l'heure. Je vas lui porter. Il nous donnera peut-être de quoi déjeuner.

Cette jeune fille fut pour Marius une sorte d'envoyée des ténèbres.

Elle lui révéla tout un côté hideux de la nuit.

Marius se reprocha presque les préoccupations de rêverie et de passion qui l'avaient empêché jusqu'à ce jour de jeter un coup d'œil sur ses voisins. Quoi! un mur seulement le séparait de ces êtres abandonnés, qui vivaient à tâtons dans la nuit en dehors du reste des vivants, il les coudoyait, il était en quelque sorte, lui, le dernier chaînon du genre humain qu'ils touchassent, il les entendait vivre ou plutôt râler à côté de lui, et il n'y prenait point garde! tous les jours à chaque instant, à travers la muraille, il les entendait marcher, aller, venir, parler, et il ne prêtait pas l'oreille!

Tout en se faisant cette morale, il considérait le mur qui le séparait des Jondrette, comme s'il eût pu faire passer à travers cette cloison son regard plein de pitié et en aller réchauffer ces malheureux. Le mur était une mince lame de plâtre soutenue par des lattes et des solives, et qui laissait parfaitement distinguer le bruit des paroles et des voix.

Sans presque en avoir conscience, Marius examinait cette cloison. Tout à coup, il se leva, il venait de remarquer vers le haut, près du plafond, un trou triangulaire résultant de trois lattes qui laissaient un vide entre elles. Le plâtras qui avait dû boucher ce vide était absent, et en montant sur la commode on pouvait voir par cette ouverture dans le galetas des Jondrette. La commisération a et doit avoir sa curiosité. Ce trou faisait une espèce de judas. Il est permis de regarder l'infortune en traître pour la secourir. « Voyons un peu ce que c'est que ces gens-là, pensa Marius, et où ils en sont. »

Il escalada la commode, approcha sa prunelle de la crevasse et regarda.

La porte du galetas venait de s'ouvrir brusquement. La fille aînée parut sur le seuil. Elle avait aux pieds de gros souliers d'homme tachés de boue qui avait jailli jusque sur ses chevilles rouges. Elle entra, repoussa la porte derrière elle, s'arrêta pour reprendre haleine, car elle était tout essoufflée, puis cria avec une expression de triomphe et de joie :

– Il vient !

Le père tourna les yeux, la femme tourna la tête, la petite sœur ne bougea pas.

– Qui ? demanda le père.

– Le monsieur !

– Le philanthrope ?

– Oui.

L'homme se dressa. Il y avait une sorte d'illumination sur son visage.

– Ma femme ! cria-t-il, tu entends. Voilà le philanthrope. Éteins le feu. Il demanda à sa fille : Fait-il froid ?

– Très froid. Il neige.

Le père se tourna vers la cadette qui était sur le grabat près de la fenêtre et lui cria d'une voix tonnante :

– Vite, à bas du lit, fainéante ! tu ne feras donc jamais rien ! casse un carreau !

L'enfant, avec une sorte d'obéissance terrifiée, se dressa

sur la pointe du pied et donna un coup de poing dans un carreau. La vitre se brisa et tomba à grand bruit.

Le père promena un coup d'œil autour de lui comme pour s'assurer qu'il n'avait rien oublié.

– Maintenant, dit-il, nous pouvons recevoir le philanthrope.

En ce moment on frappa un léger coup à la porte, l'homme s'y précipita et l'ouvrit en s'écriant avec des salutations profondes et des sourires d'adoration :

– Entrez, monsieur ! daignez entrer, mon respectable bienfaiteur, ainsi que votre charmante demoiselle.

Un homme d'un âge mûr et une jeune fille parurent sur le seuil du galetas.

Marius n'avait pas quitté sa place. Ce qu'il éprouva en ce moment échappe à la langue humaine.

C'était Elle.

Quiconque a aimé sait tous les sens rayonnants que contiennent les quatre lettres de ce mot : Elle.

C'était bien elle. C'est à peine si Marius la distinguait à travers la vapeur lumineuse qui s'était subitement répandue sur ses yeux. C'était ce doux être absent, ce beau visage évanoui qui avait fait la nuit en s'en allant. La vision s'était éclipsée, elle reparaissait !

Elle reparaissait dans cette ombre, dans ce galetas, dans ce bouge difforme, dans cette horreur !

Elle était toujours la même, un peu pâle seulement ; sa délicate figure s'encadrait dans un chapeau de velours violet, sa taille se dérobait sous une pelisse de satin noir.

Elle était toujours accompagnée de M. Leblanc.

Elle avait fait quelques pas dans la chambre et avait déposé un assez gros paquet sur la table.

La Jondrette aînée s'était retirée derrière la porte et regardait d'un œil sombre ce chapeau de velours, cette mante de soie et ce charmant visage heureux.

M. Leblanc s'approcha avec son regard bon et triste, et dit au père Jondrette :

– Monsieur, vous trouverez dans ce paquet des hardes neuves, des bas et des couvertures de laine.

– Notre angélique bienfaiteur nous comble, dit Jondrette en s'inclinant jusqu'à terre. Puis, se penchant à l'oreille de sa fille aînée, pendant que les deux visiteurs examinaient cet intérieur lamentable, il ajouta bas et rapidement : Hein ? qu'est-ce que je disais ? des nippes ! pas d'argent. Ils sont tous les mêmes !

Depuis quelques instants, Jondrette considérait le « philanthrope » d'une manière bizarre. Il semblait le scruter avec attention comme s'il cherchait à recueillir des souvenirs. Il passa près de sa femme qui était dans son lit avec un air accablé et stupide, et lui dit vivement et très bas :

– Regarde donc cet homme-là !

Puis se retournant vers M. Leblanc :

– Monsieur, mon digne monsieur, savez-vous ce qui va se passer demain ? Demain, c'est le 4 février, le jour fatal, le dernier délai que m'a donné mon propriétaire, si ce soir je ne l'ai pas payé, demain ma fille aînée, moi, mon épouse, mon enfant, nous serons tous quatre chassés d'ici, et jetés dehors, dans la rue, sur le boulevard, sans abri, sous la pluie, sur la neige ! Je dois quatre termes, une année ! c'est-à-dire soixante francs.

Cependant, M. Leblanc avait quitté une grande redingote brune qu'il portait par-dessus sa redingote bleue et l'avait jetée sur le dos de la chaise.

– Monsieur, dit-il, je n'ai plus que cinq francs sur moi, mais je vais reconduire ma fille à la maison et je reviendrai ce soir, n'est-ce pas ce soir que vous devez payer?...

Le visage de Jondrette s'éclaira d'une expression étrange. Il répondit vivement:

– Oui, mon respectable monsieur. À huit heures je dois être chez mon propriétaire.

– Je serai ici à six heures, et je vous apporterai les soixante francs.

– Mon bienfaiteur! cria Jondrette éperdu. (Et il ajouta tout bas: Regarde-le bien, ma femme!) Ô mon protecteur, mon auguste bienfaiteur, je fonds en larmes! Souffrez que je vous reconduise jusqu'à votre fiacre.

– Si vous sortez, repartit M. Leblanc, mettez ce pardessus. Il fait vraiment très froid.

Jondrette ne se le fit pas dire deux fois. Il endossa vivement la redingote brune.

Et ils sortirent tous les trois, Jondrette précédant les deux étrangers.

Marius n'avait rien perdu de toute cette scène, et pourtant en réalité il n'en avait rien vu. Ses yeux étaient restés fixés sur la jeune fille.

Il ne pouvait s'imaginer que ce fût vraiment cette créature divine qu'il apercevait au milieu de ces êtres immondes dans ce taudis monstrueux. Il lui semblait voir un colibri parmi des crapauds.

Quand elle sortit, il n'eut qu'une pensée, la suivre, s'attacher à sa trace, ne la quitter que sachant où elle demeurait, ne pas la reperdre au moins après l'avoir si miraculeusement retrouvée. Il sauta à bas de la commode et prit son chapeau.

Il n'y avait plus personne dans le corridor. Il courut à l'escalier. Il n'y avait personne dans l'escalier. Il descendit en hâte, et il arriva sur le boulevard à temps pour voir un fiacre tourner le coin de la rue du Petit-Banquier et rentrer dans Paris.

Marius monta l'escalier de la masure à pas lents ; à l'instant où il allait rentrer dans sa cellule, il aperçut derrière lui dans le corridor la Jondrette aînée qui le suivait.

– C'est vous ? toujours vous donc ! Que me voulez-vous ?

Elle leva sur lui son œil morne où une espèce de clarté semblait s'allumer vaguement, et lui dit :

– Monsieur Marius, vous avez l'air triste. Qu'est-ce que vous avez ?

– Je n'ai rien.

– Je ne vous demande pas vos secrets, vous n'aurez pas besoin de me les dire, mais enfin je peux être utile. Quand il faut porter des lettres, demander de porte en porte, trouver une adresse, suivre quelqu'un, moi je sers à ça.

Une idée traversa l'esprit de Marius. Quelle branche dédaigne-t-on quand on se sent tomber ?

Il s'approcha de la Jondrette.

– Écoute..., lui dit-il.

Elle l'interrompit avec un éclair de joie dans les yeux.

– Oh oui, tutoyez-moi ! j'aime mieux cela.

– Eh bien, reprit-il, tu as amené ici ce vieux monsieur avec sa fille. Sais-tu leur adresse ?

– Non.

– Trouve-la-moi.

L'œil de la Jondrette, de morne, était devenu joyeux, de joyeux il devint sombre.

– C'est là ce que vous voulez ? demanda-t-elle.

– Oui.

– Vous aurez l'adresse de la belle demoiselle.

Elle baissa la tête, puis d'un mouvement brusque, elle tira la porte qui se referma.

Marius se retrouva seul.

Il se laissa tomber sur une chaise, la tête et les deux coudes sur son lit, abîmé dans des pensées qu'il ne pouvait saisir et comme en proie à un vertige.

Tout à coup il fut violemment arraché à sa rêverie.

Il entendit la voix haute et dure de Jondrette prononcer ces paroles pleines du plus étrange intérêt pour lui.

– Je te dis que j'en suis sûr et que je l'ai reconnu!

De qui parlait Jondrette? il avait reconnu qui? M. Leblanc? allait-il savoir enfin qui il aimait? qui était cette jeune fille? qui était son père?

Il bondit, plutôt qu'il ne monta, sur la commode, et reprit sa place près de la petite lucarne de la cloison.

Il revoyait l'intérieur du bouge Jondrette.

Rien n'était changé dans l'aspect de la famille, sinon que la femme et les filles avaient puisé dans le paquet et mis des bas et des camisoles de laine. Deux couvertures neuves étaient jetées sur les deux lits.

Le Jondrette venait évidemment de rentrer. Il avait encore l'essoufflement du dehors.

– Veux-tu que je te dise une chose? la demoiselle...

– Eh bien quoi? repartit la femme, la demoiselle?

Marius n'en pouvait douter, c'était bien d'elle qu'on parlait. Il écoutait avec une anxiété ardente. Toute sa vie était dans ses oreilles.

Mais le Jondrette s'était penché, et avait parlé bas à sa femme. Puis il se releva et termina tout haut:

– C'est elle !

– Ça ? dit la femme.

– Ça ! dit le mari.

À cette affirmation si absolue, la Jondrette leva sa large face rouge et blonde et regarda le plafond avec une expression difforme. En ce moment elle parut à Marius plus redoutable encore que son mari. C'était une truie avec le regard d'une tigresse.

– Quoi ? reprit-elle, cette horrible belle demoiselle qui regardait mes filles d'un air de pitié, ce serait cette gueuse ! Oh ! je voudrais lui crever le ventre à coups de sabot !

L'homme allait et venait sans faire attention à sa femelle.

Après quelques instants de silence, il s'approcha de la Jondrette et s'arrêta devant elle, les bras croisés :

– Écoute bien. Il est pris, le crésus ! c'est tout comme. C'est déjà fait. Tout est arrangé. J'ai vu des gens. Il viendra ce soir à six heures. Apporter ses soixante francs, canaille ! as-tu vu comme je vous ai débagoulé ça, mes soixante francs, mon propriétaire, mon 4 février ! ce n'est seulement pas un terme. Était-ce bête ! il viendra donc à six heures ! c'est l'heure où le voisin est allé dîner. Il n'y a personne dans la maison. Les petites feront le guet. Tu nous aideras. Il s'exécutera.

– Et s'il ne s'exécute pas ? demanda la femme.

Jondrette fit un geste sinistre et dit :

– Nous l'exécuterons.

Et il éclata de rire.

Les deux poings dans les deux goussets de son pantalon, il resta un moment pensif, puis s'écria :

– Sais-tu qu'il est tout de même bien heureux qu'il ne m'ait pas reconnu, lui ! S'il m'avait reconnu de son côté, il ne serait pas revenu. Il nous échappait ! C'est ma barbe qui m'a sauvé ! ma barbiche romantique ! ma jolie petite barbiche romantique !

Et il se remit à rire.

Marius, tout songeur qu'il était, était, nous l'avons dit, une nature ferme et énergique. Les habitudes de recueillement solitaire, en développant en lui la sympathie et la compassion, avaient diminué peut-être la faculté de s'irriter, mais laissé intacte la faculté de s'indigner ; il avait la bienveillance d'un brahmi et la sévérité d'un juge ; il avait pitié d'un crapaud, mais il écrasait une vipère. Or c'était dans un trou de vipères que son regard venait de plonger ; c'était un nid de monstres qu'il avait sous les yeux.

– Il faut mettre le pied sur ces misérables, dit-il.

À travers les paroles ténébreuses qui avaient été dites, il n'entrevoyait distinctement qu'une chose, c'est qu'un guet-apens se préparait, un guet-apens obscur, mais terrible ; c'est qu'ils couraient tous les deux un grand danger, elle probablement, son père à coup sûr ; c'est qu'il fallait les sauver ; c'est qu'il fallait déjouer les combinaisons hideuses des Jondrette et rompre la toile de ces araignées.

Mais comment faire ? avertir les personnes menacées ? où les trouver ? Attendre M. Leblanc à la porte le soir à six heures, au moment où il arriverait, et le prévenir du piège ? Mais Jondrette et ses gens le verraient guetter, le lieu était désert, ils seraient plus forts que lui, ils trouveraient moyen de le saisir ou de l'éloigner, et celui que Marius voulait sauver serait perdu. Une heure venait de sonner, le guet-apens devait s'accomplir à six heures. Marius avait cinq heures devant lui.

Il n'y avait qu'une chose à faire.

Il mit son habit passable, se noua un foulard au cou, prit

son chapeau, et sortit, sans faire plus de bruit que s'il eût marché sur de la mousse avec des pieds nus.

Il se dirigea vers le faubourg Saint-Marceau et demanda à la première boutique qu'il rencontra où il y avait un commissaire de police.

On lui indiqua la rue de Pontoise et le numéro 14.

Marius s'y rendit.

Arrivé au numéro 14 de la rue de Pontoise, il monta au premier et demanda le commissaire de police.

Le garçon de bureau l'introduisit dans le cabinet du commissaire. Un homme de haute taille s'y tenait debout, derrière une grille, appuyé à un poêle, et relevant de ses deux mains les pans d'un vaste carrick à trois collets. C'était une figure carrée, une bouche mince et ferme, d'épais favoris grisonnants très farouches, un regard à retourner vos poches. On eût pu dire de ce regard, non qu'il pénétrait, mais qu'il fouillait.

Cet homme n'avait pas l'air beaucoup moins féroce ni moins redoutable que Jondrette; le dogue quelquefois n'est pas moins inquiétant à rencontrer que le loup.

– Que voulez-vous? dit-il à Marius.

– Monsieur le commissaire de police?

– Il est absent. Je le remplace.

Cet homme, calme et brusque, était tout à la fois effrayant et rassurant. Il inspirait la crainte et la confiance. Marius lui conta l'aventure.

L'inspecteur resta un moment silencieux, puis répondit:

– Il doit y avoir un peu de Patron-Minette là-dedans.

Il plongea d'un seul mouvement ses deux mains qui étaient énormes dans les deux immenses poches de son carrick et en tira deux petits pistolets d'acier. Il les présenta à Marius en disant vivement et d'un ton bref:

– Prenez ceci. Rentrez chez vous. Cachez-vous dans votre chambre, qu'on vous croie sorti. Ils sont chargés. Chacun de deux balles. Vous observerez, il y a un trou au mur, comme vous me l'avez dit. Les gens viendront. Laissez-les aller un peu. Quand vous jugerez la chose à point, vous tirerez un coup de pistolet. Pas trop tôt. Le reste me regarde. Surtout pas trop tôt. Attendez qu'il y ait commencement d'exécution, vous êtes avocat, vous savez ce que c'est.

– Soyez tranquille, répondit Marius.

Et comme Marius mettait la main au loquet de la porte pour sortir, l'inspecteur lui cria :

– À propos, si vous aviez besoin de moi d'ici là, venez ou envoyez ici. Vous feriez demander l'inspecteur Javert.

Marius regagna à grands pas le numéro 50-52. Il monta l'escalier sur la pointe du pied et se glissa le long du mur du corridor jusqu'à sa chambre.

Marius s'assit sur son lit. Une demi-heure seulement le séparait de ce qui allait arriver. Il entendait battre ses artères comme on entend le battement d'une montre dans l'obscurité. Il songeait à cette double marche qui se faisait en ce moment dans les ténèbres, le crime s'avançant d'un côté, la justice venant de l'autre.

Il y avait de la lumière dans le taudis Jondrette. Marius jugea que le moment était venu de reprendre sa place à son observatoire. En un clin d'œil, il fut près du trou de la cloison.

Il regarda.

La cheminée et la table avec les deux chaises étaient précisément en face de Marius. Il y avait dans cette chambre je ne sais quel calme hideux et menaçant. On y sentait l'attente de quelque chose d'épouvantable.

Tout à coup la vibration lointaine et mélancolique d'une cloche ébranla les vitres. Six heures sonnaient à Saint-Médard.

Jondrette marqua chaque coup d'un hochement de tête. Le sixième sonné, il moucha la chandelle avec ses doigts.

Puis il se mit à marcher dans la chambre, écouta dans le corridor, marcha, écouta encore :

– Pourvu qu'il vienne ! grommela-t-il.

Puis il revint à sa chaise. Il se rasseyait à peine que la porte s'ouvrit.

La mère Jondrette l'avait ouverte et restait dans le corridor, faisant une horrible grimace aimable qu'un des trous de la lanterne sourde éclairait d'en bas.

– Entrez, monsieur, dit-elle.

M. Leblanc parut.

Il avait un air de sérénité qui le faisait singulièrement vénérable.

Il posa sur la table quatre louis.

Marius leva les yeux et aperçut au fond de la chambre quelqu'un qu'il n'avait pas encore vu. Un homme venait d'entrer, si doucement qu'on n'avait pas entendu tourner les gonds de la porte. Il s'était assis en silence et les bras croisés sur le lit le plus voisin, et comme il se tenait derrière la Jondrette, on ne le distinguait que confusément.

Cette espèce d'instinct magnétique qui avertit le regard fit que M. Leblanc se tourna presque en même temps que Marius. Il ne put se défendre d'un mouvement de surprise.

– Qu'est-ce que c'est que cet homme ?

– Ça ? fit Jondrette, c'est un voisin.

Un léger bruit se fit à la porte. Un second homme venait d'entrer et de s'asseoir sur le lit, derrière la Jondrette.

Soit hasard, soit qu'il y eût quelque commencement d'inquiétude, le regard de M. Leblanc revint vers le fond de la chambre. Il y avait maintenant quatre hommes, tous quatre bras nus, immobiles, le visage barbouillé de noir.

Jondrette remarqua que l'œil de M. Leblanc s'attachait à ces hommes.

– C'est des amis. Ça voisine, dit-il. C'est barbouillé parce que ça travaille dans le charbon. Ce sont des fumistes. Ne vous en occupez pas, mon bienfaiteur.

M. Leblanc se leva debout, s'adossa à la muraille et promena rapidement son regard dans la chambre. Il avait Jondrette à sa gauche du côté de la fenêtre et la Jondrette et les quatre hommes à sa droite du côté de la porte. Les quatre hommes ne bougeaient pas et n'avaient pas même l'air de le voir ; Jondrette s'était remis à parler d'un accent plaintif, avec la prunelle si vague et l'intonation si lamentable que M. Leblanc pouvait croire que c'était tout simplement un homme devenu fou de misère qu'il avait devant les yeux.

Tout en parlant, Jondrette ne regardait pas M. Leblanc qui l'observait. L'œil de M. Leblanc était fixé sur Jondrette et l'œil de Jondrette sur la porte. L'attention haletante de Marius allait de l'un à l'autre. Jondrette répéta deux ou trois fois avec toutes sortes d'inflexions variées dans le genre traînant et suppliant :

– Je n'ai plus qu'à me jeter à la rivière !

Tout à coup sa prunelle éteinte s'illumina d'un flamboiement hideux, ce petit homme se dressa et devint effrayant, il fit un pas vers M. Leblanc et lui cria d'une voix tonnante :

– Il ne s'agit pas de tout cela ! me reconnaissez-vous ?

La porte du galetas venait de s'ouvrir brusquement, et

laissait voir trois hommes en blouses de toile bleue, masqués de masques de papier noir. Le premier était maigre et avait une longue trique ferrée, le second, qui était une espèce de colosse, portait un merlin à assommer les bœufs. Le troisième, homme aux épaules trapues, tenait à plein poing une énorme clef volée à quelque porte de prison.

M. Leblanc était très pâle. Il considérait tout dans le bouge autour de lui comme un homme qui comprend où il est tombé. Il s'était fait de la table un retranchement improvisé ; et cet homme qui, le moment d'auparavant, n'avait l'air que d'un bon vieux homme, était devenu subitement une sorte d'athlète, et posait son poing robuste sur le dossier de sa chaise avec un geste redoutable et surprenant.

Ce vieillard, si ferme et si brave devant un tel danger, semblait être de ces natures qui sont courageuses comme elles sont bonnes, aisément et simplement. Le père d'une femme qu'on aime n'est jamais un étranger pour nous. Marius se sentit fier de cet inconnu.

Trois des hommes dont Jondrette avait dit : *Ce sont des fumistes*, s'étaient mis en travers de la porte.

Marius pensa qu'avant quelques secondes le moment d'intervenir serait arrivé, et il éleva sa main droite vers le plafond, prêt à lâcher son coup de pistolet.

Jondrette se tourna vers M. Leblanc et répéta sa question en l'accompagnant de ce rire bas, contenu et terrible qu'il avait :

– Vous ne me reconnaissez donc pas ?

M. Leblanc le regarda en face et répondit :

– Non.

Alors Jondrette vint jusqu'à la table. Il se pencha par-dessus la chandelle, croisant les bras, approchant sa mâchoire anguleuse et féroce du visage calme de M. Leblanc, et avançant le plus qu'il pouvait sans que M. Leblanc reculât, et dans cette posture de bête fauve qui va mordre, il cria :

– Je ne m'appelle pas Jondrette, je me nomme Thénardier ! je suis l'aubergiste de Montfermeil ! entendez-vous bien ? Thénardier ! maintenant me reconnaissez-vous ?

Une imperceptible rougeur passa sur le front de M. Leblanc, et il répondit sans que sa voix tremblât, ni s'élevât, avec sa placidité ordinaire :

– Pas davantage.

Marius n'entendit pas cette réponse. Qui l'eût vu en ce moment dans cette obscurité l'eût vu hagard, stupide et foudroyé. Au moment où Jondrette avait dit : *Je me nomme Thénardier*, Marius avait tremblé de tous ses membres et s'était appuyé au mur comme s'il eût senti le froid d'une lame d'épée à travers son cœur. Puis son bras droit, prêt à lâcher le coup de signal, s'était abaissé lentement. Jondrette, en dévoilant qui il était, n'avait pas ému M. Leblanc, mais il avait bouleversé Marius. Qu'on se rappelle ce que ce nom était pour lui ! ce nom, il l'avait porté sur son cœur, écrit dans le testament de son père ! Quoi ! c'était là ce Thénardier, c'était là cet aubergiste de Montfermeil ! cet homme, auquel lui Marius brûlait de se dévouer, était un monstre !

Il frémissait. Tout dépendait de lui. Il tenait dans sa main à leur insu ces êtres qui s'agitaient là sous ses yeux. S'il tirait le coup de pistolet, M. Leblanc était sauvé et Thénardier était perdu ; s'il ne le tirait pas, M. Leblanc était sacrifié et, qui sait ? Thénardier échappait. Précipiter l'un, ou laisser tomber l'autre ! remords des deux côtés. Que faire ? que choisir ?

Cependant Thénardier se promenait de long en large devant la table dans une sorte d'égarement et de triomphe frénétique.

– Ah! criait-il, je vous retrouve enfin, monsieur le philanthrope! vieux jocrisse! ah! vous ne me reconnaissez pas! non, ce n'est pas vous qui êtes venu à Montfermeil, à mon auberge, il y a huit ans, la nuit de Noël 1823! ce n'est pas vous qui avez emmené de chez moi l'enfant de la Fantine! l'Alouette! Parbleu! vous vous êtes moqué de moi autrefois! Vous êtes cause de tous mes malheurs! Vous avez eu une fille que j'avais et qui était certainement à des riches, et qui m'avait déjà rapporté beaucoup d'argent, et dont je devais tirer de quoi vivre toute ma vie! Une fille qui m'aurait dédommagé de tout ce que j'ai perdu dans cette abominable gargote.

Ici Thénardier fit un pas vers les hommes qui étaient près de la porte et ajouta avec un frémissement:

– Quand je pense qu'il ose venir me parler comme à un savetier! Puis s'adressant à M. Leblanc avec une recrudescence de frénésie: Et sachez encore ceci, monsieur le philanthrope! Je ne suis pas un homme louche, moi! Je ne suis pas un homme dont on ne sait point le nom et qui vient enlever des enfants dans les maisons! Je suis un ancien soldat français, je devrais être décoré! J'étais à Waterloo, moi! et j'ai sauvé dans la bataille un général appelé le comte de je ne sais quoi! Il m'a dit son nom; mais sa chienne de voix était si faible que je ne l'ai pas entendu. Je n'ai entendu que *Merci*. J'aurais mieux aimé son nom que son remerciement. Cela m'aurait aidé à le retrouver! Maintenant que j'ai eu la bonté de vous dire tout ça, finissons, il me faut de l'argent, il me faut beaucoup d'argent, il me faut énormément d'argent, ou je vous extermine, tonnerre du bon Dieu!

Marius avait repris quelque empire sur ses angoisses, et écoutait. La dernière possibilité de doute venait de s'évanouir. C'était bien le Thénardier du testament. Marius frissonna à ce reproche d'ingratitude adressé à son père et qu'il était sur le point de justifier si fatalement. Ses perplexités en redoublèrent.

Depuis quelques instants, M. Leblanc semblait suivre et guetter tous les mouvements de Thénardier qui, aveuglé et ébloui par sa propre rage, allait et venait dans le repaire avec la confiance de sentir la porte gardée, de tenir armé un homme désarmé, et d'être neuf contre un, en supposant que la Thénardier ne comptât que pour un homme.

M. Leblanc saisit ce moment, et d'un bond, avant que Thénardier eût eu le temps de se retourner, il était à la fenêtre. Il était à moitié dehors quand six poings robustes le saisirent et le ramenèrent énergiquement dans le bouge. C'étaient les trois « fumistes » qui s'étaient élancés sur lui. En même temps la Thénardier l'avait empoigné aux cheveux. Ils parvinrent à le renverser sur le lit le plus proche de la croisée et l'y tinrent en respect. La Thénardier ne lui avait pas lâché les cheveux.

– Il n'y a plus qu'une chose à faire.

– L'escarper !

Thénardier marcha à pas lents vers la table, ouvrit le tiroir et y prit le couteau.

Marius égaré promenait ses yeux autour de lui, dernière ressource machinale du désespoir.

Tout à coup il tressaillit.

À ses pieds, sur sa table, un vif rayon de pleine lune éclairait et semblait lui montrer une feuille de papier. Sur cette feuille il lut cette ligne écrite en grosses lettres le matin même par l'aînée des filles Thénardier :

LES COGNES SONT LÀ.

Une idée, une clarté traversa l'esprit de Marius ; c'était le moyen qu'il cherchait, la solution de cet affreux problème qui le torturait, épargner l'assassin et sauver la victime. Il s'agenouilla sur sa commode, saisit la feuille de papier, détacha doucement un morceau de plâtre de la cloison, l'enveloppa dans le papier et jeta le tout par la crevasse au milieu du bouge.

– Quelque chose qui tombe ! cria la Thénardier.

– Qu'est-ce ? dit le mari.

La femme s'était élancée et avait ramassé le plâtras enveloppé du papier. Elle le remit à son mari.

– Par où cela est-il venu ? demanda Thénardier.

– Pardié ! fit la femme, par où veux-tu que cela soit entré ? C'est venu par la fenêtre.

Thénardier déplia rapidement le papier.

– C'est de l'écriture d'Éponine. Diable ! Vite ! l'échelle ! laissons le lard dans la souricière et fichons le camp !

– Par où ?

– Par la fenêtre, répondit Thénardier. Puisque Ponine a jeté la pierre par la fenêtre, c'est que la maison n'est pas cernée de ce côté-là. Viens ! la bourgeoise !

Et il se précipita vers la croisée.

– Après nous ! hurlèrent les bandits.

– Vous êtes des enfants, dit Thénardier, nous perdons le temps. Les railles sont sur nos talons.

– Eh bien, dit un des bandits, tirons au sort à qui passera le premier.

Thénardier s'exclama :

– En voilà-t-il un tas de jobards ! perdre le temps ? tirer au sort ? écrire nos noms ! les mettre dans un bonnet !

– Voulez-vous mon chapeau ? cria une voix du seuil de la porte.

Quatrième partie

L'idylle rue Plumet et l'épopée rue Saint-Denis

LIVRE PREMIER

Quelques pages d'Histoire

1831 et 1832, les deux années qui se rattachent immédiatement à la révolution de Juillet, sont un des moments les plus particuliers et les plus frappants de l'Histoire. Ces deux années au milieu de celles qui les précèdent et qui les suivent sont comme deux montagnes. Elles ont la grandeur révolutionnaire. On y distingue des précipices.

La Restauration avait été une de ces phases intermédiaires difficiles à définir, où il y a de la fatigue, du bourdonnement, des murmures, du sommeil, du tumulte, et qui ne sont autre chose que l'arrivée d'une grande nation à une étape. Ces époques sont singulières et trompent les politiques qui veulent les exploiter. Au début, la nation ne demande que le repos; on n'a qu'une soif, la paix; on n'a qu'une ambition, être petit. Ce qui est la traduction de rester tranquille. Les grands événements, les grands hasards, les grandes aventures, les grands hommes, Dieu merci, on en a assez vu, on en a par-dessus la tête. On a marché depuis le point du jour, on est au soir d'une longue et rude journée ; on a fait le premier relais avec Mirabeau, le second avec Robespierre, le troisième avec Bonaparte ; on est éreinté. Chacun demande un lit.

En même temps que les hommes fatigués demandent le repos, les faits accomplis demandent des garanties. Les garanties pour les faits, c'est la même chose que le repos pour les hommes.

C'est ce que l'Angleterre demandait aux Stuarts après le Protecteur ; c'est ce que la France demandait aux Bourbons après l'Empire.

La famille prédestinée qui revint en France* quand Napoléon s'écroula, eut la simplicité fatale de croire que c'était elle qui donnait, et que ce qu'elle avait donné elle pouvait le reprendre ; que la maison de Bourbon possédait le droit divin, que la France ne possédait rien ; et que le droit politique concédé dans la Charte de Louis XVIII n'était autre chose qu'une branche du droit divin, détachée par la maison de Bourbon et gracieusement donnée au peuple jusqu'au jour où il plairait au roi de s'en ressaisir.

Elle crut qu'elle avait des racines parce qu'elle était le passé. Elle se trompait ; elle faisait partie du passé, mais tout le passé c'était la France. Les racines de la société française n'étaient point dans les Bourbons, mais dans la nation. Elles étaient partout, excepté sous le trône.

La Restauration tomba.

La révolution de Juillet est le triomphe du droit terrassant le fait. Chose pleine de splendeur.

Le droit terrassant le fait. De là l'éclat de la révolution de

1830, de là sa mansuétude aussi. Le droit qui triomphe n'a nul besoin d'être violent.

1830 est une révolution arrêtée à mi-côte. Moitié de progrès ; quasi-droit.

Qui arrête les révolutions à mi-côte ? La bourgeoisie.

Pourquoi ?

Parce que la bourgeoisie est l'intérêt arrivé à satisfaction. Hier c'était l'appétit, aujourd'hui c'est la plénitude, demain ce sera la satiété.

On a voulu, à tort, faire de la bourgeoisie une classe. La bourgeoisie est tout simplement la portion contentée du peuple. Le bourgeois, c'est l'homme qui a maintenant le temps de s'asseoir. Une chaise n'est pas une caste.

Il fallait donc à la bourgeoisie, comme aux hommes d'État, un homme qui exprimât ce mot : Halte. Une individualité composite, signifiant révolution et signifiant stabilité, en d'autres termes affermissant le présent par la compatibilité évidente du passé avec l'avenir.

Cet homme était « tout trouvé ». Il s'appelait Louis-Philippe d'Orléans.

Fils d'un père auquel l'histoire accordera certainement les circonstances atténuantes, mais aussi digne d'estime que ce père avait été digne de blâme ; ayant toutes les vertus privées et plusieurs des vertus publiques ; soigneux de sa santé, de sa fortune, de sa personne, de ses affaires ; connaissant le prix d'une minute et pas toujours le prix d'une année ; sobre, serein, paisible, patient ; bonhomme et bon prince ; couchant avec sa femme, et ayant dans son palais des laquais chargés de faire voir le lit conjugal aux bourgeois ; admirable représentant de la « classe moyenne », mais la dépassant, et de toutes les façons plus grand qu'elle ; diffus en public, concis dans l'intimité ; avare signalé, mais non prouvé ; au fond, un de ces économes aisément prodigues pour leur fantaisie ou leur devoir ; lettré, et peu sensible aux lettres ; gentilhomme, mais non chevalier ; simple, calme et fort ; adoré de sa famille et de sa maison ; causeur séduisant, homme d'État désabusé, intérieurement froid, dominé par l'intérêt immédiat, gouvernant toujours au plus près, incapable de rancune et de reconnaissance ; faisant peur à la France de l'Europe et à l'Europe de la France ; en somme, figure haute et originale, Louis-Philippe sera classé parmi les hommes éminents de son siècle, et serait rangé parmi les gouvernants les plus illustres de l'Histoire, s'il eût un peu aimé la gloire et s'il eût eu le sentiment de ce qui est grand au même degré que le sentiment de ce qui est utile.

Il sentait sous ses pieds une désagrégation redoutable, qui n'était pourtant pas une mise en poussière, la France étant plus France que jamais.

De ténébreux amoncellements couvraient l'horizon. Vingt mois à peine s'étaient écoulés depuis la révolution de Juillet, l'année 1832 s'était ouverte avec un aspect d'imminence et de menace.

Vers la fin d'avril, tout s'était aggravé. La fermentation devenait du bouillonnement. Quelque chose de terrible couvait. On entrevoyait les linéaments encore peu distincts et mal éclairés d'une révolution possible. La France regardait Paris ; Paris regardait le faubourg Saint-Antoine.

Les cabarets de la rue de Charonne étaient, quoique la jonction de ces deux épithètes semble singulière appliquée à des cabarets, graves et orageux.

Le gouvernement y était purement et simplement mis en question.

On y entendait des paroles comme celles-ci : – *Je ne sais pas les noms des chefs. Nous autres, nous ne saurons le jour que deux heures d'avance.* Un ouvrier disait : – *Nous sommes trois cents, mettons chacun dix sous, cela fera cent cinquante francs pour fabriquer des balles et de la poudre.* Un autre disait : – *Je ne me couche pas parce que je fais des cartouches la nuit.*

Toute cette fermentation était publique, on pourrait presque dire tranquille. L'insurrection imminente apprêtait son orage avec calme en face du gouvernement. Les bourgeois parlaient paisiblement aux ouvriers de ce qui se préparait. On disait : – Comment va l'émeute ? du ton dont on eût dit : – Comment va votre femme ?

À peu près vers cette époque, Enjolras, en vue de l'événement possible, fit une sorte de recensement mystérieux.

Tous étaient en conciliabule au café Musain.

Enjolras dit, en mêlant à ses paroles quelques métaphores demi-énigmatiques, mais significatives :

– Il convient de savoir où l'on en est et sur qui l'on peut compter. Si l'on veut des combattants, il faut en faire. Avoir de quoi frapper. Combien sommes-nous ? Il s'agit de repasser sur toutes les coutures que nous avons faites et de voir si elles tiennent. Courfeyrac, tu verras les polytechniciens. C'est leur jour de sortie. Feuilly, vous verrez ceux de la Glacière. Combeferre m'a promis d'aller à Picpus. Il y a là tout un fourmillement excellent. Bahorel visitera l'Estrapade. Prouvaire, les maçons s'attiédissent ; tu nous rapporteras des nouvelles de la loge de la rue de Grenelle-Saint-Honoré. Joly ira à la clinique de Dupuytren, et tâtera le pouls à l'école de médecine. Bossuet fera un petit tour au palais et causera avec les stagiaires. Moi je me charge de la Cougourde.

LIVRE DEUXIÈME

Éponine

Marius avait assisté au dénouement inattendu du guet-apens sur la trace duquel il avait mis Javert; mais à peine Javert eut-il quitté la masure, emmenant ses prisonniers dans trois fiacres, que Marius de son côté se glissa hors de la maison. Il alla chez Courfeyrac. Courfeyrac était allé demeurer rue de la Verrerie, pour «des raisons politiques»; ce quartier était de ceux où l'insurrection dans ce temps-là s'installait volontiers. Marius avait eu deux raisons pour ce déménagement si prompt. La première, c'est qu'il avait horreur maintenant de cette maison où il avait vu, de si près, une laideur sociale plus affreuse peut-être encore que le mauvais riche: le mauvais pauvre. La deuxième, c'est qu'il ne voulait pas figurer dans le procès quelconque qui s'ensuivrait probablement, et être amené à déposer contre Thénardier.

Javert crut que le jeune homme, dont il n'avait pas retenu le nom, avait eu peur et s'était sauvé ou n'était peut-être même pas rentré chez lui au moment du guet-apens; il fit pourtant quelques efforts pour le retrouver, mais il n'y parvint pas.

Un mois s'écoula, puis un autre. Marius était toujours chez Courfeyrac. Il avait su par un avocat stagiaire que Thénardier était au secret. Tous les lundis, Marius faisait remettre au greffe de la Force cinq francs pour Thénardier.

Marius, n'ayant plus d'argent, empruntait les cinq francs à Courfeyrac. Ces cinq francs périodiques étaient une double énigme pour Courfeyrac qui les donnait et pour Thénardier qui les recevait.

Marius du reste était navré. Tout était de nouveau rentré dans une trappe. Il avait un moment revu de très près dans cette obscurité la jeune fille qu'il aimait, le vieillard qui semblait son père, ces êtres inconnus qui étaient son seul intérêt et sa seule espérance en ce monde; et au moment où il avait cru les saisir, un souffle avait emporté toutes ces ombres.

Toute sa vie se résumait maintenant en deux mots: une incertitude absolue dans une brume impénétrable. La revoir, elle; il y aspirait toujours, il ne l'espérait plus.

Un matin – c'était un lundi, le jour de la pièce de cent sous que Marius empruntait à Courfeyrac pour Thénardier –, Marius avait mis cette pièce de cent sous dans sa poche, et avant de la porter au greffe, il était allé «se promener un peu», espérant qu'à son retour cela le ferait travailler.

Un gai soleil pénétrait les feuilles fraîches épanouies et toutes lumineuses.

Il songeait à «Elle».

Tout à coup au milieu de son extase accablée il entendit une voix connue qui disait:

– Tiens! le voilà!

Il leva les yeux et reconnut cette malheureuse enfant qui était venue un matin chez lui, l'aînée des filles Thénardier, Éponine. Chose étrange, elle était appauvrie et embellie, deux pas qu'il ne semblait point qu'elle pût faire. Elle avait accompli un double progrès, vers la lumière et vers la détresse.

Elle regarda Marius dans le blanc des yeux et lui dit:

– J'ai l'adresse!

Marius pâlit. Tout son sang reflua à son cœur.

– Eh bien! dis-moi! Où est-ce?

– Venez avec moi, répondit-elle. Je ne sais pas bien la rue

et le numéro, mais je connais bien la maison, je vais vous conduire.

Un nuage passa sur le front de Marius. Il saisit Éponine par le bras :

– Jure-moi une chose !

– Jurer ? dit-elle, qu'est-ce que cela veut dire ? Tiens ! vous voulez que je jure ?

Et elle rit.

– Ton père ! promets-moi, Éponine ! jure-moi que tu ne diras pas cette adresse à ton père !

– Mon père ? dit-elle. Soyez donc tranquille. Il est au secret. D'ailleurs est-ce que je m'occupe de mon père !

Marius fouilla dans sa poche. Il ne possédait au monde que les cinq francs destinés au père Thénardier. Il les prit et les mit dans la main d'Éponine.

Elle ouvrit les doigts et laissa tomber la pièce à terre, et le regardant d'un air sombre :

– Je ne veux pas de votre argent, dit-elle.

LIVRE TROISIÈME

La maison de la rue Plumet

Vers le milieu du siècle dernier, un président à mortier au parlement de Paris ayant une maîtresse et s'en cachant, car à cette époque les grands seigneurs montraient leurs maîtresses et les bourgeois les cachaient, fit construire une « petite maison » faubourg Saint-Germain, dans la rue déserte de Blomet qu'on nomme aujourd'hui rue Plumet.

Ce logis communiquait, par-derrière, par une porte masquée et ouvrant à secret, avec un long couloir étroit, pavé, sinueux, lequel allait aboutir à une autre porte également à secret qui s'ouvrait à un demi-quart de lieue de là, presque dans un autre quartier, à l'extrémité solitaire de la rue de Babylone.

Au mois d'octobre 1829, un homme d'un certain âge s'était présenté et avait loué la maison telle qu'elle était, y compris, bien entendu, l'arrière-corps de logis et le couloir qui allait aboutir à la rue de Babylone.

Ce locataire était Jean Valjean. Il avait loué la maison sous le nom de M. Fauchelevent, rentier. Dans tout ce qui a été raconté plus haut, le lecteur a sans doute moins tardé encore que Thénardier à reconnaître Jean Valjean.

Pourquoi Jean Valjean avait-il quitté le couvent du Petit-Picpus ? Que s'était-il passé ?

Il ne s'était rien passé.

On s'en souvient, Jean Valjean était heureux dans le couvent, si heureux que sa conscience finit par s'inquiéter. Il voyait Cosette tous les jours, il sentait la paternité naître et se développer en lui de plus en plus, il couvait de l'âme cette enfant, il se disait qu'elle était à lui, que rien ne pouvait la lui enlever, que cela serait ainsi indéfiniment, que certainement elle se ferait religieuse, y étant chaque jour doucement provoquée, qu'ainsi le couvent était désormais l'univers pour elle comme pour lui, qu'il y vieillirait et qu'elle y grandirait, qu'elle y vieillirait et qu'il y mourrait ; qu'enfin, ravissante espérance, aucune séparation n'était possible. En réfléchissant à ceci, il en vint à tomber dans des perplexités. Il s'interrogea. Il se demandait si tout ce bonheur-là était bien à lui, s'il ne se composait pas du bonheur d'un autre, du bonheur de cette enfant, qu'il confisquait et qu'il dérobait, lui vieillard; si ce n'était point là un vol. Il se disait que cette enfant avait le droit de connaître la vie avant d'y renoncer, que lui retrancher, d'avance et en quelque sorte sans la consulter, toutes les joies sous prétexte de lui sauver toutes les épreuves, profiter de son ignorance et de son isolement pour lui faire germer une vocation artificielle, c'était dénaturer une créature humaine et mentir à Dieu. Et qui sait si, se rendant compte un jour de tout cela et religieuse à regret, Cosette n'en viendrait pas à le haïr? Dernière pensée, presque égoïste et moins héroïque que les autres, mais qui lui était insupportable. Il résolut de quitter le couvent.

Jean Valjean ne reparut pas à l'air libre sans une profonde anxiété.

Il découvrit la maison de la rue Plumet et s'y blottit. Il était désormais en possession du nom d'Ultime Fauchelevent.

En même temps il loua deux autres appartements dans Paris, afin de moins attirer l'attention que s'il fût toujours resté dans le même quartier, de pouvoir faire au besoin des absences à la moindre inquiétude qui le prendrait, et enfin de ne plus se trouver au dépourvu comme la nuit où il avait si miraculeusement échappé à Javert. Ces deux appartements étaient deux logis fort chétifs et d'apparence pauvre, dans deux quartiers très éloignés l'un de l'autre, l'un rue de l'Ouest, l'autre rue de l'Homme-Armé.

Il allait de temps en temps, tantôt rue de l'Homme-Armé, tantôt rue de l'Ouest, passer un mois ou six semaines avec Cosette.

Tous les jours Jean Valjean prenait le bras de Cosette et la menait promener. Il la conduisait au Luxembourg, dans l'allée la moins fréquentée, et tous les dimanches à la messe, toujours à Saint-Jacques-du-Haut-Pas, parce que c'était fort loin. Comme c'est un quartier très pauvre, il y faisait beaucoup l'aumône, et les malheureux l'entouraient dans l'église, ce qui lui avait valu l'épître des Thénardier.

Ni Jean Valjean ni Cosette n'entraient et ne sortaient jamais que par la porte de la rue de Babylone. À moins de les apercevoir par la grille du jardin, il était difficile de deviner qu'ils demeuraient rue Plumet. Cette grille restait toujours fermée. Jean Valjean avait laissé le jardin inculte, afin qu'il n'attirât pas l'attention.

En cela il se trompait peut-être.

Il semblait que ce jardin, créé autrefois pour cacher les mystères libertins, se fût transformé et fût devenu propre à abriter les mystères chastes. Il n'avait plus ni berceaux, ni boulingrins, ni tonnelles, ni grottes; il avait une magnifique obscurité échevelée tombant comme un voile de toutes parts. On ne sait quoi de repentant avait assaini cette retraite. Ce coquet jardin, jadis fort compromis, était rentré dans la virginité et la pudeur.

Il y avait aussi dans cette solitude un cœur qui était tout prêt. L'amour n'avait qu'à se montrer.

Rien ne prépare une jeune fille aux passions comme le couvent. Le couvent tourne la pensée du côté de l'inconnu. Le cœur, replié sur lui-même, se creuse, ne pouvant s'épancher, et s'approfondit, ne pouvant s'épanouir. Le couvent est une compression qui, pour triompher du cœur humain, doit durer toute la vie.

En quittant le couvent, Cosette ne pouvait rien trouver de plus doux et de plus dangereux que la maison de la rue Plumet. C'était la continuation de la solitude avec le commencement de la liberté; un jardin fermé, mais une nature âcre, riche, voluptueuse et odorante; les mêmes songes que dans le couvent, mais de jeunes hommes entrevus; une grille, mais sur la rue.

Un jour Cosette se regarda par hasard dans son miroir et il lui sembla presque qu'elle était jolie. Ceci la jeta dans un trouble singulier. Cosette s'était toujours crue laide et avait grandi dans cette idée avec la résignation facile de l'enfance. Elle ne dormit pas de la nuit. «Si j'étais jolie! pensait-elle, comme cela serait drôle que je fusse jolie!»

Elle était belle et jolie. Sa taille s'était faite, sa peau avait blanchi, une splendeur inconnue s'était allumée dans ses prunelles bleues. La conscience de sa beauté lui vint tout entière, en une minute, comme un grand jour.

De son côté, Jean Valjean éprouvait un profond et indéfinissable serrement de cœur.

C'est qu'en effet, depuis quelque temps, il contemplait avec terreur cette beauté qui apparaissait chaque jour plus rayonnante sur le doux visage de Cosette. Aube riante pour tous, lugubre pour lui.

Ce fut à cette époque que Marius, après six mois écoulés, la revit au Luxembourg.

On a tant abusé du regard dans les romans d'amour qu'on a fini par le déconsidérer. C'est à peine si l'on ose dire maintenant que deux êtres se sont aimés parce qu'ils se sont regardés. C'est pourtant comme cela qu'on s'aime et uniquement comme cela. Le reste n'est que le reste, et vient après. Rien n'est plus réel que ces grandes secousses que deux âmes se donnent en échangeant cette étincelle.

À cette certaine heure où Cosette eut sans le savoir ce regard qui troubla Marius, Marius ne se douta pas que lui aussi eut un regard qui troubla Cosette.

Il lui fit le même mal et le même bien.

Elle attendait tous les jours l'heure de la promenade avec impatience, elle y trouvait Marius, se sentait indiciblement heureuse, et croyait sincèrement exprimer toute sa pensée en disant à Jean Valjean:

– Quel délicieux jardin que le Luxembourg!

Toutes les situations ont leurs instincts. La vieille et éternelle mère nature avertissait sourdement Jean Valjean de la présence de Marius. Marius, averti aussi, et, ce qui est la profonde loi du bon Dieu, par cette même mère nature, faisait tout ce qu'il pouvait pour se dérober au «père». Il arrivait cependant que Jean Valjean l'apercevait quelquefois. Les allures de Marius n'étaient plus du tout naturelles. Il avait des prudences louches et des témérités gauches.

Un jour il suivit Cosette rue de l'Ouest. Un autre jour il parla au portier. Le portier de son côté parla. Huit jours après Jean Valjean avait déménagé. Il se jura qu'il ne remettrait plus les pieds ni au Luxembourg, ni rue de l'Ouest. Il retourna rue Plumet.

Cosette ne se plaignit pas, elle ne dit rien, elle ne fit pas de questions; elle en était déjà à la période où l'on craint d'être pénétré et de se trahir. Jean Valjean n'avait aucune expérience de ces misères, les seules qui soient charmantes et les seules qu'il ne connût pas; cela fit qu'il ne comprit point la grave signification du silence de Cosette. Seulement il remarqua qu'elle était devenue triste, et il devint sombre. C'étaient de part et d'autre des inexpériences aux prises.

Ces deux êtres qui s'étaient si exclusivement aimés, et d'un si touchant amour, et qui avaient vécu si longtemps l'un par l'autre, souffraient maintenant l'un à côté de l'autre, l'un à cause de l'autre ; sans se le dire, sans s'en vouloir, et en souriant.

Une secousse inattendue vint se mêler à ces pensées tristes.

Un matin d'octobre, tentés par la sérénité parfaite de l'automne de 1831, ils étaient sortis, et ils se trouvaient au petit jour près de la barrière du Maine. Ce n'était pas l'aurore, c'était l'aube ; minute ravissante et farouche.

Tout était paix et silence ; personne sur la chaussée ; dans les bas-côtés, quelques rares ouvriers, à peine entrevus, se rendant à leur travail. Tout à coup, Cosette s'écria :

– Père, on dirait qu'on vient là-bas.

Jean Valjean leva les yeux.

Sept voitures marchaient à la file sur la route. Elles ressemblaient à des haquets de tonneliers ; c'étaient des espèces de longues échelles posées sur deux roues et formant brancard à leur extrémité antérieure. Chaque échelle était attelée de quatre chevaux bout à bout. Sur ces échelles étaient traînées d'étranges grappes d'hommes. Dans le peu de jour qu'il faisait, on ne voyait pas ces hommes, on les devinait. Vingt-quatre sur chaque voiture, douze de chaque côté, adossés les uns aux autres, faisant face aux passants, les jambes dans le vide, ces hommes cheminaient ainsi ; et ils avaient derrière le dos quelque chose qui sonnait et qui était une chaîne et au cou quelque chose qui brillait et qui était un carcan. Chacun avait son carcan, mais la chaîne était pour tous ; de façon que ces vingt-quatre hommes, s'il leur arrivait de descendre du haquet et de marcher, étaient saisis par une sorte d'unité inexorable et devaient serpenter sur le sol avec la chaîne pour vertèbre à peu près comme le mille-pieds. À l'avant et à l'arrière de chaque voiture, deux hommes, armés de fusils, se tenaient debout, ayant chacun une des extrémités de la chaîne sous son pied.

L'œil de Jean Valjean était devenu effrayant. Ce n'était plus une prunelle; c'était cette vitre profonde qui remplace le regard chez certains infortunés, qui semble inconsciente de la réalité, et où flamboie la réverbération des épouvantes et des catastrophes. Il ne regardait pas un spectacle; il subissait une vision.

Cosette ne comprenait pas; le souffle lui manquait; ce qu'elle voyait ne lui semblait pas possible; enfin elle s'écria:

– Père! qu'est-ce qu'il y a donc dans ces voitures-là?

Jean Valjean répondit:

– Des forçats.

– Où donc est-ce qu'ils vont?

– Aux galères.

– Père, est-ce que ce sont encore des hommes?

– Quelquefois, dit le misérable.

LIVRE QUATRIÈME

Secours d'en bas peut être secours d'en haut

Un soir le petit Gavroche n'avait point mangé; il se souvint qu'il n'avait pas non plus dîné la veille; cela devenait fatigant. Il prit la résolution d'essayer de souper. Il s'en alla rôder au-delà de la Salpêtrière, dans les lieux déserts; c'est là que sont les aubaines; où il n'y a personne, on trouve quelque chose.

Il parvint jusqu'à une peuplade qui lui parut être le village d'Austerlitz.

La blancheur du ciel crépusculaire blanchissait la terre, et la ruelle faisait une ligne livide entre deux rangées de buissons obscurs.

Tout à coup, sur cette bande blanchâtre deux silhouettes parurent. L'une venait devant, l'autre, à quelque distance, derrière.

– Voilà deux êtres, grommela Gavroche.

La première silhouette semblait quelque vieux bourgeois courbé et pensif, vêtu plus que simplement, marchant lentement à cause de l'âge, et flânant le soir aux étoiles.

La seconde était droite, ferme, mince. Elle réglait son pas sur le pas de la première; mais dans la lenteur volontaire de l'allure, on sentait de la souplesse et de l'agilité. Cette seconde silhouette était bien connue de Gavroche; c'était Montparnasse.

Montparnasse à la chasse, à une pareille heure, en un pareil lieu, cela était menaçant. Gavroche sentait ses entrailles de gamin s'émouvoir de pitié pour le vieux.

Que faire? intervenir? une faiblesse en secourant une autre! C'était de quoi rire pour Montparnasse. Gavroche ne se dissimulait pas que, pour ce redoutable bandit de dix-huit ans, le vieillard d'abord, l'enfant ensuite, c'étaient deux bouchées.

Pendant que Gavroche délibérait, l'attaque eut lieu. Attaque de tigre à l'onagre, attaque d'araignée à la mouche. Montparnasse bondit sur le vieillard, le colleta, l'empoigna et s'y cramponna, et Gavroche eut de la peine à retenir un cri. Un moment après, l'un de ces hommes était sous l'autre, accablé, râlant, se débattant, avec un genou de marbre sur la poitrine. Seulement ce n'était pas tout à fait ce à quoi

Gavroche s'était attendu. Celui qui était à terre, c'était Montparnasse ; celui qui était dessus, c'était le bonhomme.

«Voilà un fier invalide», pensa Gavroche.

Le bonhomme n'avait pas prononcé un mot ni jeté un cri. Il se redressa, et Gavroche l'entendit qui disait à Montparnasse :

– Relève-toi.

Montparnasse se releva, mais le bonhomme le tenait.

Gavroche s'amusait énormément.

Le bonhomme questionnait, Montparnasse répondait :

– Quel âge as-tu ?

– Dix-neuf ans.

– Tu es fort et bien portant. Pourquoi ne travailles-tu pas ?

– Ça m'ennuie.

– Quel est ton état ?

– Fainéant.

Il y eut un silence. Le vieillard semblait profondément pensif. Il était immobile et ne lâchait point Montparnasse.

La rêverie du vieillard dura quelque temps, puis, regardant fixement Montparnasse, il éleva doucement la voix et lui adressa, dans cette ombre où ils étaient, une sorte d'allocution solennelle dont Gavroche ne perdit pas une syllabe :

– Mon enfant, tu entres par paresse dans la plus laborieuse des existences. Ah ! tu te déclares fainéant ! prépare-toi à travailler. Tu ne veux pas être ouvrier, tu seras esclave. Malheur à qui veut être parasite ! il sera vermine. Ah ! tu n'as qu'une pensée : bien boire, bien manger, bien dormir. Tu boiras de l'eau, tu mangeras du pain noir, tu dormiras sur une planche avec une ferraille rivée à tes membres et dont tu sentiras la nuit le froid sur ta chair ! Tu briseras cette ferraille, tu t'enfuiras. C'est bon. Tu te traîneras sur le ventre dans les broussailles et tu mangeras de l'herbe comme les brutes des bois. Et tu seras repris. Et alors tu passeras des années dans une basse-fosse, scellé à une muraille, tâtonnant pour boire à ta cruche, mordant dans un affreux pain de ténèbres dont les chiens ne voudraient pas, mangeant des fèves que les vers auront mangées avant toi. Tu seras cloporte dans une cave.

LIVRE CINQUIÈME

Dont la fin ne ressemble pas au commencement

La douleur de Cosette, si poignante encore et si vive quatre ou cinq mois auparavant, était, à son insu même, entrée en convalescence. La nature, le printemps, la jeunesse, l'amour pour son père, la gaieté des oiseaux et des fleurs faisaient filtrer peu à peu, jour à jour, goutte à goutte, dans cette âme si vierge et si jeune, on ne sait quoi qui ressemblait presque à l'oubli. Le feu s'y éteignait-il tout à fait? ou s'y formait-il seulement des couches de cendre? Qu'y avait-il dans l'âme de Cosette? De la passion calmée ou endormie; de l'amour à l'état flottant; quelque chose qui était limpide, brillant, trouble à une certaine profondeur, sombre plus bas.

Il survint un incident singulier.

Dans le jardin, près de la grille sur la rue, il y avait un banc de pierre défendu par une charmille du regard des curieux, mais auquel pourtant, à la rigueur, le bras d'un passant pouvait atteindre à travers la grille et la charmille.

Un soir, Jean Valjean était sorti; Cosette, après le soleil couché, s'était assise sur ce banc. Le vent fraîchissait dans les arbres, Cosette songeait; une tristesse sans objet la gagnait peu à peu, cette tristesse invincible que donne le soir et qui vient peut-être, qui sait? du mystère de la tombe entrouvert à cette heure-là. Fantine était peut-être dans cette ombre.

Cosette se leva, fit lentement le tour du jardin, marchant dans l'herbe inondée de rosée et se disant à travers l'espèce de somnambulisme mélancolique où elle était plongée: «Il faudrait vraiment des sabots pour le jardin à cette heure-ci. On s'enrhume.»

Elle revint au banc.

Au moment de s'y rasseoir, elle remarqua à la place qu'elle avait quittée une assez grosse pierre qui n'y était évidemment pas l'instant d'auparavant.

Cosette considéra cette pierre, se demandant ce que cela voulait dire. Tout à coup l'idée que cette pierre n'était point venue sur ce banc toute seule, que quelqu'un l'avait mise là, qu'un bras avait passé à travers cette grille, cette idée lui apparut et lui fit peur. Elle s'enfuit sans oser regarder derrière elle, se réfugia dans la maison, et ferma tout de suite au volet, à la barre et au verrou la porte-fenêtre du perron.

Au soleil levant, Cosette, en s'éveillant, vit son effroi comme un cauchemar, et se dit: «À quoi ai-je été songer? Est-ce que je vais devenir poltronne à présent?»

Elle s'habilla, descendit au jardin, courut au banc, et se sentit une sueur froide. La pierre y était.

Mais ce ne fut qu'un moment. Ce qui est frayeur la nuit est curiosité le jour.

Elle souleva cette pierre qui était assez grosse. Il y avait dessous quelque chose qui ressemblait à une lettre.

C'était une enveloppe de papier blanc.

Cosette tira de l'enveloppe ce qu'elle contenait, un petit cahier de papier, dont chaque page était numérotée et portait quelques lignes écrites d'une écriture assez jolie.

Il suffit d'un sourire entrevu là-bas sous un chapeau de crêpe blanc à bavolet lilas, pour que l'âme entre dans le palais des rêves.

– Vient-elle encore au Luxembourg ? – Non, monsieur. – C'est dans cette église qu'elle entend la messe, n'est-ce pas ? – Elle n'y vient plus. – Habite-t-elle toujours cette maison ? – Elle est déménagée. – Où est-elle allée demeurer ? – Elle ne l'a pas dit.

Quelle chose sombre de ne pas savoir l'adresse de son âme !

S'il n'y avait pas quelqu'un qui aime, le soleil s'éteindrait.

Ces pages, de qui pouvaient-elles venir? qui pouvait les avoir écrites ?

Cosette n'hésita pas une minute. Un seul homme.

Lui !

Elle rentra dans la maison et s'enferma dans sa chambre pour relire le manuscrit et pour songer. Quand elle l'eut bien lu, elle le baisa et le mit dans son corset.

Toute la journée, Cosette fut dans une sorte d'étourdissement.

À la brune, elle descendit au jardin.

Elle arriva au banc. La pierre y était restée.

Elle s'assit, et posa sa douce main blanche sur cette pierre comme si elle voulait la caresser et la remercier.

Tout à coup, elle eut cette impression indéfinissable qu'on éprouve lorsqu'on a quelqu'un debout derrière soi.

Elle tourna la tête et se dressa.

C'était lui.

Alors elle entendit sa voix, cette voix qu'elle n'avait vraiment jamais entendue, qui s'élevait à peine au-dessus du frémissement des feuilles et qui murmurait :

– Pardonnez-moi, je suis là. J'ai le cœur gonflé, je ne pouvais pas vivre comme j'étais, je suis venu. Avez-vous lu ce que j'avais mis là, sur ce banc ? me reconnaissez-vous un peu ? n'ayez pas peur de moi. Voilà du temps déjà, vous rappelez-vous le jour où vous m'avez regardé ? c'était dans le Luxembourg. Il va y avoir un an. Depuis bien longtemps, je ne vous ai plus vue. Pardonnez-moi, je vous parle, je ne sais pas ce que je vous dis, est-ce que je vous fâche ?

– Ô ma mère ! dit-elle.

Et elle s'affaissa sur elle-même comme si elle se mourait.

Il la prit dans ses bras, il la serra étroitement sans avoir conscience de ce qu'il faisait. Il la soutenait tout en chancelant. Il était éperdu d'amour.

Elle lui prit une main et la posa sur son cœur. Il sentit le papier qui y était, il balbutia :

– Vous m'aimez donc ?

Elle répondit d'une voix si basse que ce n'était plus qu'un souffle qu'on entendait à peine :

– Tais-toi ! tu le sais !

Et elle cacha sa tête rouge dans le sein du jeune homme superbe et enivré.

Un baiser, et ce fut tout.

Peu à peu ils se parlèrent. Ils se confièrent dans une intimité idéale, que rien déjà ne pouvait plus accroître, ce qu'ils avaient de plus caché et de plus mystérieux. Ils se racontèrent, avec une foi candide, tout ce que l'amour, la jeunesse et ce reste d'enfance qu'ils avaient, leur mettaient dans la pensée.

Quand ils eurent fini, quand ils se furent tout dit, elle posa sa tête sur son épaule et lui demanda :

– Comment vous appelez-vous ?

– Je m'appelle Marius, dit-il. Et vous ?

– Je m'appelle Cosette.

LIVRE SIXIÈME

Le petit Gavroche

Depuis 1823, tandis que la gargote de Montfermeil sombrait et s'engloutissait peu à peu dans le cloaque des petites dettes, les mariés Thénardier avaient eu deux autres enfants ; mâles tous deux. Cela faisait cinq ; deux filles et trois garçons. C'était beaucoup.

La Thénardier s'était débarrassée des deux derniers, encore en bas âge et tout petits, avec un bonheur singulier.

Débarrassée est le mot. Il n'y avait chez cette femme qu'un fragment de nature. Du côté de ses fils sa méchanceté était à pic, et son cœur avait à cet endroit un lugubre escarpement. Elle détestait l'aîné ; elle exécrait les deux autres.

Expliquons comment les Thénardier étaient parvenus à s'exonérer de leurs deux derniers enfants, et même à en tirer profit.

Cette fille Magnon, dont il a été question quelques pages plus haut, était la même qui avait réussi à faire renter par le bonhomme Gillenormand les deux enfants qu'elle avait. On se souvient de la grande épidémie de croup qui désola, il y a trente-cinq ans, les quartiers riverains de la Seine à Paris.

Dans cette épidémie, la Magnon perdit, le même jour, ses deux garçons, encore en très bas âge. Ce fut un coup. Ces enfants étaient précieux à leur mère; ils représentaient quatre-vingts francs par mois. Les enfants morts, la rente était enterrée. La Magnon chercha un expédient. Dans cette ténébreuse maçonnerie du mal dont elle faisait partie, on sait tout, on se garde le secret, et l'on s'entraide. Il fallait deux enfants à la Magnon; la Thénardier en avait deux. Même sexe, même âge. Bon arrangement pour l'une, bon placement pour l'autre. Les petits Thénardier devinrent les petits Magnon.

Le Thénardier exigea, pour ce prêt d'enfants, dix francs par mois que la Magnon promit, et même paya. Il va sans dire que M. Gillenormand continua de s'exécuter. Il venait tous les six mois voir les petits. Il ne s'aperçut pas du changement.

Thénardier, à qui les avatars étaient aisés, saisit cette occasion de devenir Jondrette. Ses deux filles et Gavroche avaient à peine eu le temps de s'apercevoir qu'ils avaient deux petits frères.

Les deux petits échus à la Magnon n'eurent pas à se plaindre. Recommandés par les quatre-vingts francs, ils étaient ménagés, comme tout ce qui est exploité; point mal vêtus, point mal nourris, mieux avec la fausse mère qu'avec la vraie.

Une arrestation en masse de malfaiteurs comme celle du galetas Jondrette, nécessairement compliquée de perquisitions et d'incarcérations ultérieures, est un véritable désastre pour cette hideuse contre-société occulte qui vit sous la société publique; une aventure de ce genre entraîne toute sorte d'écroulements dans ce monde sombre. La catastrophe des Thénardier produisit la catastrophe de la Magnon.

La Magnon fut saisie, et toute la maisonnée, qui était suspecte, passa dans le coup de filet. Les deux petits garçons jouaient pendant ce temps-là dans une arrière-cour et ne virent rien de la razzia. Quand ils voulurent rentrer, ils trouvèrent la porte fermée et la maison vide.

Les enfants partirent, l'aîné menant le cadet.

Ils se mirent à errer au hasard dans les rues.

Le printemps à Paris est assez souvent traversé par des bises aigres et dures dont on est, non pas précisément glacé, mais gelé.

Un soir que ces bises soufflaient rudement, le petit Gavroche, toujours grelottant gaiement sous ses loques, se tenait debout et comme en extase devant la boutique d'un perruquier.

Pendant que Gavroche examinait le vitrage et les Windsor-soap, deux enfants assez proprement vêtus et encore plus petits que lui, paraissant l'un sept ans, l'autre cinq, tournèrent timidement le bec-de-cane et entrèrent dans la boutique en demandant on ne sait quoi, la charité peut-être, dans un murmure plaintif et qui ressemblait plutôt à un gémissement qu'à une prière. Le barbier se tourna avec un visage furieux, et sans quitter son rasoir, refoulant l'aîné de la main gauche et le petit du genou, les poussa dans la rue.

Les deux enfants se remirent en marche en pleurant. Cependant une nuée était venue; il commençait à pleuvoir.

Le petit Gavroche courut après eux et les aborda:

– Qu'est-ce que vous avez donc, moutards?

– Nous ne savons pas où coucher, répondit l'aîné.

– C'est ça? dit Gavroche. Voilà grand-chose. Est-ce qu'on pleure pour ça? Sont-ils serins donc!

Et prenant, à travers sa supériorité un peu goguenarde, un accent d'autorité attendrie et de protection douce:

– Momacques, venez avec moi.

– Oui, monsieur, fit l'aîné.

Et les deux enfants le suivirent comme ils auraient suivi un archevêque. Ils avaient cessé de pleurer.

Gavroche leur fit monter la rue Saint-Antoine dans la direction de la Bastille.

Il ne leur fit pas de questions. Être sans domicile, quoi de plus simple ?

Il y a vingt ans, on voyait encore dans l'angle sud-est de la place de la Bastille un monument bizarre qui s'est effacé déjà de la mémoire des Parisiens.

C'était un éléphant de quarante pieds de haut, construit en charpente et en maçonnerie, portant sur son dos sa tour qui ressemblait à une maison, jadis peint en vert par un badigeonneur quelconque, maintenant peint en noir par le ciel, la pluie et le temps. Dans cet angle désert et découvert de la place, le large front du colosse, sa trompe, ses défenses, sa tour, sa croupe énorme, ses quatre pieds pareils à des colonnes faisaient la nuit sur le ciel étoilé une silhouette surprenante et terrible.

Peu d'étrangers visitaient cet édifice, aucun passant ne le regardait. Il tombait en ruine ; à chaque saison des plâtras qui se détachaient de ses flancs lui faisaient des plaies hideuses.

Ce fut vers ce coin de la place, à peine éclairé du reflet d'un réverbère éloigné, que le gamin dirigea les deux « mômes ».

En arrivant près du colosse, Gavroche comprit l'effet que l'infiniment grand peut produire sur l'infiniment petit, et dit :

– Moutards ! n'ayez pas peur.

Il y avait là, couchée le long de la palissade, une échelle

qui servait le jour aux ouvriers du chantier voisin. Gavroche la souleva avec une singulière vigueur, et l'appliqua contre une des jambes de devant de l'éléphant. Vers le point où l'échelle allait aboutir, on distinguait une espèce de trou noir dans le ventre du colosse.

Gavroche montra l'échelle et le trou à ses hôtes et leur dit:

– Montez et entrez. Il ajouta: Les mioches, vous êtes chez moi.

Gavroche était en effet chez lui!

Ô utilité inattendue de l'inutile! charité des grandes choses! bonté des géants! Le môme avait été accepté et abrité par le colosse. Les bourgeois endimanchés qui passaient devant l'éléphant de la Bastille disaient volontiers en le toisant d'un air de mépris avec leurs yeux à fleur de tête: – À quoi cela sert-il? Cela servait à sauver du froid, du givre, de la grêle, de la pluie, à garantir du vent d'hiver, à préserver du sommeil dans la boue qui donne la fièvre et du sommeil dans la neige qui donne la mort, un petit être sans père ni mère, sans pain, sans vêtements, sans asile. Cela servait à recueillir l'innocent que la société repoussait. Cela servait à diminuer la faute publique. Il semblait que le vieux mastodonte misérable, envahi par la vermine et par l'oubli, couvert de verrues, de moisissures et d'ulcères, chancelant, vermoulu, abandonné, condamné, avait eu pitié, lui, de cet autre mendiant, du pauvre pygmée qui s'en allait sans souliers aux pieds, sans plafond sur la tête, soufflant dans ses doigts, vêtu de chiffons, nourri de ce qu'on jette. Voilà à quoi servait l'éléphant de la Bastille.

Les deux pauvres petits enfants tout mouillés commen çaient à se réchauffer.

– Ah ça, continua Gavroche, pourquoi donc est-ce que

vous pleuriez? Et montrant le petit à son frère: Un mioche comme ça, je ne dis pas, mais un grand comme toi, pleurer, c'est crétin; on a l'air d'un veau.

– Dame, fit l'enfant, nous n'avions plus du tout de logement où aller.

– Moutard! reprit Gavroche, on ne dit pas un logement, on dit une piolle.

– Et puis nous avions peur d'être tout seuls comme ça la nuit.

– On ne dit pas la nuit, on dit la sorgue.

– Merci, monsieur, dit l'enfant.

Les heures de la nuit s'écoulèrent. L'ombre couvrait l'immense place de la Bastille, un vent d'hiver qui se mêlait à la pluie soufflait par bouffées, les patrouilles furetaient les portes, les allées, les enclos, les coins obscurs, et, cherchant les vagabonds nocturnes, passaient silencieusement devant l'éléphant; le monstre, debout, immobile, les yeux ouverts dans les ténèbres, avait l'air de rêver comme satisfait de sa bonne action, et abritait du ciel et des hommes les trois pauvres enfants endormis.

Vers la fin de cette heure qui précède immédiatement le point du jour, un homme déboucha de la rue Saint-Antoine en courant, traversa la place et se glissa entre les palissades jusque sous le ventre de l'éléphant.

Arrivé sous l'éléphant, il fit entendre un cri bizarre qui n'appartient à aucune langue humaine et qu'une perruche seule pourrait reproduire.

– Kirikikiou!

Au second cri, une voix claire, gaie et jeune, répondit du ventre de l'éléphant:

– Oui!

Presque immédiatement, la planche qui fermait le trou se dérangea et donna passage à un enfant qui descendit le long du pied de l'éléphant et vint lestement tomber près de l'homme. C'était Gavroche. L'homme était Montparnasse.

L'homme et l'enfant se reconnurent silencieusement dans la nuit; Montparnasse se borna à dire:

– Nous avons besoin de toi. Viens nous donner un coup de main.

Le gamin ne demanda pas d'autre éclaircissement.

– Me v'là, dit-il.

Et tous deux se dirigèrent vers la rue Saint-Antoine, serpentant rapidement à travers la longue file des charrettes de maraîchers qui descendent à cette heure-là vers la halle.

Voici ce qui avait eu lieu cette même nuit à la Force:

Une évasion avait été concertée entre Babet, Gueulemer et Thénardier, quoique Thénardier fût au secret. Montparnasse devait les aider du dehors.

Le Bel-Air était une espèce de grande halle mansardée, fermée de triples grilles et de portes doublées de tôle que constellaient des clous démesurés. Quand on y entrait par l'extrémité nord, on avait à sa droite quatre cages carrées assez vastes, espacées, séparées par des couloirs étroits.

Thénardier était au secret dans une de ces cages depuis la nuit du 3 février. On n'a jamais pu découvrir comment, et par quelle connivence, il avait réussi à s'y procurer et à y cacher une bouteille de ce vin inventé, dit-on, par Desrues, auquel se mêle un narcotique et que la bande des *Endormeurs* a rendu célèbre.

Il y a dans beaucoup de prisons des employés traîtres, mipartis geôliers et voleurs, qui aident aux évasions, qui vendent à la police une domesticité infidèle, et qui font danser l'anse du panier à salade.

Thénardier était gardé à vue. Un factionnaire, qu'on relevait de deux heures en deux heures, se promenait le fusil chargé devant sa cage. Tous les jours à quatre heures de l'après-midi, un gardien escorté de deux dogues entrait dans sa cage, déposait près de son lit un pain noir de deux livres, une cruche d'eau et une écuelle, visitait ses fers et frappait sur les barreaux. Cet homme avec ses dogues revenait deux fois dans la nuit.

À deux heures du matin on vint changer le factionnaire, qui était un vieux soldat, et on le remplaça par un conscrit. Quelques instants après, l'homme aux chiens fit sa visite, et s'en alla sans avoir rien remarqué, si ce n'est la trop grande jeunesse et «l'air paysan» du «tourlourou». Deux heures après, quand on vint relever le conscrit, on le trouva endormi et tombé à terre comme un bloc près de la cage de Thénardier. Quant à Thénardier, il n'y était plus. Il y avait un trou au plafond de sa cage et au-dessus, un autre trou dans le toit. On saisit dans la cellule une bouteille à moitié vidée qui contenait le reste du vin stupéfiant avec lequel le soldat avait été endormi.

Ruisselant de sueur, trempé par la pluie, les vêtements en lambeaux, les mains écorchées, les coudes en sang, les genoux déchirés, Thénardier était arrivé sur ce que les enfants appellent le *coupant* du mur, il s'y était couché tout de son long, et là, la force lui avait manqué. Un escarpement à pic de la hauteur d'un troisième étage le séparait du pavé de la rue.

Il attendait là, pâle, épuisé, désespéré de tout l'espoir qu'il avait eu, encore couvert par la nuit, mais se disant que le jour allait venir, épouvanté de l'idée d'entendre avant quelques instants sonner à l'horloge voisine de Saint-Paul quatre heures, heure où l'on viendrait relever la sentinelle et où on la trouverait endormie sous le toit percé, regardant avec stupeur, à une profondeur terrible, à la lueur des réverbères, le pavé mouillé et noir, ce pavé désiré et effroyable qui était la mort et qui était la liberté.

Il se demandait si ses complices d'évasion avaient réussi, s'ils l'avaient entendu, et s'ils viendraient à son aide. Il écoutait. Excepté une patrouille, personne n'avait passé dans la rue depuis qu'il était là.

Dans cette angoisse, il vit tout à coup un homme qui se glissait le long des murailles, s'arrêter dans le renfoncement au-dessus duquel Thénardier était comme suspendu. Cet homme fut rejoint par un second qui marchait avec la même précaution, puis par un troisième.

Thénardier vit passer devant ses yeux quelque chose qui ressemblait à l'espérance, ces hommes parlaient argot.

Ils levèrent les yeux. Thénardier avança un peu la tête.

Un ancien conduit en plâtre rampait le long du mur et montait presque jusqu'à l'endroit où l'on apercevait Thénardier.

– On pourrait monter par là, fit Montparnasse.

– Par ce tuyau ? s'écria Babet, un orgue[1] ! jamais, il faudrait un mion[2].

– Où trouver un moucheron ? dit Gueulemer.

– Attendez, dit Montparnasse. J'ai l'affaire.

Le petit Gavroche entra dans l'enceinte et regarda ces figures de bandits d'un air tranquille. Gueulemer lui adressa la parole :

1. Un homme.
2. Un enfant.

– Mioche, es-tu un homme?

Gavroche haussa les épaules et répondit:

– Un môme comme mézig est un orgue et des orgues comme vousailles sont des mômes[1].

Le gamin examina la corde, le tuyau, le mur, les fenêtres et fit cet inexprimable et dédaigneux bruit des lèvres qui signifie:

– Que ça!

– Il y a un homme là-haut que tu sauveras, reprit Montparnasse.

Gueulemer saisit Gavroche d'un bras, le posa sur le toit de la baraque et lui remit la corde. Le gamin se dirigea vers le tuyau où il était facile d'entrer grâce à une large crevasse qui touchait au toit. Au moment où il allait monter, Thénardier se pencha au bord du mur, la première lueur du jour blanchissait son front inondé de sueur, ses pommettes livides, son nez effilé et sauvage, sa barbe grise toute hérissée, et Gavroche le reconnut:

– Tiens! dit-il, c'est mon père! Oh! cela n'empêche pas.

Et prenant la corde dans ses dents, il commença résolument l'escalade.

Il parvint au haut de la masure, enfourcha le vieux mur comme un cheval, et noua solidement la corde à la traverse supérieure de la fenêtre.

Un moment après, Thénardier était dans la rue

Les hommes sortirent l'un après l'autre de la palissade.

Quand Gavroche eut disparu au tournant de la rue des Ballets, Babet prit Thénardier à part.

– As-tu regardé ce mion? lui demanda-t-il.

1. Un enfant comme moi est un homme et des hommes comme vous sont des enfants.

– Quel mion?
– Le mion qui a grimpé au mur et t'a porté la corde.
– Pas trop.
– Je ne sais pas, mais il me semble que c'est ton fils.
– Bah! dit Thénardier, crois-tu?

LIVRE SEPTIÈME

L'argot

Pigritia est un mot terrible.

Il engendre un monde, la *pègre*, lisez: *le vol*; et un enfer, la *pégrenne*, lisez: *la faim*.

Ainsi la paresse est mère.

Elle a un fils, le vol, et une fille, la faim.

Où sommes-nous en ce moment? Dans l'argot.

Qu'est-ce que l'argot? C'est tout à la fois la nation et l'idiome; c'est le vol sous ses deux espèces: peuple et langue.

Lorsqu'il y a trente-quatre ans, le narrateur de cette grave et sombre histoire introduisait au milieu d'un ouvrage écrit dans le même but que celui-ci[1], un voleur parlant argot, il y eut ébahissement et clameur. – Quoi! comment! l'argot! Mais l'argot est affreux! mais c'est la langue des chiourmes, des bagnes, des prisons, de tout ce que la société a de plus abominable! etc.

Nous n'avons jamais compris ce genre d'objections.

Depuis, deux puissants romanciers, dont l'un est un pro-

1. *Le Dernier Jour d'un condamné.*

fond observateur du cœur humain, l'autre un intrépide ami du peuple, Balzac et Eugène Sue, ayant fait parler des bandits dans leur langue naturelle comme l'avait fait en 1828 l'auteur du *Dernier Jour d'un condamné*, les mêmes exclamations se sont élevées. On a répété : – Que nous veulent les écrivains avec ce révoltant patois ? L'argot est odieux ! l'argot fait frémir !

Qui le nie ? Sans doute.

Maintenant, depuis quand l'horreur exclut-elle l'étude ? depuis quand la maladie chasse-t-elle le médecin ? Se figure-t-on un naturaliste qui refuserait d'étudier la vipère, la chauve-souris, le scorpion, la scolopendre, la tarentule, et qui les rejetterait dans leurs ténèbres en disant : Oh ! que c'est laid ! Le penseur qui se détournerait de l'argot ressemblerait à un chirurgien qui se détournerait d'un ulcère ou d'une verrue. Ce serait un philologue hésitant à examiner un fait de la langue, un philosophe hésitant à scruter un fait de l'humanité. Car, il faut bien le dire à ceux qui l'ignorent, l'argot est tout ensemble un phénomène littéraire et un résultat social. Qu'est-ce que l'argot proprement dit ? L'argot est la langue de la misère.

L'argot véritable, l'argot par excellence, si ces deux mots peuvent s'accoupler, l'immémorial argot qui était un royaume, n'est autre chose, nous le répétons, que la langue laide, inquiète, sournoise, traître, venimeuse, cruelle, louche, vile, profonde, fatale, de la misère. Il y a, à l'extrémité de tous les abaissements et de toutes les infortunes, une dernière misère qui se révolte et qui se décide à entrer en lutte contre l'ensemble des faits heureux et des droits régnants. Pour les besoins de cette lutte, la misère a inventé une langue de combat qui est l'argot.

L'argot n'est autre chose qu'un vestiaire où la langue,

ayant quelque mauvaise action à faire, se déguise. Elle s'y revêt de mots masques et de métaphores haillons.

De la sorte elle devient horrible.

C'est l'inintelligible dans le ténébreux. Cela grince et cela chuchote, complétant le crépuscule par l'énigme. Il fait noir dans le malheur, il fait plus noir encore dans le crime ; ces deux noirceurs amalgamées composent l'argot. Obscurite dans l'atmosphère, obscurité dans les actes, obscurité dans les voix. Épouvantable langue crapaude qui va, vient, sautille, rampe, bave et se meut monstrueusement dans cette immense brume grise faite de pluie, de nuit, de faim, de vice, de mensonge, d'injustice, de nudité, d'asphyxie et d'hiver, plein midi des misérables.

Les esprits réfléchis usent peu de cette locution : les heureux et les malheureux. Dans ce monde, vestibule d'un autre évidemment, il n'y a pas d'heureux.

La vraie division humaine est celle-ci : les lumineux et les ténébreux.

L'argot, c'est la langue des ténébreux.

LIVRE HUITIÈME

Les enchantements et les désolations

L'amour n'a point de moyen terme ; ou il perd, ou il sauve. Toute la destinée humaine est ce dilemme-là. Ce dilemme, perte ou salut, aucune fatalité ne le pose plus inexorablement que l'amour. L'amour est la vie, s'il n'est pas la mort. Berceau ; cercueil aussi. Le même sentiment dit oui et non dans le cœur humain. De toutes les choses que Dieu a faites, le cœur humain est celle qui dégage le plus de lumière, hélas ! et le plus de nuit.

Dieu voulut que l'amour que Cosette rencontra fût un de ces amours qui sauvent.

Marius et Cosette ne se demandaient pas où cela les conduirait. Ils se regardaient comme arrivés. C'est une étrange prétention des hommes de vouloir que l'amour conduise quelque part.

Ce fut au milieu de cette foi, de cet enivrement, de cette possession virginale, inouïe et absolue, de cette souveraineté, que ces mots : « Nous allons partir », tombèrent tout à coup.

– Ce matin, mon père m'a dit que nous allions partir, qu'il faudrait avoir une grande malle pour moi et une petite pour lui, de préparer tout cela d'ici à une semaine, et que nous irions peut-être en Angleterre.

– Mais c'est monstrueux ! s'écria Marius.

Il vit Cosette qui lui souriait.

– Marius, j'ai une idée.

– Quoi ?

– Pars si nous partons ! Viens me rejoindre où je serai !

– Partir avec vous ! es-tu folle ? Mais il faut de l'argent, et je n'en ai pas ! Je dois maintenant plus de dix louis à Courfeyrac, un de mes amis que tu ne connais pas ! J'ai un vieux chapeau qui ne vaut pas trois francs, j'ai un habit où il manque des boutons par-devant, ma chemise est toute déchirée, mes bottes prennent l'eau. Cosette ! je suis un misérable. Tu ne me vois que la nuit, et tu me donnes ton amour ; si tu me voyais le jour, tu me donnerais un sou ! Aller en Angleterre ! Eh ! je n'ai pas de quoi payer le passeport !

Il se jeta contre un arbre qui était là, le front contre

l'écorce, ne sentant ni le bois qui lui écorchait la peau ni la fièvre qui lui martelait les tempes, immobile, et prêt à tomber, comme la statue du Désespoir.

Il demeura longtemps ainsi. On resterait l'éternité dans ces abîmes-là. Enfin il se retourna. Il entendait derrière lui un petit bruit étouffé, doux et triste.

C'était Cosette qui sanglotait.

Il vint à elle, tomba à genoux, et, se prosternant lentement, il prit le bout de son pied qui passait sous sa robe et le baisa.

– Écoute, dit-il, ne m'attends pas demain.

– Pourquoi ?

– Tu verras.

– Un jour sans te voir ! mais c'est impossible.

– Sacrifions un jour pour avoir peut-être toute la vie.

Elle lui prit la tête dans ses deux mains, cherchant à voir dans ses yeux son espérance.

Marius reprit :

– Il faut que tu saches mon adresse, il peut arriver des choses, on ne sait pas ; je demeure chez cet ami appelé Courfeyrac, rue de la Verrerie, numéro 16.

Il fouilla dans sa poche, en tira un couteau-canif, et avec la lame écrivit sur le plâtre du mur :

16, rue de la Verrerie

Le père Gillenormand avait à cette époque ses quatre-vingt-onze ans bien sonnés. Il demeurait toujours avec Mlle Gillenormand dans cette vieille maison qui était à lui. C'était, on s'en souvient, un de ces vieillards antiques qui attendent la mort tout droits, que l'âge charge sans les faire plier et que le chagrin même ne courbe pas.

Un soir, il avait congédié sa fille qui cousait dans la pièce voisine.

Le père Gillenormand songeait à Marius amoureusement et amèrement; et, comme d'ordinaire, l'amertume dominait. Sa tendresse aigrie finissait toujours par bouillonner et par tourner en indignation. Il en était à ce point où l'on cherche à prendre son parti et à accepter ce qui déchire. Il était en train de s'expliquer qu'il n'y avait maintenant plus de raison pour que Marius revînt, que s'il avait dû revenir, il l'aurait déjà fait, qu'il fallait y renoncer.

Au plus profond de cette rêverie, son vieux domestique, Basque, entra et demanda:

– Monsieur peut-il recevoir M. Marius?

Le vieillard se dressa sur son séant, blême et pareil à un cadavre qui se lève sous une secousse galvanique. Tout son sang avait reflué à son cœur. Il bégaya:

– Faites entrer.

Et il resta dans la même attitude, la tête branlante, l'œil fixé sur la porte. Elle se rouvrit. Un jeune homme entra. C'était Marius.

Le père Gillenormand, comme hébété de stupeur et de joie, resta quelques instants sans voir autre chose qu'une clarté comme lorsqu'on est devant une apparition.

Il eut envie d'ouvrir les bras, de l'appeler, de se précipiter, ses entrailles se fondirent en ravissement, les paroles affectueuses le gonflaient et débordaient de sa poitrine; enfin toute cette tendresse se fit jour et lui arriva aux lèvres, et, par le contraste qui était le fond de sa nature, il en sortit une dureté. Il dit brusquement:

– Qu'est-ce que vous venez faire ici? Venez-vous me demander pardon? avez-vous reconnu vos torts?

Il croyait mettre Marius sur la voie et que «l'enfant» allait fléchir. Marius frissonna; c'était le désaveu de son père qu'on lui demandait; il baissa les yeux et répondit·

– Non, monsieur.

– Et alors, s'écria impétueusement le vieillard, qu'est-ce que vous me voulez?

– Monsieur, dit Marius avec le regard d'un homme qui sent qu'il va tomber dans un précipice, je viens vous demander la permission de me marier.

– Vous marier! à vingt et un ans! Vous avez arrangé cela! Vous n'avez plus qu'une permission à demander! une formalité. Vous avez un état? une fortune faite? combien gagnez-vous dans votre métier d'avocat?

– Rien, dit Marius avec une sorte de fermeté et de résolution presque farouche.

M. Gillenormand continua:

– Alors, je comprends, c'est que la fille est riche?

– Non.

– Toute nue! et qu'est-ce que c'est que le père?

– Je ne sais pas.

– Et comment s'appelle-t-elle?

– Mlle Fauchelevent.

– Fauchequoi?

– Fauchelevent.

– Pttt! fit le vieillard.

– Monsieur! s'écria Marius.

– Marius! je trouve ça très bien qu'un jeune homme comme toi soit amoureux. C'est de ton âge. Je t'aime mieux amoureux que jacobin. Je t'aime mieux épris d'un cotillon que de M. de Robespierre. Pour ma part, je me rends cette justice qu'en fait de sans-culottes, je n'ai jamais aimé que les femmes. Il faut que jeunesse se passe et que vieillesse se casse. Voilà deux cents pistoles. Amuse-toi, mordi! On n'épouse point, mais ça n'empêche pas. Tu me comprends?

Marius, pétrifié et hors d'état d'articuler une parole, fit de la tête signe que non.

Le bonhomme éclata de rire, cligna sa vieille paupière, et lui dit avec le plus tendre des haussements d'épaules:

– Bêta! fais-en ta maîtresse.

Marius pâlit.

Il se leva et marcha vers la porte d'un pas assuré et ferme. Là il se retourna, s'inclina profondément devant son grand-père, redressa la tête, et dit:

– Il y a cinq ans, vous avez outragé mon père; aujourd'hui, vous outragez ma femme. Je ne vous demande plus rien, monsieur. Adieu.

Le père Gillenormand, stupéfait, ouvrit la bouche, étendit les bras, essaya de se lever, et avant qu'il eût pu prononcer un mot, la porte s'était refermée et Marius avait disparu.

LIVRE NEUVIÈME

Où vont-ils?

Ce même jour, vers quatre heures de l'après-midi, Jean Valjean était assis seul sur le revers de l'un des talus les plus solitaires du Champ-de-Mars. Soit prudence, soit désir de se recueillir, soit tout simplement par suite d'un de ces insensibles changements d'habitudes qui s'introduisent peu à peu dans toutes les existences, il sortait maintenant assez rarement avec Cosette. Un jour, en se promenant sur le boulevard, il avait aperçu Thénardier; grâce à son déguisement, Thénardier ne l'avait point reconnu; mais depuis lors Jean Valjean l'avait revu plusieurs fois, et il avait maintenant la certitude que Thénardier rôdait dans le quartier. Ceci avait suffi pour lui faire prendre un grand parti. Jean Valjean s'était décidé à quitter Paris, et même la France, et à passer en Angleterre. Il avait prévenu Cosette. Avant huit jours il voulait être parti. Il s'était assis sur le talus du Champ-de-Mars, roulant dans son esprit toutes sortes de pensées, Thénardier, la police, le voyage, et la difficulté de se procurer un passeport.

Enfin, un fait inexplicable qui venait de le frapper avait ajouté à son éveil. Le matin de ce même jour, se promenant dans le jardin, il avait aperçu tout à coup cette ligne gravée sur la muraille, probablement avec un clou:

16, rue de la Verrerie.

Cela était tout récent, les entailles étaient blanches dans le vieux mortier noir, une touffe d'ortie au pied du mur était poudrée de fin plâtre frais. Qu'était-ce? une adresse? un signal pour d'autres? un avertissement pour lui? Dans tous les cas, il était évident que le jardin était violé, et que des inconnus y pénétraient. Son esprit travailla sur ce canevas. Il se garda bien de parler à Cosette de la ligne écrite sur le mur, de peur de l'effrayer.

Marius était parti désolé de chez M. Gillenormand. Il y était entré avec une espérance bien petite; il en sortait avec un désespoir immense.

Il se mit à marcher dans les rues, ressource de ceux qui

souffrent. Il ne pensa à rien dont il pût se souvenir. À deux heures du matin il rentra chez Courfeyrac et se jeta tout habillé sur son matelas. Il faisait grand soleil lorsqu'il s'endormit. Quand il se réveilla, il mit dans sa poche les pistolets que Javert lui avait confiés lors de l'aventure du 3 février et qui étaient restés entre ses mains. Il serait difficile de dire quelle pensée obscure il avait dans l'esprit en les emportant.

Toute la journée il rôda sans savoir où.

Par intervalles, tout en marchant sur les boulevards les plus déserts, il lui semblait entendre dans Paris des bruits étranges. Il sortait la tête hors de sa rêverie et disait : « Est-ce qu'on se bat ? »

À la nuit tombante, comme il l'avait promis à Cosette, il était rue Plumet.

Marius dérangea la grille et se précipita dans le jardin. Cosette n'était pas à la place où elle l'attendait d'ordinaire. Il traversa le fourré et alla à l'enfoncement près du perron. – Elle m'attend là, dit-il. Cosette n'y était pas. Il leva les yeux, et vit que les volets de la maison étaient fermés. Il fit le tour du jardin, le jardin était désert. Alors il revint à la maison, et, insensé d'amour, ivre, épouvanté, exaspéré de douleur et d'inquiétude, comme un maître qui rentre chez lui à une mauvaise heure, il frappa aux volets. Il frappa, il frappa encore, au risque de voir la fenêtre s'ouvrir et la face sombre du père apparaître et lui demander : – Que voulez-vous ? Ceci n'était plus rien auprès de ce qu'il entrevoyait. Quand il eut frappé, il éleva la voix et appela Cosette.

– Cosette ! cria-t-il. Cosette ! répéta-t-il impérieusement.

On ne répondit pas. C'était fini. Personne dans le jardin ; personne dans la maison.

Alors il s'assit sur les marches du perron, le cœur plein de douceur et de résolution, et il se dit que puisque Cosette était partie, il n'avait plus qu'à mourir.

Tout à coup il entendit une voix qui paraissait venir de la rue et qui criait à travers les arbres :

– Monsieur Marius ! Monsieur Marius, êtes-vous là ?

– Oui.

– Monsieur Marius, reprit la voix, vos amis vous attendent à la barricade de la rue de la Chanvrerie.

Cette voix ne lui était pas entièrement inconnue. Elle ressemblait à la voix enrouée et rude d'Éponine. Marius courut à la grille, écarta le barreau mobile, passa sa tête au travers et vit quelqu'un, qui lui parut être un jeune homme, s'enfoncer en courant dans le crépuscule.

LIVRE DIXIÈME

Le 5 juin 1832

De quoi se compose l'émeute ? de rien et de tout. D'une électricité dégagée peu à peu, d'une flamme subitement jaillie, d'une force qui erre, d'un souffle qui passe. Ce souffle rencontre des têtes qui parlent, des cerveaux qui rêvent, des âmes qui souffrent, des passions qui brûlent, des misères qui hurlent, et les emporte.

Où ? Au hasard. À travers l'État, à travers les lois, à travers la prospérité et l'insolence des autres.

Malheur à celui qu'elle emporte comme à celui qu'elle vient heurter ! Elle les brise l'un contre l'autre.

Il y a l'émeute et il y a l'insurrection ; ce sont deux colères ; l'une a tort, l'autre a droit.

Toutes les protestations armées, même les plus légitimes, même le 10 août, même le 14 juillet, débutent par le même trouble. Avant que le droit se dégage, il y a tumulte et écume. Au commencement l'insurrection est émeute, de même que le fleuve est torrent. Ordinairement elle aboutit à cet océan : Révolution.

Au printemps de 1832, Paris était dès longtemps prêt pour une commotion. La grande ville ressemble à une pièce de canon ; quand elle est chargée, il suffit d'une étincelle qui tombe, le coup part. En juin 1832, l'étincelle fut la mort du général Lamarque.

Lamarque était un homme de renommée et d'action. Il avait eu successivement, sous l'Empire et sous la Restauration, les deux bravoures nécessaires aux deux époques, la bravoure des champs de bataille et la bravoure de la tribune.

Depuis dix-sept ans, à peine attentif aux événements intermédiaires, il avait majestueusement gardé la tristesse de Waterloo. Dans son agonie, à sa dernière heure, il avait serré contre sa poitrine une épée que lui avaient décernée les officiers des Cent-Jours. Napoléon était mort en prononçant le mot armée, Lamarque en prononçant le mot patrie.

Sa mort, prévue, était redoutée du peuple comme une perte et du gouvernement comme une occasion. Cette mort fut un deuil. Comme tout ce qui est amer, le deuil peut se tourner en révolte. C'est ce qui arriva.

Le 5 juin donc, le convoi du général Lamarque traversa Paris avec la pompe militaire officielle, un peu accrue par les précautions.

Sur les contre-allées des boulevards, dans les branches des arbres, aux balcons, aux fenêtres, sur les toits, les têtes fourmillaient, hommes, femmes, enfants; les yeux étaient pleins d'anxiété. Une foule armée passait, une foule effarée regardait.

De son côté le gouvernement observait. Il observait, la main sur la poignée de l'épée.

Le corbillard atteignit l'esplanade du pont d'Austerlitz. Là il s'arrêta. La vaste cohue fit silence. Lafayette parla et dit adieu à Lamarque. Ce fut un instant touchant et auguste, toutes les têtes se découvrirent, tous les cœurs battaient. Tout à coup un homme à cheval, vêtu de noir, parut au milieu du groupe avec un drapeau rouge, d'autres disent avec une pique surmontée d'un bonnet rouge. Lafayette détourna la tête. Exelmans quitta le cortège.

Ce drapeau rouge souleva un orage et y disparut. Du boulevard Bourdon au pont d'Austerlitz une de ces clameurs qui ressemblent à des houles remua la multitude. Deux cris prodigieux s'élevèrent: – *Lamarque au Panthéon! Lafayette à l'Hôtel de Ville!*

Cependant sur la rive gauche la cavalerie municipale s'ébranlait et venait barrer le pont, sur la rive droite les dragons sortaient des Célestins et se déployaient le long du quai Morland. Le peuple les aperçut brusquement au coude du quai et cria: – Les dragons! Les dragons s'avançaient au pas, en silence, avec un air d'attente sombre.

Que se passa-t-il dans cette minute fatale? personne ne saurait le dire. C'est le moment ténébreux où deux nuées se mêlent. Les uns racontent qu'une fanfare sonnant la charge fut entendue du côté de l'Arsenal, les autres qu'un coup de poignard fut donné par un enfant à un dragon. Le fait est que trois coups de feu partirent subitement, le premier tua le chef d'escadron Cholet, le second tua une vieille sourde qui fermait sa fenêtre rue Contrescarpe, le troisième brûla l'épaulette d'un officier.

Alors tout est dit, la tempête se déchaîne, les pierres pleuvent, la fusillade éclate, beaucoup se précipitent au bas de la berge, on arrache des pieux, on tire des coups de pistolet, une barricade s'ébauche, les jeunes gens refoulés passent le pont d'Austerlitz et chargent la garde municipale, les carabiniers accourent, les dragons sabrent, la foule se disperse dans tous les sens, une rumeur de guerre vole aux quatre coins de Paris, on crie : – Aux armes ! on court, on culbute, on fuit, on résiste. La colère emporte l'émeute comme le vent emporte le feu.

LIVRE ONZIÈME

L'atome fraternise avec l'ouragan

À l'instant où l'insurrection, surgissant du choc du peuple et de la troupe devant l'Arsenal, détermina un mouvement d'avant en arrière dans la multitude qui suivait le corbillard, ce fut un effrayant reflux. La cohue s'ébranla, les rangs se rompirent, tous coururent, partirent, s'échappèrent, les uns avec les cris de l'attaque, les autres avec la pâleur de la fuite. En ce moment un enfant déguenillé qui descendait par la rue Ménilmontant avisa dans la devanture de boutique d'une marchande de bric-à-brac un vieux pistolet d'arçon. Il cria :

– Mère chose, je vous emprunte votre machin.

Et il se sauva avec le pistolet.

Deux minutes après, un flot de bourgeois épouvantés qui

s'enfuyait par la rue Amelot et la rue Basse, rencontra l'enfant qui brandissait son pistolet et qui chantait :

La nuit on ne voit rien,
Le jour on voit très bien,
D'un écrit apocryphe
Le bourgeois s'ébouriffe,
Pratiquez la vertu,
Tutu chapeau pointu !

C'était le petit Gavroche qui s'en allait en guerre.

Sur le boulevard il s'aperçoit que le pistolet n'avait pas de chien.

Gavroche ne se doutait pas que dans cette vilaine nuit pluvieuse où il avait offert à deux mioches l'hospitalité de son éléphant, c'était pour ses propres frères qu'il avait fait office de providence. Ses frères le soir, son père le matin ; voilà quelle avait été sa nuit. En quittant la rue des Ballets au petit jour, il était retourné en hâte à l'éléphant, en avait artistement extrait les deux mômes, avait partagé avec eux le déjeuner quelconque qu'il avait inventé, puis s'en était allé, les confiant à cette bonne mère la rue qui l'avait à peu près élevé lui-même. En les quittant, il leur avait donné rendez-vous pour le soir au même endroit.

Les deux enfants, ramassés par quelque sergent de ville et mis au dépôt, ou volés par quelque saltimbanque, ou simplement égarés dans l'immense casse-tête chinois parisien, n'étaient pas revenus. Gavroche ne les avait pas revus. Dix ou douze semaines s'étaient écoulées depuis cette nuit-là. Il lui était arrivé plus d'une fois de se gratter le dessus de la tête et de dire : – Où diable sont mes deux enfants ?

Gavroche venait d'opérer sa jonction avec une bande conduite par Enjolras, Courfeyrac, Combeferre et Feuilly.

Un cortège tumultueux les accompagnait, étudiants, artistes, ouvriers, gens du port, armés de bâtons et de baïonnettes, quelques-uns, comme Combeferre, avec des pistolets entrés dans leurs pantalons. Un vieillard, qui paraissait très vieux, marchait dans cette bande. Il n'avait point d'arme, et se hâtait pour ne point rester en arrière, quoiqu'il eût l'air pensif. Gavroche l'aperçut :

– Keksekça ? dit-il à Courfeyrac.

– C'est un vieux.

C'était M. Mabeuf.

Un attroupement ne va pas précisément où il veut. Nous avons expliqué que c'est un coup de vent qui l'emporte. Ils dépassèrent Saint-Merry et se trouvèrent sans trop savoir comment rue Saint-Denis.

LIVRE DOUZIÈME

Corinthe

Les Parisiens qui, aujourd'hui, remarquent à leur droite, vis-à-vis la rue Mondétour, une boutique de vannier ayant pour enseigne un panier qui a la forme de l'empereur Napoléon le Grand, ne se doutent guère des scènes terribles que ce même emplacement a vues il y a à peine trente ans.

C'est là qu'étaient la rue de la Chanvrerie et le cabaret célèbre appelé *Corinthe.*

Une salle en bas où était le comptoir, une salle au premier où était le billard, un escalier de bois en spirale perçant le plafond, le vin sur les tables, la fumée sur les murs, des chandelles en plein jour, voilà quel était le cabaret.

Grantaire, depuis midi, avait dépassé le vin, médiocre source de rêves. Le vin, près des ivrognes sérieux, n'a qu'un succès d'estime. Grantaire avait laissé là les bouteilles et pris la chope. La chope, c'est le gouffre. N'ayant sous la main ni opium, ni haschich, et voulant s'emplir le cerveau de crépuscule, il avait eu recours à cet effrayant mélange d'eau-de-vie, de stout et d'absinthe qui produit des léthargies si terribles.

Grantaire n'en était point encore à cette phase lugubre; loin de là. Il était prodigieusement gai, et Bossuet et Joly lui donnaient la réplique. Ils trinquaient.

Bossuet, fort ivre, avait conservé son calme.

Il s'était assis sur l'appui de la fenêtre ouverte, mouillant son dos à la pluie qui tombait, et il contemplait ses deux amis.

Tout à coup il entendit derrière lui un tumulte, des pas précipités, des cris: *Aux armes!* Il se retourna et aperçut, rue Saint-Denis, au bout de la rue de la Chanvrerie, Enjolras qui passait la carabine à la main, et Gavroche avec son pistolet, Feuilly avec son sabre, Courfeyrac avec son épée, Jean Prouvaire avec son mousqueton, Combeferre avec son fusil, Bahorel avec son fusil, et tout le rassemblement armé et orageux qui les suivait.

Bossuet improvisa avec ses deux mains un porte-voix autour de sa bouche, et cria:

– Courfeyrac! Courfeyrac! hohée!

Courfeyrac entendit l'appel, aperçut Bossuet, et fit quelques pas dans la rue de la Chanvrerie, en criant un: Que veux-tu? qui se croisa avec un: Où vas-tu?

– Faire une barricade, répondit Courfeyrac.

– Eh bien, ici ! la place est bonne ! fais-la ici !

– C'est vrai, Aigle, dit Courfeyrac.

Et sur un signe de Courfeyrac, l'attroupement se précipita rue de la Chanvrerie.

La place était en effet admirablement indiquée, l'entrée de la rue évasée, le fond rétréci et en cul-de-sac, *Corinthe* y faisant un étranglement, la rue Mondétour facile à barrer à droite et à gauche, aucune attaque possible que par la rue Saint-Denis ; c'est-à-dire de front et à découvert. Bossuet gris avait eu le coup d'œil d'Annibal à jeun.

À l'irruption du rassemblement, l'épouvante avait pris toute la rue. Pas un passant qui ne se fût éclipsé. Le temps d'un éclair, boutiques, établis, portes d'allées, fenêtres, persiennes, mansardes, volets de toute dimension, s'étaient fermés depuis les rez-de-chaussée jusque sur les toits. La maison du cabaret était seule restée ouverte ; et cela par une bonne raison, c'est que l'attroupement s'y était rué.

En quelques minutes, vingt barres de fer avaient été arrachées de la devanture grillée du cabaret, dix toises de rue avaient été dépavées ; Gavroche et Bahorel avaient saisi au passage et renversé le haquet d'un fabricant de chaux, ce haquet contenait trois barriques pleines de chaux qu'ils avaient placées sous des piles de pavés ; Enjolras avait levé la trappe de la cave et toutes les futailles vides étaient allées flanquer les barriques de chaux ; Feuilly avait contrebuté les barriques et le haquet de deux massives piles de moellons. Des poutres d'étai avaient été arrachées à la façade d'une maison voisine et couchées sur les futailles. Quand Bossuet et Courfeyrac se retournèrent, la moitié de la rue était déjà barrée d'un rempart plus haut qu'un homme. Rien n'est tel que la main populaire pour bâtir tout ce qui se bâtit en démolissant.

Un omnibus qui avait deux chevaux blancs passa au bout de la rue.

Bossuet enjamba les pavés, courut, arrêta le cocher, fit descendre les voyageurs, donna la main aux «dames», congédia le conducteur, et revint ramenant voiture et chevaux par la bride.

Un instant après, les chevaux dételés s'en allaient au hasard et l'omnibus couché sur le flanc complétait le barrage de la rue.

Enjolras, Combeferre et Courfeyrac dirigeaient tout. Maintenant deux barricades se construisaient en même temps, toutes deux appuyées à la maison de *Corinthe* et faisant équerre; la plus grande fermait la rue de la Chanvrerie, l'autre fermait la rue Mondétour. Cette dernière barricade, très étroite, n'était construite que de tonneaux et de pavés. Ils étaient là environ cinquante travailleurs; une trentaine armés de fusils; car, chemin faisant, ils avaient fait un emprunt en bloc à une boutique d'armurier.

Gavroche, complètement envolé et radieux, s'était chargé de la mise en train. Il allait, venait, montait, descendait, remontait, bruissait, étincelait. Il semblait être là pour l'encouragement de tous. Avait-il un aiguillon? oui certes, sa misère; avait-il des ailes? oui certes, sa joie. On le voyait sans cesse, on l'entendait toujours. Il remplissait l'air, étant partout à la fois. C'était une espèce d'ubiquité presque irritante; pas d'arrêt possible avec lui. L'énorme barricade le sentait sur sa croupe. Il gênait les flâneurs, il excitait les paresseux, il ranimait les fatigués, il impatientait les pensifs, mettait les uns en gaieté, les autres en haleine, les autres en colère, tous en mouvement, piquait un étudiant, mordait un ouvrier; se posait, s'arrêtait, repartait, volait au-dessus du tumulte et de l'effort, sautait de ceux-ci à ceux-là, murmurait, bourdonnait, et harcelait tout l'attelage; mouche de l'immense coche révolutionnaire.

Puis, les barricades bâties, les postes assignés, les fusils chargés, les vedettes posées, seuls dans ces rues redoutables où personne ne passait plus, entourés de ces maisons muettes et comme mortes où ne palpitait aucun mouvement humain, enveloppés des ombres croissantes du crépuscule qui commençait, au milieu de cette obscurité et de ce silence où l'on sentait s'avancer quelque chose et qui avaient je ne sais quoi de tragique et de terrifiant, isolés, armés, déterminés, tranquilles, ils attendirent.

La nuit était tout à fait tombée, rien ne venait. On n'entendait que des rumeurs confuses, et par instants des fusillades; mais rares, peu nourries et lointaines. Ce répit, qui se prolongeait, était signe que le gouvernement prenait son temps et ramassait ses forces. Ces cinquante hommes en attendaient soixante mille.

Enjolras se sentit pris de cette impatience qui saisit les âmes fortes au seuil des événements redoutables. Il alla trouver Gavroche qui s'était mis à fabriquer des cartouches dans la salle basse à la clarté douteuse de deux chandelles.

– Tu es petit, dit Enjolras, on ne te verra pas. Sors des barricades, glisse-toi le long des maisons, va un peu partout par les rues, et reviens me dire ce qui se passe.

– J'y vas! En attendant, vous voyez bien ce grand-là?

– Eh bien?

– C'est un mouchard.

Enjolras quitta vivement le gamin et murmura quelques mots très bas à un ouvrier qui se trouvait là. L'ouvrier sortit de la salle et y rentra presque tout de suite accompagné de trois autres. Les quatre hommes, quatre portefaix aux larges épaules, allèrent se placer derrière la table où était accoudé l'homme. Ils étaient visiblement prêts à se jeter sur lui.

Alors Enjolras s'approcha de l'homme et lui demanda :

– Qui êtes-vous ?

À cette question brusque, l'homme plongea son regard jusqu'au fond de la prunelle candide d'Enjolras et parut y saisir sa pensée. Il sourit d'un sourire qui était tout ce qu'on peut voir au monde de plus dédaigneux, de plus énergique et de plus résolu, et répondit avec une gravité hautaine :

– Je suis agent de l'autorité.

– Vous vous appelez ?

– Javert.

Enjolras fit signe aux quatre hommes. En un clin d'œil, Javert fut colleté, terrassé, garrotté, fouillé.

Le fouillage terminé, on redressa Javert, on lui noua les bras derrière le dos et on l'attacha au milieu de la salle basse.

Tout cela s'était exécuté si rapidement que c'était fini quand on s'en aperçut autour du cabaret.

LIVRE TREIZIÈME

Marius entre dans l'ombre

Cette voix qui à travers le crépuscule avait appelé Marius à la barricade de la rue de la Chanvrerie lui avait fait l'effet de la voix de la destinée. Il voulait mourir, l'occasion s'offrait ; il frappait à la porte du tombeau, une main dans l'ombre lui en tendait la clef. Marius écarta la grille qui l'avait tant de fois laissé passer, sortit du jardin, et dit: – Allons!

Fou de douleur, ne se sentant plus rien de fixe et de solide dans le cerveau, incapable de rien accepter désormais du sort après ces deux mois passés dans les enivrements de la jeunesse et de l'amour, accablé à la fois par toutes les rêveries du désespoir, il n'avait plus qu'un désir: en finir bien vite.

Il se mit à marcher rapidement. Il se trouvait précisément qu'il était armé, ayant sur lui les pistolets de Javert.

Un être qui eût plané sur Paris en ce moment avec l'aile de la chauve-souris ou de la chouette, eût eu sous les yeux un spectacle morne.

Le quartier investi n'était plus qu'une sorte de monstrueuse caverne; tout y paraissait endormi ou immobile.

Marius était arrivé aux Halles.

Il se sentait tout près de ce qu'il était venu chercher. Il arriva ainsi au coude de ce court tronçon de la ruelle Mondétour qui était la seule communication conservée par Enjolras avec le dehors. Au coin de la dernière maison, il avança la tête et regarda dans le tronçon Mondétour.

Un peu au-delà de l'angle noir de la ruelle et de la rue de la Chanvrerie, il aperçut quelque lueur sur les pavés, un peu du cabaret, et derrière, un lampion clignotant dans une espèce de muraille informe, et des hommes accroupis ayant des fusils sur leurs genoux. Tout cela était à dix toises de lui. C'était l'intérieur de la barricade.

Marius n'avait plus qu'un pas à faire.

Alors le malheureux jeune homme s'assit sur une borne, croisa les bras et songea à son père.

Il se dit que son jour à lui était venu aussi, que son heure avait enfin sonné, qu'après son père il allait, lui aussi, être brave, intrépide, hardi, courir au-devant des balles, offrir sa poitrine aux baïonnettes, verser son sang, chercher l'ennemi, chercher la mort, qu'il allait faire la guerre à son tour et descendre sur le champ de bataille, et que ce champ de bataille où il allait descendre, c'était la rue, et que cette guerre qu'il allait faire, c'était la guerre civile!

Il vit la guerre civile ouverte comme un gouffre devant lui et que c'était là qu'il allait tomber.

Alors il frissonna.

Tout en songeant ainsi, accablé, mais résolu, hésitant pourtant, et, en somme, frémissant devant ce qu'il allait faire, son regard errait dans l'intérieur de la barricade. Les insurgés y causaient à demi-voix, sans remuer, et l'on y sentait ce quasi-silence qui marque la dernière phase de l'attente.

LIVRE QUATORZIÈME

Les grandeurs du désespoir

Rien ne venait encore. Dix heures avaient sonné à Saint-Merry. Enjolras et Combeferre étaient allés s'asseoir, la carabine à la main, près de la coupure de la grande barricade. Ils ne se parlaient pas, ils écoutaient; cherchant à saisir même le bruit de marche le plus sourd et le plus lointain.

Subitement, au milieu de ce calme lugubre, une voix claire, jeune, gaie, qui semblait venir de la rue Saint-Denis, s'éleva et se mit à chanter.

Ils se serrèrent la main.

– C'est Gavroche, dit Enjolras.

– Il nous avertit, dit Combeferre.

Une course précipitée troubla la rue déserte ; on vit un être plus agile qu'un clown grimper par-dessus l'omnibus et Gavroche bondit dans la barricade tout essoufflé, en disant :

– Les voici.

Un frisson électrique parcourut toute la barricade et l'on entendit le mouvement des mains cherchant les fusils.

Chacun avait pris son poste de combat.

Quarante-trois insurgés, parmi lesquels Enjolras, Combeferre, Courfeyrac, Bossuet, Joly, Bahorel et Gavroche, étaient agenouillés dans la grande barricade, attentifs, muets, prêts à faire feu. Six, commandés par Feuilly, s'étaient installés, le fusil en joue, aux fenêtres des deux étages de *Corinthe*.

Quelques instants s'écoulèrent encore, puis un bruit de pas, mesuré, pesant, nombreux, se fit entendre distinctement du côté de Saint-Leu. Ce bruit, d'abord faible, puis précis, puis lourd et sonore, s'approchait lentement, sans halte, sans interruption, avec une continuité tranquille et terrible.

Tout à coup, une voix, d'autant plus sinistre qu'on ne voyait personne, et qu'il semblait que c'était l'obscurité elle-même qui parlait, cria :

– Qui vive ?

Enjolras répondit d'un accent vibrant et altier :

– Révolution française.

– Feu ! dit la voix.

Un éclair empourpra toutes les façades de la rue comme si la porte d'une fournaise s'ouvrait et se fermait brusquement.

Une effroyable détonation éclata sur la barricade. Le drapeau rouge tomba. La décharge avait été si violente et si dense qu'elle en avait coupé la hampe ; c'est-à-dire la pointe même du timon de l'omnibus. Des balles, qui avaient ricoché sur les corniches des maisons, pénétrèrent dans la barricade et blessèrent plusieurs hommes.

L'impression de cette première décharge fut glaçante. L'attaque était rude et de nature à faire songer les plus hardis. Il était évident qu'on avait au moins affaire à un régiment tout entier.

– Avant tout, dit Enjolras, relevons le drapeau !

Il ramassa le drapeau qui était précisément tombé à ses pieds.

On entendait au-dehors le choc des baguettes dans les fusils ; la troupe rechargeait les armes.

Enjolras reprit :

– Qui est-ce qui a du cœur ici ? qui est-ce qui replante le drapeau sur la barricade ?

Pas un ne répondit. Monter sur la barricade, c'était simplement la mort.

Depuis qu'on était arrivé à *Corinthe* et qu'on avait commencé à construire la barricade, on n'avait plus guère fait attention au père Mabeuf. M. Mabeuf pourtant n'avait pas quitté l'attroupement. Au moment de l'attaque, à la détonation, la secousse physique l'avait atteint et comme réveillé, il s'était levé brusquement, il avait traversé la salle et, à l'instant où Enjolras répéta son appel :

– Personne ne se présente ?

On vit le vieillard apparaître sur le seuil du cabaret.

Il marcha droit à Enjolras, les insurgés s'écartaient devant lui avec une crainte religieuse, il arracha le drapeau à Enjolras qui reculait pétrifié, et alors, sans que personne osât ni l'arrêter ni l'aider, ce vieillard de quatre-vingts ans, la tête branlante, le pied ferme, se mit à gravir lentement l'escalier de pavés pratiqué dans la barricade.

Quand il fut au haut de la dernière marche, quand ce fantôme tremblant et terrible, debout sur ce monceau de décombres, en présence de douze cents fusils, invisibles, se dressa en face de la mort et comme s'il était plus fort qu'elle, toute la barricade eut dans les ténèbres une figure surnaturelle et colossale.

Il y eut un de ces silences qui ne se font qu'autour des prodiges.

Au milieu de ce silence le vieillard agita le drapeau rouge et cria :

– Vive la république !

Une seconde décharge, pareille à une mitraille, s'abattit sur la barricade.

Le vieillard fléchit sur ses genoux, laissa échapper le drapeau et tomba en arrière à la renverse sur le pavé, comme une planche, tout de son long et les bras en croix.

Des ruisseaux de sang coulèrent de dessous lui. Sa vieille tête, pâle et triste, semblait regarder le ciel.

Enjolras se courba, souleva la tête du vieillard, et, farouche, le baisa au front, puis, lui écartant les bras, et maniant ce mort avec une précaution tendre, comme s'il eût craint de lui faire du mal, il lui ôta son habit, en montra à tous les trous sanglants et dit :

– Voilà maintenant notre drapeau.

Pendant ce temps-là, le petit Gavroche, qui seul n'avait pas quitté son poste et était resté en observation, croyait voir des hommes s'approcher à pas de loup de la barricade. Tout à coup il cria :

– Méfiez-vous !

L'instant était critique. C'était cette première redoutable minute de l'inondation, quand le fleuve se soulève au niveau de la levée et que l'eau commence à s'infiltrer par les fissures de la digue. Une seconde encore, et la barricade était prise.

Bahorel s'élança sur le premier garde municipal qui entrait et le tua à bout portant d'un coup de carabine ; le second tua Bahorel d'un coup de baïonnette. Un autre avait déjà terrassé Courfeyrac qui criait : – À moi ! Le plus grand de tous, une espèce de colosse, marchait sur Gavroche la baïonnette en avant.

Avant que la baïonnette eût touché Gavroche, le fusil échappait des mains du soldat, une balle avait frappé le garde municipal au milieu du front et il tombait sur le dos. Une seconde balle frappait en pleine poitrine l'autre garde qui avait assailli Courfeyrac, et le jetait sur le pavé.

C'était Marius qui venait d'entrer dans la barricade.

Marius avait assisté à la première phase du combat, irrésolu et frissonnant. Cependant il n'avait pu résister longtemps à ce vertige mystérieux et souverain qu'on pourrait nommer l'appel de l'abîme. Devant l'imminence du péril, devant la mort de M. Mabeuf, cette funèbre énigme, devant Bahorel tué, Courfeyrac criant : À moi ! cet enfant menacé, ses amis à secourir ou à venger, toute hésitation s'était évanouie, et il s'était rué dans la mêlée ses deux pistolets à la main. Du premier coup, il avait sauvé Gavroche et du second délivré Courfeyrac.

Marius n'avait plus d'armes, il avait jeté ses pistolets déchargés, mais il avait aperçu le baril de poudre dans la salle basse près de la porte.

Comme il se tournait à demi, regardant de ce côté, un soldat le coucha en joue. Au moment où le soldat ajustait Marius, une main se posa sur le bout du canon du fusil, et le boucha. Le coup partit, traversa la main, mais la balle n'atteignit pas Marius. Tout cela dans la fumée, plutôt entrevu que vu. Marius, qui entrait dans la salle basse, s'en aperçut à peine. Cependant il avait confusément vu ce canon de fusil dirigé sur lui et cette main qui l'avait bouché, et il avait entendu le coup.

Les insurgés, surpris, mais non effrayés, s'étaient ralliés. Enjolras avait crié :

– Attendez ! ne tirez pas au hasard !

Dans la première confusion, en effet, ils pouvaient se blesser les uns les autres. La plupart étaient montés à la fenêtre du premier étage et aux mansardes d'où ils dominaient les assaillants. Les plus déterminés, avec Enjolras, Courfeyrac, Jean Prouvaire et Combeferre, s'étaient fièrement adossés aux maisons du fond, à découvert et faisant face aux rangées de soldats et de gardes qui couronnaient la barricade.

Tout à coup, on entendit une voix tonnante qui criait :

– Allez-vous-en, ou je fais sauter la barricade !

Tous se retournèrent du côté d'où venait la voix.

Marius était entré dans la salle basse, et y avait pris le baril de poudre, puis il avait profité de la fumée et de l'espèce de brouillard obscur qui emplissait l'enceinte retranchée, pour se glisser le long de la barricade jusqu'à cette cage de pavés où était fixée la torche. En arracher la torche, y mettre le baril de poudre, pousser la pile de pavés sur le baril, qui s'était sur-le-champ défoncé, avec une sorte d'obéissance terrible, tout cela avait été pour Marius le temps de se baisser et de se relever ; et maintenant tous, gardes nationaux, gardes municipaux, officiers, soldats, pelotonnés à l'autre extrémité de la barricade, le regardaient avec stupeur le pied sur les pavés, la torche à la main, son fier visage éclairé par une résolution fatale, penchant la flamme de la torche vers ce monceau redoutable où l'on distinguait le baril de poudre brisé, et poussant ce cri terrifiant :

– Allez-vous-en, ou je fais sauter la barricade !

Marius sur cette barricade après l'octogénaire, c'était la vision de la jeune révolution après l'apparition de la vieille.

– Sauter la barricade ! dit un sergent, et toi aussi !

Marius répondit :

– Et moi aussi.

Et il approcha la torche du baril de poudre.

Mais il n'y avait déjà plus personne sur le barrage. Les assaillants, laissant leurs morts et leurs blessés, refluaient pêle-mêle et en désordre vers l'extrémité de la rue et s'y perdaient de nouveau dans la nuit. Ce fut un sauve-qui-peut.

La barricade était dégagée.

Une émotion poignante vint assombrir la joie de la barricade dégagée.

On fit l'appel. Un des insurgés manquait. Et qui ? un des plus chers. Un des plus vaillants. Jean Prouvaire. On le chercha parmi les blessés, il n'y était pas ; on le chercha parmi les morts, il n'y était pas. Il était évidemment prisonnier.

Combeferre dit à Enjolras :

– Ils ont notre ami ; nous avons leur agent. Je vais attacher mon mouchoir à ma canne, et aller en parlementaire leur offrir de leur donner leur homme pour le nôtre.

– Écoute, dit Enjolras en posant sa main sur le bras de Combeferre.

Il y avait au bout de la rue un cliquetis d'armes significatif.

On entendit une voix mâle crier:
– Vive la France! vive l'avenir!
On reconnut la voix de Prouvaire.
Un éclair passa et une détonation éclata.
Le silence se refit.
– Ils l'ont tué, s'écria Combeferre.
Enjolras regarda Javert et lui dit:
– Tes amis viennent de te fusiller.

Une singularité de ce genre de guerre, c'est que l'attaque des barricades se fait presque toujours de front, et qu'en général les assaillants s'abstiennent de tourner les positions, soit qu'ils redoutent des embuscades, soit qu'ils craignent de s'engager dans des rues tortueuses. Toute l'attention des insurgés se portait donc du côté de la grande barricade. Marius pourtant songea à la petite barricade et y alla.

Comme Marius, l'inspection faite, se retirait, il entendit son nom prononcé faiblement dans l'obscurité

– Monsieur Marius!

Il se courba et vit dans l'ombre une forme qui se traînait vers lui.

– Vous ne me reconnaissez pas?

– Non.

– Éponine.

Marius se baissa vivement. C'était en effet cette malheureuse enfant. Elle était habillée en homme.

– Comment êtes-vous ici? que faites-vous là?

– Je meurs, lui dit-elle.

Il essaya de passer son bras sous elle pour la soulever.

En la soulevant, il rencontra sa main.

Elle poussa un cri faible.

Elle leva sa main vers le regard de Marius, et Marius au milieu de cette main vit un trou noir.

– Qu'avez-vous donc à la main ? dit-il.

– Elle est percée. Avez-vous vu un fusil qui vous couchait en joue ?

– Oui, et une main qui l'a bouché.

– C'était la mienne.

Marius eut un frémissement.

– Quelle folie ! Pauvre enfant ! Mais tant mieux, si c'est cela, ce n'est rien, laissez-moi vous porter sur un lit. On va vous panser, on ne meurt pas d'une main percée.

Elle murmura :

– La balle a traversé la main, mais elle est sortie par le dos. C'est inutile de m'ôter d'ici.

Elle avait un air insensé, grave et navrant. Sa blouse déchirée montrait sa gorge nue. Elle appuyait en parlant sa main percée sur sa poitrine où il y avait un autre trou, et d'où il sortait par instants un flot de sang.

En ce moment la voix de jeune coq du petit Gavroche retentit dans la barricade. Éponine se souleva et écouta, puis elle murmura :

– Mon frère est là. Il ne faut pas qu'il me voie. Il me gronderait.

– Votre frère ? demanda Marius qui songeait dans le plus amer et le plus douloureux de son cœur aux devoirs que son père lui avait légués envers les Thénardier, qui est votre frère ?

– Ce petit.

– Celui qui chante ?

– Oui.

Elle ajouta avec une expression étrange :

– Écoutez, je ne veux pas vous faire une farce. J'ai dans

ma poche une lettre pour vous. Depuis hier. On m'avait dit de la mettre à la poste. Je l'ai gardée. Je ne voulais pas qu'elle vous parvînt.

Elle mit la main de Marius dans la poche de sa blouse. Marius y sentit en effet un papier.

– Prenez, dit-elle.

Marius prit la lettre.

Elle fit un signe de satisfaction et de consentement.

– Tenez, monsieur Marius, je crois que j'étais un peu amoureuse de vous.

Elle essaya de sourire et expira.

Le cœur de l'homme est ainsi fait, l'infortunée enfant avait à peine fermé les yeux que Marius songeait à déplier ce papier. Il la reposa doucement sur la terre et s'en alla. Quelque chose lui disait qu'il ne pouvait lire cette lettre devant ce cadavre.

Il s'approcha d'une chandelle dans la salle basse.

À monsieur, monsieur Marius Pontmercy, chez M. Courfeyrac, rue de la Verrerie, n° 16.

Il défit le cachet, et lut :

Mon bien-aimé, hélas ! mon père veut que nous partions tout de suite. Nous serons ce soir rue de l'Homme-Armé, n° 7. Dans huit jours nous serons à Londres. COSETTE. 4 juin.

Ce qui s'était passé peut être dit en quelques mots. Éponine avait tout fait. Elle avait changé de guenilles avec le premier jeune drôle venu qui avait trouvé amusant de s'habiller en femme pendant qu'Éponine se déguisait en homme.

Cosette avait aperçu à travers la grille Éponine en habits

d'homme, qui rôdait maintenant sans cesse autour du jardin. Cosette avait appelé ce «jeune ouvrier» et lui avait remis cinq francs et la lettre, en lui disant:

– Portez cette lettre tout de suite à son adresse.

Éponine avait mis la lettre dans sa poche. Le lendemain 5 juin, elle était allée chez Courfeyrac demander Marius, non pour lui remettre la lettre, mais, chose que toute âme jalouse et aimante comprendra, pour «voir». Là elle avait attendu Marius, ou au moins Courfeyrac – toujours pour voir. Quand Courfeyrac lui avait dit: – Nous allons aux barricades, une idée lui avait traversé l'esprit. Se jeter dans cette mort-là comme elle se serait jetée dans toute autre, et y pousser Marius. Elle comptait sur le désespoir de Marius quand il ne trouverait pas Cosette; elle ne se trompait pas. Elle était retournée de son côté rue de la Chanvrerie. On vient de voir ce qu'elle y avait fait. Elle était morte avec cette joie tragique des cœurs jaloux qui entraînent l'être aimé dans leur mort, et qui disent: «Personne ne l'aura!»

Marius couvrit de baisers la lettre de Cosette. Elle l'aimait donc! Il eut un instant l'idée qu'il ne devait plus mourir. Puis il se dit: «Elle part. Son père l'emmène en Angleterre et mon grand-père se refuse au mariage. Rien n'est changé dans la fatalité.» Alors il songea qu'il lui restait deux devoirs à accomplir: informer Cosette de sa mort et lui envoyer un suprême adieu, et sauver de la catastrophe imminente qui se préparait ce pauvre enfant, frère d'Éponine et fils de Thénardier.

Il avait sur lui un portefeuille. Il en arracha une feuille et écrivit au crayon ces quelques lignes:

Notre mariage était impossible. J'ai demandé à mon grand-père, il a refusé; je suis sans fortune, et toi aussi. J'ai couru chez toi, je ne t'ai plus trouvée; tu sais la parole que je t'avais donnée, je la tiens. Je meurs. Je t'aime. Quand tu liras ceci, mon âme sera près de toi, et te sourira.

N'ayant rien pour cacheter cette lettre, il se borna à plier le papier en quatre et y mit cette adresse:

À mademoiselle Cosette Fauchelevent, chez M. Fauchelevent, rue de l'Homme-Armé, n° 7.

La lettre pliée, il demeura un moment pensif, reprit son portefeuille, l'ouvrit, et écrivit avec le même crayon sur la première page ces quatre lignes:

Je m'appelle Marius Pontmercy. Porter mon cadavre chez mon grand-père, M. Gillenormand, rue des Filles-du-Calvaire, n° 6, au Marais.

Il remit le portefeuille dans la poche de son habit, puis il appela Gavroche. Le gamin, à la voix de Marius, accourut avec sa mine joyeuse et dévouée.

– Veux-tu faire quelque chose pour moi?

– Tout, dit Gavroche. Dieu du bon Dieu! sans vous, vrai, j'étais cuit.

– Tu vois bien cette lettre? Prends-la. Sors de la barricade sur-le-champ, et demain matin tu la remettras à son adresse, à Mlle Cosette, chez M. Fauchelevent, rue de l'Homme-Armé, numéro 7.

L'héroïque enfant répondit:

– Ah bien, mais pendant ce temps-là, on prendra la barricade, et je n'y serai pas.

– La barricade ne sera plus attaquée qu'au point du jour selon toute apparence et ne sera pas prise avant demain midi.

Gavroche ne trouva rien à répliquer, il restait là, indécis, et se grattant l'oreille tristement. Tout à coup, avec un de ces mouvements d'oiseau qu'il avait, il prit la lettre et il partit en courant par la ruelle Mondétour.

Gavroche avait eu une idée qui l'avait déterminé, mais qu'il n'avait pas dite, de peur que Marius n'y fît quelque objection. Cette idée, la voici :

« Il est à peine minuit, la rue de l'Homme-Armé n'est pas loin, je vais porter la lettre tout de suite, et je serai revenu à temps. »

LIVRE QUINZIÈME

La rue de l'Homme-Armé

Le logement de la rue de l'Homme-Armé était situé dans une arrière-cour, à un deuxième étage, et composé de deux chambres à coucher, d'une salle à manger et d'une cuisine.

À peine Jean Valjean fut-il rue de l'Homme-Armé que son anxiété s'éclaircit, et, par degrés, se dissipa.

Avoir quitté la rue Plumet sans complication et sans incident, c'était déjà un bon pas de fait. Peut-être serait-il sage de se dépayser, ne fût-ce que pour quelques mois, et d'aller à Londres. Eh bien, on irait. Être en France, être en Angleterre, qu'est-ce que cela faisait, pourvu qu'il eût près de lui Cosette ? Cosette était sa nation. Cosette suffisait à son bonheur ; l'idée qu'il ne suffisait peut-être pas, lui, au bonheur de Cosette, cette idée, qui avait été autrefois sa fièvre et son insomnie, ne se présentait même pas à son esprit.

Tout en marchant de long en large à pas lents, son regard rencontra tout à coup quelque chose d'étrange.

Il aperçut en face de lui, dans le miroir incliné qui surmontait le buffet. et il lut distinctement les quatre lignes que voici.

Mon bien-aimé, hélas ! mon père veut que nous partions tout de suite. Nous serons ce soir rue de l'Homme-Armé, n° 7. Dans huit jours nous serons à Londres. COSETTE. 4 juin.

Jean Valjean s'arrêta, hagard.

Cosette avait posé son buvard sur le buffet devant le miroir, et, toute à sa douloureuse angoisse, l'avait oublié là.

L'écriture s'était imprimée sur le buvard.

Le miroir reflétait l'écriture.

Jean Valjean chancela et s'affaissa dans le vieux fauteuil à côté du buffet, la tête tombante, la prunelle vitreuse, égaré. Il se dit que c'était évident, et que la lumière du monde était à jamais éclipsée, et que Cosette avait écrit cela à quelqu'un. Alors il entendit son âme, redevenue terrible, pousser dans les ténèbres un sourd rugissement. Allez donc ôter au lion le chien qu'il a dans sa cage !

Qu'on se rappelle cette situation de cœur que nous avons indiquée déjà. Aucun mariage n'était possible entre eux ; pas même celui des âmes ; et cependant il est certain que leurs destinées s'étaient épousées. Excepté Cosette, c'est-à-dire excepté une enfance, Jean Valjean n'avait, dans toute sa longue vie, rien connu de ce qu'on peut aimer. Père étrange forgé de l'aïeul, du fils, du frère et du mari ; père dans lequel il y avait même une mère ; père qui aimait Cosette et qui l'adorait, et qui avait cette enfant pour lumière, pour demeure, pour famille, pour patrie, pour paradis.

Aussi quand il vit qu'elle lui échappait, qu'elle glissait de ses mains, qu'elle se dérobait, que c'était du nuage, que c'était de l'eau, la douleur qu'il éprouva dépassa le possible.

Il y a tel mouvement machinal qui nous vient, à notre insu même, de notre pensée la plus profonde. Ce fut sans doute sous l'impulsion d'un mouvement de ce genre que Jean Valjean se trouva cinq minutes après dans la rue.

Il était nu-tête, assis sur la borne de la porte de sa maison.

La nuit était venue.

Tout à coup il leva les yeux; à la lueur du réverbère, il aperçut une figure livide, jeune et radieuse.

Gavroche venait d'arriver rue de l'Homme-Armé.

Jean Valjean se sentit irrésistiblement poussé à adresser la parole à cet enfant.

– Petit, dit-il, qu'est-ce que tu as?

– J'ai que j'ai faim, répondit Gavroche nettement. Et il ajouta: Petit vous-même.

Jean Valjean fouilla dans son gousset et en tira une pièce de cinq francs.

Gavroche leva le nez, étonné de la grandeur de ce gros sou. Il connaissait les pièces de cinq francs par ouï-dire; leur réputation lui était agréable; il fut charmé d'en voir une de près.

– Vous êtes un brave homme, dit Gavroche. Pourriez-vous m'indiquer le numéro 7?

– Pour quoi faire, le numéro 7?

Ici l'enfant s'arrêta, il craignit d'en avoir trop dit.

Une idée traversa l'esprit de Jean Valjean. L'angoisse a de ces lucidités-là. Il dit à l'enfant:

– Est-ce que c'est toi qui m'apportes la lettre que j'attends?

– Vous? dit Gavroche. Vous n'êtes pas une femme.

– La lettre est pour Mlle Cosette, n'est-ce pas?

– Cosette? grommela Gavroche. Oui, je crois que c'est ce drôle de nom-là.

– Eh bien, reprit Jean Valjean, c'est moi qui dois lui remettre la lettre. Donne.

Gavroche engloutit son poing dans une de ses poches et en tira un papier plié en quatre.

Il remit le papier à Jean Valjean.

– Et dépêchez-vous, monsieur Chose, puisque mam'selle Chosette attend.

Jean Valjean rentra avec la lettre de Marius.

Dans les émotions violentes, on ne lit pas, on terrasse pour ainsi dire le papier qu'on tient, on l'étreint comme une victime, on enfonce dedans les ongles de sa colère ou de son allégresse; l'attention a la fièvre; elle comprend en gros, à peu près, l'essentiel. Dans le billet de Marius à Cosette, Jean Valjean ne vit que ces mots:

... Je meurs. Quand tu liras ceci, mon âme sera près de toi.

En présence de ces deux lignes, il eut un éblouissement horrible.

La concurrence cessait; l'avenir recommençait. Il n'avait qu'à garder ce billet dans sa poche. Cosette ne saurait jamais ce que «cet homme» était devenu. Tout cela dit en lui-même, il devint sombre. Environ une heure après, Jean Valjean sortait.

Il avait un fusil chargé et une giberne pleine de cartouches. Il se dirigea du côté des Halles.

Cinquième partie

Jean Valjean

LIVRE PREMIER

La guerre entre quatre murs

La barricade avait été augmentée. On l'avait exhaussée de deux pieds. Toutes sortes de décombres ajoutés et apportés de toutes parts compliquaient l'enchevêtrement extérieur.

Enjolras était allé faire une reconnaissance.

Les insurgés étaient pleins d'espoir. La façon dont ils avaient repoussé l'attaque de la nuit leur faisait presque dédaigner d'avance l'attaque du point du jour. Ils l'attendaient et en souriaient. Ils ne doutaient pas plus de leur succès que de leur cause. D'ailleurs un secours allait évidemment leur venir. À six heures du matin, un régiment, qu'on avait « travaillé », tournerait ; à midi, l'insurrection de tout Paris ; au coucher du soleil, la Révolution.

Toutes ces espérances s'échangeaient d'un groupe à l'autre dans une sorte de chuchotement gai et redoutable qui ressemblait au bourdonnement de guerre d'une ruche d'abeilles.

Enjolras reparut. Il revenait de sa sombre promenade d'aigle dans l'obscurité extérieure. Il écouta un instant toute cette joie les bras croisés, une main sur sa bouche. Puis, frais et rose dans la blancheur grandissante du matin, il dit :

– Toute l'armée de Paris donne. Vous serez attaqués dans une heure. Quant au peuple, il a bouillonné hier, mais ce matin il ne bouge pas. Rien à attendre, rien à espérer. Pas plus un faubourg qu'un régiment. Vous êtes abandonnés.

Ces paroles tombèrent sur le bourdonnement des groupes, et y firent l'effet que fait sur un essaim la première goutte de l'orage. Tous restèrent muets. Il y eut un moment d'inexprimable silence où l'on eût entendu voler la mort.

Ce moment fut court.

De toutes les bouches sortit un cri étrangement satisfait et terrible, funèbre par le sens et triomphal par l'accent :

– Vive la mort ! Restons ici, tous.

Sur l'ordre d'Enjolras, quatre insurgés délièrent Javert. Tandis qu'on le déliait, un cinquième lui tenait une baïonnette appuyée sur la poitrine. On lui laissa les mains attachées derrière le dos, on lui mit aux pieds une corde à fouet mince et solide qui lui permettait de faire des pas de quinze pouces comme à ceux qui vont monter à l'échafaud, et on le fit marcher jusqu'à la table au fond de la salle où on l'étendit, étroitement lié par le milieu du corps.

Pour plus de sûreté, au moyen d'une corde fixée au cou, on ajouta au système de ligatures qui lui rendait toute évasion impossible, cette espèce de lien, appelé dans les prisons martingale, qui part de la nuque, se bifurque sur l'estomac, et vient rejoindre les mains après avoir passé entre les jambes.

Pendant qu'on garrottait Javert, un homme, sur le seuil de

la porte, le considérait avec une attention singulière. L'ombre que faisait cet homme fit tourner la tête à Javert. Il leva les yeux et reconnut Jean Valjean. Il ne tressaillit même pas, abaissa fièrement la paupière, et se borna à dire :

– C'est tout simple.

Le jour croissait rapidement. Mais pas une fenêtre ne s'ouvrait, pas une porte ne s'entrebâillait ; c'était l'aurore, non le réveil.

On ne voyait rien, mais on entendait. Il se faisait à une certaine distance un mouvement mystérieux. Il était évident que l'instant critique arrivait.

L'attente ne fut pas longue. Le remuement recommença distinctement du côté de Saint-Leu, mais cela ne ressemblait pas au mouvement de la première attaque. Un clapotement de chaînes, le cahotement inquiétant d'une masse, un cliquetis d'airain sautant sur le pavé, une sorte de fracas solennel annoncèrent qu'une ferraille sinistre s'approchait.

Une pièce de canon apparut.

– Feu ! cria Enjolras.

Toute la barricade fit feu, la détonation fut effroyable ; une avalanche de fumée couvrit et effaça la pièce et les hommes ; après quelques secondes, le nuage se dissipa, et le canon et les hommes reparurent.

– Rechargez les armes, dit Enjolras.

De quelle façon le revêtement de la barricade allait-il se comporter sous le boulet ? le coup ferait-il brèche ? Là était la question. Pendant que les insurgés rechargeaient les fusils, les artilleurs chargeaient le canon.

L'anxiété était profonde dans la redoute.

Le coup partit, la détonation éclata.

– Présent ! cria une voix joyeuse.

Et en même temps que le boulet sur la barricade, Gavroche s'abattit dedans.

Gavroche fit plus d'effet dans la barricade que le boulet.

Le boulet s'était perdu dans le fouillis des décombres.

On entoura Gavroche.

Marius, frissonnant, le prit à part.

– Qu'est-ce qui te disait de revenir ? As-tu au moins remis ma lettre à son adresse ?

– Citoyen, j'ai remis la lettre au portier. La dame dormait. Elle aura la lettre en se réveillant.

Marius, en envoyant cette lettre, avait deux buts : dire adieu à Cosette et sauver Gavroche. Il dut se contenter de la moitié de ce qu'il voulait.

Gavroche prévint les « camarades », comme il les appelait, que la barricade était bloquée. Il avait eu grand-peine à arriver. Un bataillon de ligne, dont les faisceaux étaient dans la Petite-Truanderie, observait le côté de la rue du Cygne ; du côté opposé, la garde municipale occupait la rue des Prêcheurs. En face, on avait le gros de l'armée.

Les avis se croisaient dans la barricade. Le tir de la pièce allait recommencer. On n'en avait pas pour un quart d'heure avec cette mitraille. Il était absolument nécessaire d'amortir les coups.

Enjolras jeta ce commandement :

– Il faut mettre là un matelas.

À l'arrivée du rassemblement rue de la Chanvrerie, une vieille femme, prévoyant les balles, avait mis son matelas devant sa fenêtre. Cette fenêtre, fenêtre de grenier, était sur le toit d'une maison à six étages située un peu en dehors de la barricade. Le matelas, posé en travers, appuyé par le bas sur deux perches à sécher le linge, était soutenu en haut par deux cordes qui, de loin, semblaient deux ficelles et qui se rattachaient à des clous plantés dans les chambranles de la mansarde. On voyait ces deux cordes distinctement sur le ciel comme des cheveux.

– Quelqu'un peut-il me prêter une carabine à deux coups? dit Jean Valjean.

Enjolras, qui venait de recharger la sienne, la lui tendit.

Jean Valjean ajusta la mansarde et tira.

Une des deux cordes du matelas était coupée.

Le matelas ne pendait plus que par un fil.

Jean Valjean lâcha le second coup. Le matelas glissa entre les deux perches et tomba dans la rue.

La barricade applaudit.

Toutes les voix crièrent:

– Voilà un matelas.

– Oui, dit Combeferre, mais qui l'ira chercher?

Le matelas en effet était tombé en dehors de la barricade, entre les assiégés et les assiégeants.

Jean Valjean sortit de la coupure, entra dans la rue, traversa l'orage de balles, alla au matelas, le ramassa, le chargea sur son dos, et revint dans la barricade.

Lui-même mit le matelas dans la coupure. Il l'y fixa contre le mur de façon que les artilleurs ne le vissent pas.

Cela fait, on attendit le coup de mitraille.

Il ne tarda pas.

Le canon vomit avec un rugissement son paquet de chevrotines. Mais il n'y eut pas de ricochet. La mitraille avorta sur le matelas. L'effet prévu était obtenu. La barricade était préservée.

– Citoyen, dit Enjolras à Jean Valjean, la république vous remercie.

Le feu des assaillants continuait. La mousqueterie et la mitraille alternaient, sans grand ravage à la vérité. Le haut de la façade de *Corinthe* souffrait seul ; la croisée du premier étage et les mansardes du toit, criblées de chevrotines et de biscaïens, se déformaient lentement. Les combattants qui s'y étaient postés avaient dû s'effacer. Du reste, ceci est une tactique de l'attaque des barricades ; tirailler longtemps, afin d'épuiser les munitions des insurgés, s'ils font la faute de répliquer. Quand on s'aperçoit, au ralentissement de leur feu, qu'ils n'ont plus ni balles ni poudre, on donne l'assaut.

La barricade, qui se taisait depuis si longtemps, fit feu éperdument ; sept ou huit décharges se succédèrent avec une sorte de rage et de joie.

– Voilà qui va bien, dit Bossuet à Enjolras. Succès.

Enjolras hocha la tête et répondit :

– Encore un quart d'heure de ce succès, et il n'y aura plus dix cartouches dans la barricade.

Il paraît que Gavroche entendit ce mot.

Courfeyrac tout à coup aperçut quelqu'un au bas de la barricade, dehors, dans la rue, sous les balles.

Gavroche avait pris un panier à bouteilles dans le cabaret, était sorti par la coupure, et était paisiblement occupé à vider dans son panier les gibernes pleines de cartouches des gardes nationaux tués sur le talus de la redoute.

Au moment où Gavroche débarrassait de ses cartouches un sergent gisant près d'une borne, une balle frappa le cadavre.

– Fichtre ! fit Gavroche. Voilà qu'on me tue mes morts.

Une deuxième balle fit étinceler le pavé à côté de lui. Une troisième renversa son panier.

Gavroche regarda, et vit que cela venait de la banlieue.

Il se dressa tout droit, debout, les cheveux au vent, les mains sur les hanches, l'œil fixé sur les gardes nationaux qui tiraient, et il chanta :

On est laid à Nanterre,
C'est la faute à Voltaire,
Et bête à Palaiseau,
C'est la faute à Rousseau.

Puis il ramassa son panier, y remit, sans en perdre une seule, les cartouches qui en étaient tombées, et, avançant vers la fusillade, alla dépouiller une autre giberne. Là une quatrième balle le manqua encore. Gavroche chanta :

Je ne suis pas notaire,
C'est la faute à Voltaire
Je suis petit oiseau,
C'est la faute à Rousseau.

Une cinquième balle ne réussit qu'à tirer de lui un troisième couplet :

Joie est mon caractère,
C'est la faute à Voltaire,
Misère est mon trousseau.
C'est la faute à Rousseau.

Cela continua ainsi quelque temps.

Le spectacle était épouvantable et charmant. Gavroche, fusillé, taquinait la fusillade. Il avait l'air de s'amuser beaucoup. C'était le moineau becquetant les chasseurs. Il répondait à chaque décharge par un couplet. On le visait sans cesse, on le manquait toujours. Les gardes nationaux et les soldats riaient en l'ajustant. Il se couchait, puis se redressait, s'effaçait dans un coin de porte, puis bondissait, disparaissait, reparaissait, se sauvait, revenait, ripostait à la mitraille par des pieds de nez, et cependant pillait les cartouches, vidait les gibernes et remplissait son panier. La barricade tremblait ; lui, il chantait. Ce n'était pas un enfant, ce n'était pas un homme ; c'était un étrange gamin fée. On eût dit le nain invulnérable de la mêlée. Les balles couraient après lui, il était plus leste qu'elles. Il jouait on ne sait quel effrayant jeu de cache-cache avec la mort ; chaque fois que la face camarde du spectre s'approchait, le gamin lui donnait une pichenette.

Une balle pourtant, mieux ajustée ou plus traître que les autres, finit par atteindre l'enfant feu follet. On vit Gavroche chanceler, puis il s'affaissa. Toute la barricade poussa un cri ; mais il y avait de l'Antée dans ce pygmée ; pour le gamin, toucher le pavé, c'est comme pour le géant toucher la terre ; Gavroche n'était tombé que pour se redresser ; il resta assis sur son séant, un long filet de sang rayait son visage, il éleva ses deux bras en l'air, regarda du côté d'où était venu le coup, et se mit à chanter :

Je suis tombé par terre
C'est la faute à Voltaire
Le nez dans le ruisseau,
C'est la faute à Rousseau.

Il n'acheva point. Une seconde balle du même tireur l'arrêta court. Cette fois il s'abattit la face contre le pavé, et ne remua plus. Cette petite grande âme venait de s'envoler.

Marius s'était élancé hors de la barricade. Combeferre l'avait suivi. Mais il était trop tard. Gavroche était mort. Combeferre rapporta le panier de cartouches; Marius rapporta l'enfant.

Hélas! pensait-il, ce que le père avait fait pour son père, il le rendait au fils; seulement Thénardier avait rapporté son père vivant; lui, il rapportait l'enfant mort.

Quand Marius rentra dans la redoute avec Gavroche dans ses bras, il avait, comme l'enfant, le visage inondé de sang.

À l'instant où il s'était baissé pour ramasser Gavroche, une balle lui avait effleuré le crâne; il ne s'en était pas aperçu.

Courfeyrac défit sa cravate et en banda le front de Marius.

On déposa Gavroche sur la même table que Mabeuf, et l'on étendit sur les deux corps un châle noir. Il y en eut assez pour le vieillard et pour l'enfant.

Combeferre distribua les cartouches du panier qu'il avait rapportées.

Cela donnait à chaque homme quinze coups à tirer.

Tout à coup, entre deux décharges, on entendit le son lointain d'une heure qui sonnait.

– C'est midi, dit Combeferre.

Les douze coups n'étaient pas sonnés qu'Enjolras jetait du haut de la barricade cette clameur tonnante:

– Montez des pavés dans la maison. Garnissez-en le rebord de la fenêtre et des mansardes. La moitié des hommes aux fusils, l'autre moitié aux pavés. Pas une minute à perdre.

Ces dispositions faites, il se tourna vers Javert, et lui dit:

– Je ne t'oublie pas. Et, posant sur la table un pistolet, il ajouta: Le dernier qui sortira d'ici cassera la tête à cet espion.

Ici Jean Valjean apparut.

– Vous m'avez remercié tout à l'heure.

– Au nom de la république. La barricade a deux sauveurs, Marius Pontmercy et vous.

– Pensez-vous que je mérite une récompense ?

– Certes.

– Eh bien, j'en demande une. Brûler moi-même la cervelle à cet homme-là.

Javert leva la tête, vit Jean Valjean, eut un mouvement imperceptible, et dit :

– C'est juste.

Presque au même instant, on entendit une sonnerie de clairon.

– Alerte ! cria Marius du haut de la barricade.

Les insurgés s'élancèrent en tumulte, et, en sortant, reçurent dans le dos, qu'on nous passe l'expression, cette parole de Javert :

– À tout à l'heure !

Quand Jean Valjean fut seul avec Javert, il défit la corde qui assujettissait le prisonnier par le milieu du corps. Après quoi, il lui fit signe de se lever.

Javert obéit, avec cet indéfinissable sourire où se condense la suprématie de l'autorité enchaînée.

Jean Valjean prit Javert par la martingale comme on prendrait une bête de somme par la bricole, et, l'entraînant après lui, sortit du cabaret, lentement, car Javert, entravé aux jambes, ne pouvait faire que de très petits pas.

Jean Valjean avait le pistolet au poing.

Il fit escalader, avec quelque peine, à Javert garrotté, mais sans le lâcher un seul instant, le petit retranchement de la ruelle Mondétour.

Quand ils eurent enjambé ce barrage, ils se trouvèrent seuls dans la ruelle. Personne ne les voyait plus.

Jean Valjean mit le pistolet sous son bras, tira de son gousset un couteau, et l'ouvrit.

– Un surin! s'écria Javert Cela te convient mieux.

Jean Valjean coupa la martingale que Javert avait au cou, puis il coupa les cordes qu'il avait aux poignets, puis, se baissant, il coupa la ficelle qu'il avait aux pieds; et, se redressant, il lui dit:

– Vous êtes libre, je ne crois pas que je sorte d'ici. Pourtant, si, par hasard, j'en sortais, je demeure sous le nom de Fauchelevent, rue de l'Homme-Armé, numéro 7.

Javert eut un froncement de tigre qui lui entrouvrit un coin de la bouche, et il murmura entre ses dents:

– Prends garde. Tu as dit Fauchelevent, rue de l'Homme-Armé?

– Numéro 7.

Javert répéta à demi-voix:

– Numéro 7.

Il reboutonna sa redingote, remit de la roideur militaire entre ses deux épaules, fit demi-tour, et se mit à marcher dans la direction des Halles. Jean Valjean le suivait des yeux. Après quelques pas, Javert se retourna et cria à Jean Valjean:

– Vous m'ennuyez. Tuez-moi plutôt.

Javert ne s'apercevait pas lui-même qu'il ne tutoyait plus Jean Valjean.

– Allez-vous-en, dit Jean Valjean.

Javert s'éloigna à pas lents. Un moment après, il tourna l'angle de la rue des Prêcheurs.

Quand Javert eut disparu, Jean Valjean déchargea le pistolet en l'air. Puis il rentra dans la barricade et dit:

– C'est fait.

L'agonie de la barricade allait commencer.

C'est toujours à ses risques et périls que l'utopie se transforme en insurrection, et se fait de protestation philosophique protestation armée. L'utopie qui s'impatiente et devient émeute sait ce qui l'attend ; presque toujours elle arrive trop tôt. Alors elle se résigne, et accepte stoïquement, au lieu du triomphe, la catastrophe.

Une bataille comme celle que nous racontons en ce moment n'est autre chose qu'une convulsion vers l'idéal. Le progrès entravé est maladif, et il a de ces tragiques épilepsies. Cette maladie du progrès, la guerre civile, nous avons dû la rencontrer sur notre passage. C'est là une des phases fatales, à la fois acte et entracte, de ce drame dont le pivot est un damné social, et dont le titre véritable est *le Progrès*.

Le livre que le lecteur a sous les yeux, c'est, d'un bout à l'autre, dans son ensemble et dans ses détails, quelles que soient les intermittences, les exceptions ou les défaillances, la marche du mal au bien, de l'injuste au juste, du faux au vrai, de la nuit au jour, de l'appétit à la conscience, de la pourriture à la vie, de la bestialité au devoir, de l'enfer au ciel, du néant à Dieu. Point de départ : la matière ; point d'arrivée : l'âme. L'hydre au commencement, l'ange à la fin.

Tout à coup le tambour battit la charge.

L'attaque fut l'ouragan. Une puissante colonne d'infanterie de ligne déboucha dans la rue au pas de course, tambour battant, clairon sonnant, baïonnettes croisées, sapeurs en tête, et, imperturbable sous les projectiles, arriva droit sur la barricade avec le poids d'une poutre d'airain sur un mur.

Le mur tint bon.

Les insurgés firent feu impétueusement. La barricade escaladée eut une crinière d'éclairs. L'assaut fut si forcené qu'elle fut un moment inondée d'assaillants; mais elle secoua les soldats ainsi que le lion les chiens, et elle ne se couvrit d'assiégeants que comme la falaise d'écume, pour reparaître l'instant d'après, escarpée, noire et formidable.

Les assauts se succédèrent. L'horreur alla grandissant.

Alors éclata sur ce tas de pavés, dans cette rue de la Chanvrerie, une lutte digne d'une muraille de Troie. Ces hommes hâves, déguenillés, épuisés, qui n'avaient pas mangé depuis vingt-quatre heures, qui n'avaient pas dormi, qui n'avaient plus que quelques coups à tirer, presque tous blessés, la tête ou le bras bandé d'un linge rouillé et noirâtre, ayant dans leurs habits des trous d'où le sang coulait, à peine armés de mauvais fusils et de vieux sabres ébréchés, devinrent des Titans. La barricade fut dix fois abordée, assaillie, escaladée, et jamais prise.

On se battait corps à corps, pied à pied, à coups de pistolet, à coups de sabre, à coups de poing, de loin, de près, d'en haut, d'en bas, de partout, des toits de la maison, des fenêtres du cabaret, des soupiraux des caves où quelques-uns s'étaient glissés. Bossuet fut tué; Feuilly fut tué; Courfeyrac fut tué; Joly fut tué; Combeferre traversé de trois coups de baïonnette dans la poitrine au moment où il relevait un soldat blessé, n'eut que le temps de regarder le ciel, et expira.

Marius, toujours combattant, était si criblé de blessures, particulièrement à la tête, que son visage disparaissait dans le sang et qu'on eût dit qu'il avait la face couverte d'un mouchoir rouge.

Enjolras seul n'était pas atteint. Quand il n'avait plus d'arme, il tendait la main à droite ou à gauche et un insurgé lui mettait une arme quelconque au poing.

Quand il n'y eut plus de chefs vivants qu'Enjolras et Marius aux deux extrémités de la barricade, le centre, qu'avaient si longtemps soutenu Courfeyrac, Joly, Bossuet, Feuilly et Combeferre, plia.

Un suprême assaut y fut tenté et cet assaut réussit.

Alors le sombre amour de la vie se réveilla chez quelques-uns. Couchés en joue par cette forêt de fusils, plusieurs ne voulurent plus mourir. C'est là une minute où l'instinct de la conservation pousse des hurlements et où la bête reparaît dans l'homme. Ils étaient acculés à la haute maison qui faisait le fond de la redoute. Cette maison pouvait être le salut. En arrière, il y avait les rues, la fuite possible, l'espace. Ils se mirent à frapper contre cette porte à coups de crosse et à coups de pied, appelant, criant, suppliant, joignant les mains. Personne n'ouvrit.

Mais Enjolras et Marius, et sept ou huit ralliés autour d'eux, s'étaient élancés et les protégeaient. Enjolras avait crié aux soldats : – N'avancez pas ! et un officier n'ayant pas obéi, Enjolras avait tué l'officier. Il était maintenant dans la petite cour intérieure de la redoute, adossé à la maison de *Corinthe*, l'épée d'une main, la carabine de l'autre, tenant ouverte la porte du cabaret qu'il barrait aux assaillants.

Tous s'y précipitèrent.

Marius était resté dehors. Un coup de feu venait de lui casser la clavicule ; il sentit qu'il s'évanouissait et qu'il tombait. En ce moment, les yeux déjà fermés, il eut la commotion d'une main vigoureuse qui le saisissait, et son évanouissement lui laissa à peine le temps de cette pensée : « Je suis fait prisonnier. Je serai fusillé. »

Quand la porte fut barricadée, Enjolras dit aux autres :

– Vendons-nous cher.

Les assaillants, en se ruant dans le cabaret, les pieds embarrassés dans les panneaux de la porte enfoncée et jetée à terre, n'y trouvèrent pas un combattant. L'escalier en spirale, coupé à coups de hache, gisait au milieu de la salle basse, quelques blessés achevaient d'expirer, tout ce qui n'était pas tué était au premier étage, et là, par le trou du plafond, qui avait été l'entrée de l'escalier, un feu terrifiant éclata. C'étaient les dernières cartouches.

Le rebord du trou du plafond fut bientôt entouré de têtes mortes d'où ruisselaient de longs fils rouges et fumants. Le fracas était inexprimable ; une fumée enfermée et brûlante faisait presque la nuit sur ce combat. Les mots manquent pour dire l'horreur arrivée à ce degré.

Enfin, se faisant la courte échelle, s'aidant du squelette de l'escalier, grimpant aux murs, s'accrochant au plafond, écharpant, au bord de la trappe même, les derniers qui résistaient, une vingtaine d'assiégeants, soldats, gardes nationaux, gardes municipaux, pêle-mêle, la plupart défigurés par des blessures au visage dans cette ascension redoutable, aveuglés par le sang, furieux, devenus sauvages, firent irruption dans la salle du premier étage. Il n'y avait plus là qu'un seul homme qui fût debout, Enjolras. Sans cartouches, sans épée, il n'avait plus à la main que le canon de sa carabine dont il avait brisé la crosse sur la tête de ceux qui entraient. Un cri s'éleva :

– C'est le chef. C'est lui qui a tué l'artilleur. Fusillons-le sur place.

– Fusillez-moi, dit Enjolras.

Et, jetant le tronçon de sa carabine et croisant les bras, il présenta sa poitrine.

Depuis quelques instants Grantaire s'était réveillé.

Grantaire dormait depuis la veille dans la salle haute du cabaret, assis sur une chaise, affaissé sur une table.

Il réalisait, dans toute son énergie, la vieille métaphore: ivre mort.

Le bruit n'éveille pas un ivrogne; le silence le réveille.

– Vive la république! J'en suis.

Grantaire s'était levé.

L'immense lueur de tout le combat qu'il avait manqué, et dont il n'avait pas été, apparut dans le regard éclatant de l'ivrogne transfiguré.

Il répéta: Vive la république! traversa la salle d'un pas ferme et alla se placer devant les fusils, debout près d'Enjolras.

Enjolras lui serra la main en souriant.

Ce sourire n'était pas achevé que la détonation éclata.

Enjolras, traversé de huit coups de feu, resta adossé au mur comme si les balles l'y eussent cloué.

Grantaire, foudroyé, s'abattit à ses pieds.

Marius était prisonnier en effet. Prisonnier de Jean Valjean.

La main qui l'avait étreint par-derrière au moment où il tombait, et dont, en perdant connaissance, il avait senti le saisissement, était celle de Jean Valjean.

Le tourbillon de l'attaque était en cet instant-là si violemment concentré sur Enjolras et sur la porte du cabaret que personne ne vit Jean Valjean, soutenant dans ses bras Marius évanoui, traverser le champ dépavé de la barricade et disparaître derrière l'angle de la maison de *Corinthe*.

Là Jean Valjean s'arrêta, il laissa glisser à terre Marius, s'adossa au mur et jeta les yeux autour de lui.

La situation était épouvantable.

Pour l'instant, pour deux ou trois minutes peut-être, ce pan de muraille était un abri; mais comment sortir de ce massacre? Un oiseau seul eût pu se tirer de là.

Et il fallait se décider sur-le-champ, trouver un expédient, prendre un parti.

Jean Valjean regarda la maison en face de lui, il regarda la barricade à côté de lui, puis il regarda la terre, avec la violence de l'extrémité suprême, éperdu, et comme s'il eût voulu y faire un trou avec ses yeux.

À force de regarder, on ne sait quoi de vaguement saisissable dans une telle agonie se dessina et prit forme à ses pieds, comme si c'était une puissance du regard de faire éclore la chose demandée. Il aperçut à quelques pas de lui, au bas du petit barrage si impitoyablement gardé et guetté au-dehors, sous un écroulement de pavés qui la cachait en partie, une grille de fer posée à plat et de niveau avec le sol.

Jean Valjean s'élança. Sa vieille science des évasions lui monta au cerveau comme une clarté. Écarter les pavés, soulever la grille, charger sur ses épaules Marius inerte comme un corps mort, descendre, avec ce fardeau sur les reins, en s'aidant des coudes et des genoux, dans cette espèce de puits heureusement peu profond, laisser retomber au-dessus de sa tête la lourde trappe de fer sur laquelle les pavés ébranlés croulèrent de nouveau, prendre pied sur une surface dallée à trois mètres au-dessous du sol, cela fut exécuté comme ce qu'on fait dans le délire, avec une force de géant et une rapidité d'aigle; cela dura quelques minutes à peine.

Jean Valjean se trouva, avec Marius toujours évanoui, dans une sorte de long corridor souterrain.

Là, paix profonde, silence absolu, nuit.

LIVRE DEUXIÈME

L'intestin de Léviathan

Paris jette par an vingt-cinq millions à l'eau. Et ceci sans métaphore. Comment, et de quelle façon ? jour et nuit. Dans quel but ? sans aucun but. Avec quelle pensée ? sans y penser. Pour quoi faire ? pour rien. Au moyen de quel organe ? au moyen de son intestin. Quel est son intestin ? c'est son égout.

Paris a sous lui un autre Paris ; un Paris d'égouts ; lequel a ses rues, ses carrefours, ses places, ses impasses, ses artères, et sa circulation, qui est de la fange, avec la forme humaine de moins.

Le sous-sol de Paris, si l'œil pouvait en pénétrer la surface, présenterait l'aspect d'un madrépore colossal. Une éponge n'a guère plus de pertuis et de couloirs que la motte de terre de six lieues de tour sur laquelle repose l'antique grande ville. Sans parler des Catacombes, qui sont une cave à part, sans parler de l'inextricable treillis des conduits du gaz, sans compter le vaste système tubulaire de la distribution d'eau vive qui aboutit aux bornes-fontaines, les égouts à eux seuls font sous les deux rives un prodigieux réseau ténébreux ; labyrinthe qui a pour fil sa pente.

Au commencement de ce siècle, l'égout de Paris était encore un lieu mystérieux. La boue ne peut jamais être bien famée ; mais ici le mauvais renom allait jusqu'à l'effroi. Les grosses bottes des égoutiers ne s'aventuraient jamais au-delà de certains points connus.

L'idée d'explorer ces régions lépreuses ne venait pas même à la police. Tenter cet inconnu, jeter la sonde dans cette ombre, aller à la découverte dans cet abîme, qui l'eût osé ? C'était effrayant. Quelqu'un se présenta pourtant. Le cloaque eut son Christophe Colomb.

Cet homme se nommait Bruneseau.

La visite totale de la voirie immonditielle souterraine de Paris dura sept ans, de 1805 à 1812. Tout en cheminant, Bruneseau désignait, dirigeait et mettait à fin des travaux considérables.

C'est ainsi qu'au commencement de ce siècle la vieille société cura son double-fond et fit la toilette de son égout. Ce fut toujours cela de nettoyé.

Aujourd'hui l'égout est propre, froid, droit, correct. La fange s'y comporte décemment.

C'est plus qu'un progrès ; c'est une transmutation. Entre l'égout ancien et l'égout actuel, il y a une révolution. Qui a fait cette révolution ?

L'homme que tout le monde oublie et que nous avons nommé, Bruneseau.

LIVRE TROISIÈME

La boue, mais l'âme

C'est dans l'égout de Paris que se trouvait Jean Valjean.

Il resta quelques secondes comme étourdi. La chausse-trape du salut s'était subitement ouverte sous lui. La bonté céleste l'avait en quelque sorte pris par trahison.

Seulement, le blessé ne remuait point, et Jean Valjean ne savait pas si ce qu'il emportait dans cette fosse était un vivant ou un mort.

Il avait déposé Marius sur le sol, il le ramassa, ceci est le mot vrai, le reprit sur ses épaules et se mit en marche. Il entra résolument dans cette obscurité.

Quand il eut fait cinquante pas, il fallut s'arrêter. Le couloir aboutissait à un autre boyau qu'il rencontrait transversalement. Là s'offraient deux voies. Laquelle prendre? fallait-il tourner à gauche ou à droite? Comment s'orienter dans ce labyrinthe noir? Ce labyrinthe, nous l'avons fait remarquer, a un fil; c'est sa pente. Suivre la pente, c'est aller à la rivière.

Jean Valjean le comprit sur-le-champ.

La joue de Marius touchait la sienne et s'y collait, étant sanglante. Il sentait couler sur lui et pénétrer sous ses vêtements un ruisseau tiède qui venait de Marius. Cependant une chaleur humide à son oreille que touchait la bouche du blessé indiquait de la respiration, et par conséquent de la vie. Le couloir où Jean Valjean cheminait maintenant était moins étroit que le premier. Jean Valjean y marchait assez péniblement. Les pluies de la veille n'étaient pas encore écoulées et faisaient un petit torrent au centre du radier, et il était forcé de se serrer contre le mur pour ne pas avoir les pieds dans l'eau.

Un peu au-delà d'un affluent qui était vraisemblablement le branchement de la Madeleine, il fit halte. Il était très las. Un soupirail assez large, probablement le regard de la rue d'Anjou, donnait une lumière presque vive. Jean Valjean, avec la douceur de mouvements qu'aurait un frère pour son frère blessé, déposa Marius sur la banquette de l'égout. La face sanglante de Marius apparut sous la lueur blanche du soupirail comme au fond d'une tombe. Il avait les yeux fermés, les cheveux appliqués aux tempes comme des pinceaux séchés dans de la couleur rouge, les mains pendantes et mortes, les membres froids, du sang coagulé au coin des lèvres. Un caillot de sang s'était amassé dans le nœud de la cravate ; la chemise entrait dans les plaies, le drap de l'habit frottait les coupures béantes de la chair vive. Jean Valjean, écartant du bout des doigts les vêtements, lui posa la main sur la poitrine ; le cœur battait encore. Jean Valjean déchira sa chemise, banda les plaies le mieux qu'il put et arrêta le sang qui coulait ; puis, se penchant dans ce demi-jour sur Marius toujours sans connaissance et presque sans souffle, il le regarda avec une inexprimable haine.

En dérangeant les vêtements de Marius, il avait trouvé dans les poches le portefeuille. Sur la première page, il trouva les quatre lignes écrites par Marius. On s'en souvient.

Je m'appelle Marius Pontmercy. Porter mon cadavre chez mon grand-père, M. Gillenormand, rue des Filles-du-Calvaire, n° 6, au Marais.

Jean Valjean lut, à la clarté du soupirail, ces quatre lignes, il reprit Marius sur son dos, lui appuya soigneusement la tête sur son épaule droite, et se remit à descendre l'égout.

Il sentit qu'il entrait dans l'eau, et qu'il avait sous ses pieds, non plus du pavé, mais de la vase.

L'eau s'infiltrait dans de certains terrains sous-jacents, particulièrement friables ; le radier n'ayant plus de point d'appui, pliait. Un pli dans un plancher de ce genre, c'est une fente, c'est l'écroulement. Le radier croulait sur une certaine longueur. Cette crevasse, hiatus d'un gouffre de boue, s'appelait dans la langue spéciale *fontis*. Qu'est-ce qu'un fontis ? C'est le sable mouvant des bords de la mer tout à coup rencontré sous terre ; c'est la grève du mont Saint-Michel dans un égout. Le sol, détrempé, est comme en fusion ; toutes ses molécules sont en suspension dans un milieu mou ; ce n'est pas de la terre et ce n'est pas de l'eau. Rien de plus redoutable qu'une telle rencontre. Si l'eau domine, la mort est prompte, il y a engloutissement ; si la terre domine, la mort est lente, il y a enlisement.

Se figure-t-on une telle mort ? Si l'enlisement est effroyable sur une grève de la mer, qu'est-ce dans le cloaque ?

Jean Valjean se trouvait en présence d'un fontis.

Il entra dans cette fange. C'était de l'eau à la surface, de la vase au fond. Il fallait bien passer. Revenir sur ses pas était impossible. Marius était expirant, et Jean Valjean exténué. Où aller d'ailleurs ? Jean Valjean avança. À mesure qu'il avançait, ses pieds plongeaient. Il eut bientôt de la vase jusqu'à mi-jambes et de l'eau plus haut que les genoux. Il marchait, exhaussant de ses deux bras Marius le plus qu'il pouvait au-dessus de l'eau. La vase lui venait maintenant aux jarrets et l'eau à la ceinture. Il enfonçait de plus en plus. Cette vase, assez dense pour le poids d'un homme, ne pouvait évidemment en porter deux. Marius et Jean Valjean eussent eu chance de s'en tirer, isolément. Jean Valjean continua d'avancer, soutenant ce mourant, qui était un cadavre peut-être.

L'eau lui venait aux aisselles ; il se sentait sombrer ; c'est à peine s'il pouvait se mouvoir dans la profondeur de bourbe où il était.

Il enfonça encore, il renversa sa face en arrière pour échapper à l'eau et pouvoir respirer ; il apercevait vaguement au-dessus de lui la tête pendante et le visage livide de Marius ; il fit un effort désespéré, et lança son pied en avant ; son pied heurta on ne sait quoi de solide : un point d'appui. Il était temps.

Il se dressa et se tordit et s'enracina avec une sorte de furie sur ce point d'appui. Cela lui fit l'effet de la première marche d'un escalier remontant à la vie.

Jean Valjean remonta ce plan incliné et arriva de l'autre côté de la fondrière.

En sortant de l'eau, il se heurta à une pierre et tomba sur les genoux. Il trouva que c'était juste, et y resta quelque temps, l'âme abîmée dans on ne sait quelle parole à Dieu.

Il se redressa, frissonnant, glacé, infect, courbé sous ce mourant qu'il traînait, tout ruisselant de fange, l'âme pleine d'une étrange clarté.

Il leva les yeux, et à l'extrémité du souterrain, là-bas devant lui, loin, très loin, il aperçut une lumière. C'était le jour.

Jean Valjean voyait l'issue.

Il ne sentit plus le poids de Marius, il retrouva ses jarrets d'acier, il courut plus qu'il ne marcha.

Jean Valjean arriva à l'issue.

Là, il s'arrêta.

C'était bien la sortie, mais on ne pouvait sortir.

L'arche était fermée d'une forte grille. Au-delà de la grille, le grand air, la rivière, le jour, la berge très étroite, mais suffisante pour s'en aller, les quais lointains, Paris, ce gouffre où l'on se dérobe si aisément, le large horizon, la liberté.

Il pouvait être huit heures et demie du soir. Le jour baissait.

Jean Valjean déposa Marius le long du mur, puis marcha à la grille et crispa ses deux poings sur les barreaux; la secousse fut frénétique, l'ébranlement nul. La grille ne bougea pas.

C'était fini. Tout ce qu'avait fait Jean Valjean était inutile. L'épuisement aboutissait à l'avortement.

Il tourna le dos à la grille, et tomba sur le pavé, plutôt terrassé qu'assis, près de Marius toujours sans mouvement, et sa tête s'affaissa entre ses genoux. Pas d'issue. C'était la dernière goutte de l'angoisse.

Au milieu de cet anéantissement, une main se posa sur son épaule, et une voix qui parlait bas, lui dit :

– Part à deux.

Un homme était devant lui.

Cet homme était vêtu d'une blouse ; il avait les pieds nus ; il tenait ses souliers dans sa main gauche ; il les avait évidemment ôtés pour pouvoir arriver jusqu'à Jean Valjean, sans qu'on l'entendît marcher.

Jean Valjean n'eut pas un moment d'hésitation. Si imprévue que fût la rencontre, cet homme lui était connu. Cet homme était Thénardier.

Jean Valjean s'aperçut tout de suite que Thénardier ne le reconnaissait pas.

Ils se considérèrent un moment dans cette pénombre, comme s'ils se prenaient mesure. Thénardier rompit le premier le silence.

– Comment vas-tu faire pour sortir ?

Jean Valjean ne répondit pas.

Thénardier continua :

– Impossible de crocheter la porte. Il faut pourtant que tu t'en ailles d'ici.

– C'est vrai, dit Jean Valjean.

– Eh bien, part à deux.

– Que veux-tu dire ?

– Tu as tué l'homme ; c'est bien. Moi, j'ai la clef. Tu n'as pas tué cet homme sans regarder ce qu'il avait dans ses poches. Donne-moi ma moitié. Je t'ouvre la porte.

Jean Valjean se fouilla.

Il retourna sa poche, toute trempée de fange, et étala sur la banquette du radier un louis d'or, deux pièces de cinq francs et cinq ou six gros sous.

Thénardier avança la lèvre inférieure avec une torsion de cou significative.

– Tu l'as tué pour pas cher, dit-il.

Il se mit à palper, en toute familiarité, les poches de Jean Valjean et les poches de Marius. Jean Valjean, préoccupé surtout de tourner le dos au jour, le laissait faire. Tout en maniant l'habit de Marius, Thénardier, avec une dextérité d'escamoteur, trouva moyen d'en arracher, sans que Jean Valjean s'en aperçût, un lambeau qu'il cacha sous sa blouse, pensant probablement que ce morceau d'étoffe pourrait lui servir plus tard à reconnaître l'homme assassiné et l'assassin. Il ne trouva du reste rien de plus que les trente francs.

Et, oubliant son mot: *part à deux*, il prit tout.

Cela fait, il tira la clef de dessous sa blouse.

– Maintenant, l'ami, il faut que tu sortes. C'est ici comme à la foire, on paie en sortant. Tu as payé, sors.

Et il se mit à rire.

Thénardier entrebâilla la porte, livra tout juste passage à Jean Valjean, referma la grille, et replongea dans l'obscurité, sans faire plus de bruit qu'un souffle.

Jean Valjean se trouva dehors.

Il laissa glisser Marius sur la berge.

C'était l'heure indécise et exquise qui ne dit ni oui ni non. Il y avait déjà assez de nuit pour qu'on pût s'y perdre à quelque distance, et encore assez de jour pour qu'on pût s'y reconnaître de près.

Jean Valjean se courba vers Marius, et, puisant de l'eau dans le creux de sa main, il lui en jeta doucement quelques gouttes sur le visage. Les paupières de Marius ne se soulevèrent pas; cependant sa bouche entrouverte respirait.

Jean Valjean allait plonger de nouveau sa main dans la

rivière, quand tout à coup il sentit je ne sais quelle gêne, comme lorsqu'on a, sans le voir, quelqu'un derrière soi.

Il se retourna.

Il reconnut Javert.

Cette grille, si obligeamment ouverte devant Jean Valjean, était une habileté de Thénardier. Thénardier sentait Javert toujours là ; l'homme guetté a un flair qui ne le trompe pas ; il fallait jeter un os à ce limier. Un assassin, quelle aubaine ! Thénardier, en mettant dehors Jean Valjean à sa place, donnait une proie à la police, lui faisait lâcher sa piste, récompensait Javert de son attente, ce qui flatte toujours un espion, gagnait trente francs, et comptait bien, quant à lui, s'échapper à l'aide de cette diversion.

Jean Valjean était passé d'un écueil à l'autre.

Ces deux rencontres coup sur coup, tomber de Thénardier en Javert, c'était rude.

Javert appuyait sur Jean Valjean sa prunelle fixe.

– Que faites-vous là ? et qu'est-ce que c'est que cet homme ?

Il continuait de ne plus tutoyer Jean Valjean.

– Cet homme était à la barricade, dit-il à demi-voix et comme se parlant à lui-même. C'est celui qu'on appelait Marius.

– C'est un blessé, dit Jean Valjean.

– C'est un mort, dit Javert.

Jean Valjean répondit :

– Non. Pas encore. Il demeure au Marais, rue des Filles du Calvaire, chez son aïeul… Je ne sais plus le nom.

Jean Valjean fouilla dans l'habit de Marius, en tira le portefeuille, l'ouvrit à la page crayonnée par Marius, et le tendit à Javert.

Il y avait encore dans l'air assez de clarté flottante pour qu'on pût lire. Javert déchiffra les quelques lignes écrites par Marius, et grommela :

– Gillenormand, rue des Filles-du-Calvaire, numéro 6. Puis il cria : – Cocher !

Un moment après, la voiture était sur la berge, Marius était déposé sur la banquette du fond, et Javert s'asseyait près de Jean Valjean sur la banquette de devant.

Il était nuit close quand le fiacre arriva au numéro 6 de la rue des Filles-du-Calvaire.

Tout dormait dans la maison. On se couche de bonne heure au Marais, surtout les jours d'émeute.

Javert interpella le portier du ton qui convient au gouvernement en présence du portier d'un factieux.

Le portier se borna à réveiller Basque.

On monta Marius au premier étage, sans que personne s'en aperçût dans les autres parties de la maison, et on le déposa sur un vieux canapé dans l'antichambre de M. Gillenormand ; et, tandis que Basque allait chercher un médecin, Jean Valjean sentit Javert qui lui touchait l'épaule. Il comprit, et redescendit, ayant derrière lui le pas de Javert qui le suivait.

Ils remontèrent dans le fiacre, et le cocher sur son siège.

– Inspecteur Javert, dit Jean Valjean, accordez-moi encore une chose. Laissez-moi rentrer un instant chez moi. Ensuite, vous ferez de moi ce que vous voudrez.

Javert demeura quelques instants silencieux, puis il baissa la vitre de devant.

– Cocher, dit-il, rue de l'Homme-Armé, numéro 7.

Ils ne desserrèrent plus les dents de tout le trajet.

Que voulait Jean Valjean? Achever ce qu'il avait commencé; avertir Cosette, lui dire où était Marius, lui donner peut-être quelque autre indication utile, prendre, s'il le pouvait, de certaines dispositions suprêmes.

Javert congédia le fiacre.

Ils s'engagèrent dans la rue. Javert suivait Jean Valjean. Ils arrivèrent au numéro 7. Jean Valjean frappa. La porte s'ouvrit.

– C'est bien, dit Javert. Montez. Je vous attends ici.

Jean Valjean regarda Javert. Cette façon de faire était peu dans les habitudes de Javert. Cependant, que Javert eût maintenant en lui une sorte de confiance hautaine, la confiance du chat qui accorde à la souris une liberté de la longueur de sa griffe, résolu qu'était Jean Valjean à se livrer et à en finir, cela ne pouvait le surprendre beaucoup. Il poussa la porte et monta l'escalier.

Parvenu au premier étage, il fit une pause. La fenêtre du palier était ouverte.

Jean Valjean, soit pour respirer, soit machinalement, mit la tête à cette fenêtre. Il se pencha sur la rue. Elle est courte et le réverbère l'éclairait d'un bout à l'autre. Jean Valjean eut un éblouissement de stupeur; il n'y avait plus personne.

Javert s'en était allé

Basque et le portier avaient transporté dans le salon Marius toujours étendu sans mouvement sur le canapé où on l'avait déposé en arrivant. Le médecin, qu'on avait été chercher, était accouru. La tante Gillenormand s'était levée.

Le médecin lava le visage et les cheveux de Marius avec de l'eau froide. Un seau plein fut rouge en un instant. Le portier, sa chandelle à la main, éclairait.

Au moment où le médecin essuyait la face et touchait légèrement du doigt les paupières toujours fermées, une porte s'ouvrit au fond du salon, et une longue figure pâle apparut.

C'était le grand-père.

Il aperçut le lit, et sur le matelas ce jeune homme sanglant, blanc d'une blancheur de cire, les yeux fermés, la bouche ouverte, les lèvres blêmes, nu jusqu'à la ceinture, tailladé partout de plaies vermeilles, immobile, vivement éclairé.

L'aïeul eut de la tête aux pieds tout le frisson que peuvent avoir des membres ossifiés, ses yeux, dont la cornée était jaune à cause du grand âge, se voilèrent d'une sorte de miroitement vitreux, et il murmura :

– Marius !

– Monsieur, dit Basque, on vient de rapporter monsieur. Il est allé à la barricade, et…

– Il est mort ! cria le vieillard d'une voix terrible. Ah ! le brigand !

En ce moment, Marius ouvrit lentement les paupières, et son regard, encore voilé par l'étonnement léthargique, s'arrêta sur M. Gillenormand.

– Marius ! cria le vieillard. Marius ! mon petit Marius ! mon enfant ! mon fils bien-aimé ! Tu ouvres les yeux, tu me regardes, tu es vivant, merci !

Et il tomba évanoui.

LIVRE QUATRIÈME

Javert déraillé

Javert s'était éloigné à pas lents de la rue de l'Homme-Armé.

Il s'enfonça dans les rues silencieuses.

Il coupa par le plus court vers la Seine et s'arrêta à l'angle du pont Notre-Dame. La Seine fait là une sorte de lac carré traversé par un rapide.

Javert appuya ses deux coudes sur le parapet, son menton dans ses deux mains, et, pendant que ses ongles se crispaient machinalement dans l'épaisseur de ses favoris, il songea.

Une nouveauté, une révolution, une catastrophe venait de se passer au fond de lui-même.

Depuis quelques heures Javert avait cessé d'être simple. Il était troublé ; ce cerveau, si limpide dans sa cécité, avait perdu sa transparence ; il y avait un nuage dans ce cristal.

Sa situation était inexprimable.

Devoir la vie à un malfaiteur, accepter cette dette et la rembourser, être, en dépit de soi-même, de plain-pied avec un repris de justice, et lui payer un service avec un autre service ; se laisser dire : – Va-t'en, et lui dire à son tour : – Sois libre ; sacrifier à des motifs personnels le devoir, cette obligation générale, et sentir dans ces motifs personnels quelque chose de général aussi, et de supérieur peut-être ; trahir la société pour rester fidèle à sa conscience ; que toutes ces absurdités se réalisassent et qu'elles vinssent s'accumuler sur lui-même, c'est ce dont il était atterré.

Une chose l'avait étonné, c'était que Jean Valjean lui eût fait grâce, et une chose l'avait pétrifié, c'était que, lui Javert, il eût fait grâce à Jean Valjean.

Que Javert et Jean Valjean, l'homme fait pour sévir, l'homme fait pour subir, que ces deux hommes, qui étaient l'un et l'autre la chose de la loi, en fussent venus à ce point de se mettre tous les deux au-dessus de la loi, est-ce que ce n'était pas effrayant ?

Quoi donc ! de telles énormités arriveraient, et personne ne serait puni ! Jean Valjean, plus fort que l'ordre social tout entier, serait libre, et lui Javert continuerait de manger le pain du gouvernement !

Sa rêverie devenait peu à peu terrible.

Jean Valjean, c'était là le poids qu'il avait sur l'esprit.

Il avait beau se débattre, il était réduit à confesser dans son for intérieur la sublimité de ce misérable. Cela était odieux.

Un malfaiteur bienfaisant, un forçat compatissant, doux, secourable, clément, rendant le bien pour le mal, rendant le pardon pour la haine, préférant la pitié à la vengeance, sauvant celui qui l'a frappé, agenouillé sur le haut de la vertu, plus voisin de l'ange que de l'homme, Javert était contraint de s'avouer que ce monstre existait.

Il était forcé de reconnaître que la bonté existait. Ce forçat avait été bon. Et lui-même, chose inouïe, il venait d'être bon. Donc il se dépravait.

Il se trouvait lâche. Il se faisait horreur.

L'idéal pour Javert, ce n'était pas d'être humain, d'être grand, d'être sublime ; c'était d'être irréprochable. Or il venait de faillir.

Ce qui se passait dans Javert, c'était le Fampoux[1] d'une conscience rectiligne, la mise hors de voie d'une âme, l'écra-

1. À cet endroit, un train avait déraillé, le 8 juillet 1846, impressionnant fortement la population.

sement d'une probité irrésistiblement lancée en ligne droite et se brisant à Dieu. Certes, cela était étrange, que le chauffeur de l'ordre, que le mécanicien de l'autorité puisse être désarçonné par un coup de lumière!

L'obscurité était complète. Un plafond de nuages cachait les étoiles. Le ciel n'était qu'une épaisseur sinistre.

L'endroit où Javert s'était accoudé était, on s'en souvient, précisément situé au-dessus du rapide de la Seine, à pic sur cette redoutable spirale de tourbillons qui se dénoue et se renoue comme une vis sans fin.

Javert pencha la tête et regarda. Tout était noir.

Il demeura quelques minutes immobile, regardant cette ouverture de ténèbres. L'eau bruissait. Tout à coup, il ôta son chapeau et le posa sur le rebord du quai. Un moment après, une figure haute et noire, que de loin quelque passant attardé eût pu prendre pour un fantôme, apparut debout sur le parapet, se courba vers la Seine, puis se redressa, et tomba droite dans les ténèbres; il y eut un clapotement sourd; et l'ombre seule fut dans le secret des convulsions de cette forme obscure disparue sous l'eau.

LIVRE CINQUIÈME

Le petit-fils et le grand-père

Marius fut longtemps ni mort ni vivant. Il eut durant plusieurs semaines une fièvre accompagnée de délire, et d'assez graves symptômes cérébraux causés plutôt encore par les commotions des blessures à la tête que par les blessures elles-mêmes. Il répéta le nom de Cosette pendant des nuits entières dans la loquacité lugubre de la fièvre et avec la sombre opiniâtreté de l'agonie.

Tous les jours, et quelquefois deux fois par jour, un monsieur en cheveux blancs fort bien mis, tel était le signalement donné par le portier, venait savoir des nouvelles du blessé, et déposait pour les pansements un gros paquet de charpie.

Enfin, le 7 septembre, quatre mois, jour pour jour, après la douloureuse nuit où on l'avait rapporté mourant chez son grand-père, le médecin déclara qu'il répondait de lui. La convalescence s'ébaucha. Marius dut pourtant rester encore plus de deux mois étendu sur une chaise longue, à cause des accidents produits par la fracture de la clavicule.

M. Gillenormand traversa toutes les angoisses d'abord, et ensuite toutes les extases.

Il appelait Marius monsieur le baron. Il criait:

– Vive la république!

À chaque instant, il demandait au médecin:

– N'est-ce pas qu'il n'y a plus de danger?

Il regardait Marius avec des yeux de grand-mère. Il le couvait quand il mangeait. Il ne se connaissait plus, il ne se comptait plus, Marius était le maître de la maison, il y avait de l'abdication dans sa joie, il était le petit-fils de son petit-fils.

Quant à Marius, tout en se laissant panser et soigner, il avait une idée fixe: Cosette.

Depuis que la fièvre et le délire l'avaient quitté, il ne prononçait plus ce nom, et l'on aurait pu croire qu'il n'y songeait plus. Il se taisait, précisément parce que son âme était là.

Il n'était point gagné et était peu attendri par toutes les sollicitudes et toutes les tendresses de son grand-père.

Marius se disait que c'était bon tant que lui, Marius, ne

parlait pas et se laissait faire; mais que, lorsqu'il s'agirait de Cosette, il trouverait un autre visage, et que la véritable attitude de l'aïeul se démasquerait.

Et puis, à mesure qu'il reprenait vie, ses anciens griefs reparaissaient, les vieux ulcères de sa mémoire se rouvraient, il resongeait au passé, le colonel Pontmercy se replaçait entre M. Gillenormand et lui Marius, il se disait qu'il n'avait aucune vraie bonté à espérer de qui avait été si injuste et si dur pour son père. Et avec la santé, il lui revenait une sorte d'âpreté contre son aïeul.

Un jour M. Gillenormand était penché sur Marius et lui disait de son accent le plus tendre:

– Vois-tu, mon petit Marius, à ta place je mangerais maintenant plutôt de la viande que du poisson. Une sole frite, cela est excellent pour commencer une convalescence, mais, pour mettre le malade debout, il faut une bonne côtelette.

Marius, dont presque toutes les forces étaient revenues, les rassembla, se dressa sur son séant, appuya ses deux poings crispés sur les draps de son lit, regarda son grand-père en face, prit un air terrible, et dit:

– Ceci m'amène à vous dire une chose.

– Laquelle?

– C'est que je veux me marier.

– Prévu, dit le grand-père.

Et il éclata de rire.

– Comment, prévu?

– Oui, prévu. Tu l'auras, ta fillette.

Marius, stupéfait et accablé par l'éblouissement, trembla de tous ses membres.

M. Gillenormand continua:

– Oui, tu l'auras, ta belle jolie petite fille. Elle vient tous les jours sous la forme d'un vieux monsieur savoir de tes nouvelles. Depuis que tu es blessé, elle passe son temps à pleurer et à faire de la charpie. Je me suis informé. Elle demeure rue de l'Homme-Armé, numéro 7. Ah, nous y voilà! Ah! tu la veux. Eh bien, tu l'auras.

– Mon père! s'écria Marius.

– Ah! tu m'aimes donc! dit le vieillard.

Il y eut un moment ineffable. Ils étouffaient et ne pouvaient parler.

Enfin le vieillard bégaya:

– Allons! le voilà débouché. Il m'a dit: Mon père.

Cosette et Marius se revirent.

Ce que fut l'entrevue, nous renonçons à le dire. Il y a des choses qu'il ne faut pas essayer de peindre; le soleil est du nombre.

Toute la famille, y compris Basque et Nicolette, était réunie dans la chambre de Marius au moment où Cosette entra.

Avec Cosette et derrière elle, était entré un homme en cheveux blancs, grave, souriant néanmoins, mais d'un vague et poignant sourire. C'était «M. Fauchelevent»; c'était Jean Valjean.

M. Fauchelevent, dans la chambre de Marius, restait comme à l'écart près de la porte. Il avait sous le bras un paquet assez semblable à un volume in-octavo, enveloppé dans du papier.

– Est-ce que ce monsieur a toujours comme cela des livres sous le bras? demanda à voix basse Mlle Gillenormand qui n'aimait point les livres.

– Eh bien, répondit du même ton M. Gillenormand,

c'est un savant. Après? est-ce sa faute? Et, saluant, il dit à haute voix: Monsieur Tranchelevent...

Le père Gillenormand ne le fit pas exprès, mais l'inattention aux noms propres était chez lui une manière aristocratique.

– Monsieur Tranchelevent, j'ai l'honneur de vous demander pour mon petit-fils, M. le baron Marius Pontmercy, la main de mademoiselle.

«M. Tranchelevent» s'inclina.

– C'est dit, fit l'aïeul.

Et, se tournant vers Marius et Cosette, les deux bras étendus et bénissant, il cria:

– Permission de vous adorer.

Il s'assit près d'eux, fit asseoir Cosette, et prit leurs quatre mains dans ses vieilles mains ridées:

– Elle est exquise, cette mignonne. C'est un chef-d'œuvre, cette Cosette-là! Elle est très petite fille et très grande dame. Elle ne sera que baronne, c'est déroger; elle est née marquise. Seulement, ajouta-t-il rembruni tout à coup, quel malheur! Voilà que j'y pense! Plus de la moitié de ce que j'ai est en viager, tant que je vivrai, cela ira encore, mais après ma mort, dans une vingtaine d'années d'ici, ah! mes pauvres enfants, vous n'aurez pas le sou!

Ici on entendit une voix grave et tranquille qui disait:

– Mlle Fauchelevent a six cent mille francs.

C'était la voix de Jean Valjean.

– Six cent mille francs! reprit M. Gillenormand.

– Moins quatorze ou quinze mille francs peut-être, dit Jean Valjean.

Et il posa sur la table le paquet que la tante Gillenormand avait pris pour un livre.

Jean Valjean ouvrit lui-même le paquet; c'était une liasse de billets de banque. On les feuilleta et on les compta. Il y avait cinq cents billets de mille francs et cent soixante-huit de cinq cents. En tout cinq cent quatre-vingt-quatre mille francs.

– Voilà un bon livre, fit M. Gillenormand.

– Cinq cent quatre-vingt-quatre mille francs! murmura la tante.

Quant à Marius et à Cosette, ils se regardaient pendant ce temps-là; ils firent à peine attention à ce détail.

On prépara tout pour le mariage. Le médecin consulté déclara qu'il pourrait avoir lieu en février. On était en décembre. Quelques ravissantes semaines de bonheur parfait s'écoulèrent.

Jean Valjean fit tout, aplanit tout, concilia tout, rendit tout facile. Il se hâtait vers le bonheur de Cosette avec autant d'empressement et, en apparence, de joie, que Cosette elle-même.

Comme il avait été maire, il sut résoudre un problème délicat, dans le secret duquel il était seul: l'état civil de Cosette. Dire crûment l'origine, qui sait? cela eût pu empêcher le mariage. Il tira Cosette de toutes les difficultés. Il lui arrangea une famille de gens morts, moyen sûr de n'encourir aucune réclamation. Cosette était ce qui restait d'une famille éteinte, Cosette n'était pas sa fille à lui, mais la fille d'un autre Fauchelevent.

Quant aux cinq cent quatre-vingt-quatre mille francs, c'était un legs fait à Cosette par une personne morte qui désirait rester inconnue.

Cosette apprit qu'elle n'était pas la fille de ce vieux homme qu'elle avait si longtemps appelé père. Ce n'était qu'un parent; un autre Fauchelevent était son père véritable.

Dans tout autre moment, cela l'eût navrée. Mais à l'heure ineffable où elle était, elle avait tant de joie que ce nuage dura peu. Elle avait Marius. Le jeune homme arrivait, le bonhomme s'effaçait ; la vie est ainsi.

Pendant que Jean Valjean construisait à Cosette une situation normale dans la société et une possession d'état inattaquable, M. Gillenormand veillait à la corbeille de noces.

Il dévalisait ses respectables commodes, qui n'avaient pas été ouvertes depuis des ans.

Chaque matin, nouvelle offrande de bric-à-brac du grand-père à Cosette. Tous les falbalas possibles s'épanouissaient splendidement autour d'elle. Quant à la tante, quelque peu révoltée dans son for intérieur, mais extérieurement impassible, elle s'était dit : « Mon père résout la question du mariage sans moi ; je résoudrai la question de l'héritage sans lui. » Elle était riche en effet, et le père ne l'était pas. Elle avait donc réservé là-dessus sa décision. Il est probable que si le mariage eût été pauvre, elle l'eût laissé pauvre. Mais le demi-million de Cosette plut à la tante et changea sa situation intérieure à l'endroit de cette paire d'amoureux. On doit de la considération à six cent mille francs, et il était évident qu'elle ne pouvait faire autrement que de laisser sa fortune à ces jeunes gens, puisqu'ils n'en avaient plus besoin.

Il fut arrangé que le couple habiterait chez le grand-père. M. Gillenormand voulut absolument leur donner sa chambre, la plus belle de la maison.

Et la bibliothèque de M. Gillenormand devint le cabinet d'avocat dont avait besoin Marius.

L'enchantement, si grand qu'il fût, n'effaça point dans l'esprit de Marius d'autres préoccupations.

Il devait de la reconnaissance de plusieurs côtés ; il en devait pour son père, il en devait pour lui-même.

Il y avait Thénardier ; il y avait l'inconnu qui l'avait rapporté, lui Marius, chez M. Gillenormand.

Marius tenait à retrouver ces deux hommes.

Que Thénardier fût un scélérat, cela n'ôtait rien à ce fait qu'il avait sauvé le colonel Pontmercy.

Et Marius, ignorant la véritable scène du champ de bataille de Waterloo, ne savait pas cette particularité, que son père était vis-à-vis de Thénardier dans cette situation étrange de lui devoir la vie sans lui devoir de reconnaissance.

Aucun des divers agents que Marius employa ne parvint à saisir la piste de Thénardier. L'effacement semblait complet de ce côté-là. La Thénardier était morte en prison pendant l'instruction du procès. Thénardier et sa fille Azelma, les deux seuls qui restassent de ce groupe lamentable, avaient replongé dans l'ombre.

Quant à l'autre, quant à l'homme ignoré qui avait sauvé Marius, les recherches eurent d'abord quelque résultat, puis s'arrêtèrent court.

Marius ne se rappelait rien. Il se souvenait seulement d'avoir été saisi en arrière par une main énergique au moment où il tombait à la renverse dans la barricade ; puis tout s'effaçait pour lui. Il n'avait repris connaissance que chez M. Gillenormand.

Il se perdait en conjectures.

Comment se faisait-il que, tombé rue de la Chanvrerie, il eût été ramassé sur la berge de la Seine, près du pont des Invalides ? Quelqu'un l'avait emporté du quartier des Halles aux Champs-Élysées. Et comment ? Par l'égout. Dévouement inouï !

Quelqu'un ? qui ?

C'était cet homme que Marius cherchait.

De cet homme, qui était son sauveur, rien ; nulle trace ; pas le moindre indice.

Dans l'espoir d'en tirer parti pour ses recherches, Marius fit conserver les vêtements ensanglantés qu'il avait sur le corps, lorsqu'on l'avait ramené chez son aïeul. En examinant l'habit, on remarqua qu'un pan était bizarrement déchiré. Un morceau manquait.

Un soir, Marius parlait devant Cosette et Jean Valjean, de toute cette singulière aventure, des informations sans nombre qu'il avait prises et de l'inutilité de ses efforts. Le visage froid de « M. Fauchelevent » l'impatientait. Il s'écria avec une vivacité qui avait presque la vibration de la colère :

– Oui, cet homme-là, quel qu'il soit, a été sublime. Savez-vous ce qu'il a fait, monsieur ? Il est intervenu comme l'archange. Il a fallu qu'il se jetât au milieu du combat, qu'il me dérobât, qu'il ouvrît l'égout, qu'il m'y traînât, qu'il m'y portât ! Il a fallu qu'il fît plus d'une lieue et demie dans d'affreuses galeries souterraines, avec un cadavre sur le dos ! Et dans quel but ? Dans l'unique but de sauver ce cadavre. Et ce cadavre, c'était moi. Il s'est dit : « Il y a encore là peut-être une lueur de vie ; je vais risquer mon existence à moi pour cette misérable étincelle ! » Et son existence, il ne l'a pas risquée une fois, mais vingt ! Et chaque pas était un danger. La preuve, c'est qu'en sortant de l'égout il a été arrêté. Savez-vous, monsieur, que cet homme a fait tout cela ? Et aucune récompense à attendre. Qu'étais-je ? Un insurgé. Qu'étais-je ? Un vaincu. Oh ! si les six cent mille francs de Cosette étaient à moi…

– Ils sont à vous, interrompit Jean Valjean.

– Eh bien, reprit Marius, je les donnerais pour retrouver cet homme!

Jean Valjean garda le silence.

LIVRE SIXIÈME

La nuit blanche

La nuit du 16 au 17 février 1833 fut une nuit bénie. Elle eut au-dessus de son ombre le ciel ouvert. Ce fut la nuit de noces de Marius et de Cosette.

La journée avait été adorable.

Ce n'avait pas été la fête bleue rêvée par le grand-père, une féerie avec une confusion de chérubins et de cupidons au-dessus de la tête des mariés, un mariage digne de faire un dessus-de-porte; mais cela avait été doux et riant.

La veille, Jean Valjean avait remis à Marius, en présence de M. Gillenormand, les cinq cent quatre-vingt-quatre mille francs.

Le mariage se faisant sous le régime de la communauté, les actes avaient été simples.

Quant à Jean Valjean, il y avait dans la maison Gillenormand une belle chambre meublée exprès pour lui, et Cosette lui avait si irrésistiblement dit: «Père, je vous en prie», qu'elle lui avait fait à peu près promettre qu'il viendrait l'habiter.

Quelques jours avant le jour fixé pour le mariage, il était arrivé un accident à Jean Valjean; il s'était un peu écrasé le pouce de la main droite. Il n'avait pas permis que personne s'en occupât, pas même Cosette. Cela pourtant l'avait forcé de s'emmitoufler la main d'un linge, et de porter le bras en écharpe, et l'avait empêché de rien signer. M. Gillenormand, comme subrogé tuteur de Cosette, l'avait suppléé.

Nous ne mènerons le lecteur ni à la mairie ni à l'église. On ne suit guère deux amoureux jusque-là, et l'on a l'habitude de tourner le dos au drame dès qu'il met à sa boutonnière un bouquet de marié.

Un banquet avait été dressé dans la salle à manger.

Basque annonça que le dîner était servi. Les convives, précédés de M. Gillenormand donnant le bras à Cosette, entrèrent dans la salle à manger, et se répandirent, selon l'ordre voulu, autour de la table.

Deux grands fauteuils y figuraient, à droite et à gauche de la mariée, le premier pour M. Gillenormand, le second pour Jean Valjean. M. Gillenormand s'assit. L'autre fauteuil resta vide.

On chercha des yeux « M. Fauchelevent ». Il n'était plus là.

M. Gillenormand interpella Basque.

– Sais-tu où est M. Fauchelevent ?

– Monsieur, répondit Basque, M. Fauchelevent m'a dit de dire à monsieur qu'il souffrait un peu de sa main malade, et qu'il ne pourrait dîner avec monsieur le baron et madame la baronne. Qu'il priait qu'on l'excusât, qu'il viendrait demain matin. Il vient de sortir.

Jean Valjean rentra chez lui. Il alluma sa chandelle et monta.

Il avait dégagé son bras de l'écharpe, et il se servait de sa main droite comme s'il n'en souffrait pas.

Il s'approcha de son lit, et ses yeux s'arrêtèrent sur la petite malle qui ne le quittait jamais. Il en tira lentement les vêtements avec lesquels, dix ans auparavant, Cosette avait quitté Montfermeil. À mesure qu'il les ôtait de la valise, il les posait sur le lit. Il pensait. Il se rappelait.

Alors sa vénérable tête blanche tomba sur le lit, ce vieux cœur stoïque se brisa, sa face s'abîma pour ainsi dire dans les vêtements de Cosette, et si quelqu'un eût passé dans l'escalier en ce moment, on eût entendu d'effrayants sanglots.

Les prédestinations ne sont pas toutes droites ; elles ne se développent pas en avenue rectiligne devant le prédestiné ; elles ont des impasses, des cæcums, des tournants obscurs, des carrefours inquiétants offrant plusieurs voies. Jean Valjean faisait halte en ce moment au plus périlleux de ces carrefours.

Il était parvenu au suprême croisement du bien et du mal. Il avait cette ténébreuse intersection sous les yeux. Cette fois encore, deux routes s'ouvraient devant lui ; l'une tentante, l'autre effrayante. Laquelle prendre ?

De quelle façon Jean Valjean allait-il se comporter avec le bonheur de Cosette et de Marius ? Ce bonheur, c'était lui qui l'avait voulu, c'était lui qui l'avait fait ; il se l'était lui-même enfoncé dans les entrailles, et à cette heure, en le considérant, il pouvait avoir l'espèce de satisfaction qu'aurait un armurier qui reconnaîtrait sa marque de fabrique sur un couteau, en se le retirant tout fumant de la poitrine.

Cosette avait Marius, Marius possédait Cosette. Ils avaient tout, même la richesse. Et c'était son œuvre.

Mais ce bonheur, maintenant qu'il existait, maintenant qu'il était là, qu'allait-il en faire, lui, Jean Valjean ?

S'introduirait-il tranquillement dans la maison de Cosette ? Apporterait-il, sans dire mot, son passé à cet avenir ? Viendrait-il s'asseoir, voilé, à ce lumineux foyer ? Prendrait-il, en leur souriant, les mains de ces innocents dans ses deux mains tragiques ? Poserait-il sur les paisibles chenets du salon Gillenormand ses pieds qui traînaient derrière eux l'ombre infamante de la loi ?

Il pesa, il songea, il considéra les alternatives de la mystérieuse balance de lumière et d'ombre

Sa rêverie vertigineuse dura toute la nuit.

LIVRE SEPTIÈME

La dernière gorgée du calice

Les lendemains de noces sont solitaires. On respecte le recueillement des heureux. Et aussi un peu leur sommeil attardé. Le brouhaha des visites et des félicitations ne recommence que plus tard. Le matin du 17 février, il était un peu plus de midi quand Basque entendit un léger frappement à la porte. Basque ouvrit et vit M. Fauchelevent. Il l'introduisit dans le salon, encore encombré et sens dessus dessous, et qui avait l'air du champ de bataille des joies de la veille.

Un bruit se fit à la porte.

Marius entra, la tête haute, la bouche riante, le front épanoui, l'œil triomphant.

– Bonjour, père. Comment va votre main ? Mieux, n'est-ce pas ? Et, satisfait de la bonne réponse qu'il se faisait à lui-même, il poursuivit : Vous avez vu votre chambre, elle est tout près de la nôtre. Nous sommes absolument décidés à être très heureux. Et vous en serez, de notre bonheur, entendez-vous, père. Ah ça, vous déjeunez avec nous aujourd'hui ?

Jean Valjean dénoua la cravate noire qui lui soutenait le bras droit, défit le linge roulé autour de sa main, mit son pouce à nu et le montra à Marius.

– Je n'ai rien à la main, dit-il.

Marius regarda le pouce.

Il n'y avait en effet aucune trace de blessure.

Jean Valjean poursuivit :

– Il convenait que je fusse absent de votre mariage. Je me suis fait absent le plus que j'ai pu. J'ai supposé cette blessure pour ne point faire un faux, pour ne pas introduire de nullité dans les actes du mariage, pour être dispensé de signer.

Marius bégaya.

– Qu'est-ce que cela veut dire ?

– Cela veut dire, répondit Jean Valjean, que j'ai été aux galères.

– Vous me rendez fou ! s'écria Marius épouvanté.

– Monsieur Pontmercy, dit Jean Valjean, j'ai été dix-neuf ans aux galères. Pour vol. Puis j'ai été condamné à perpétuité. Pour vol. Pour récidive. À l'heure qu'il est, je suis en rupture de ban.

Marius avait beau reculer devant la réalité, refuser le fait, résister à l'évidence, il fallait s'y rendre.

– Mais enfin, s'écria-t-il, pourquoi me dites-vous tout cela ? Qu'est-ce qui vous y force ? Vous pouviez vous garder le secret à vous-même. Vous n'êtes ni dénoncé, ni poursuivi, ni traqué. À quel propos faites-vous cet aveu ? Pour quel motif ?

– Pour quel motif ? répondit Jean Valjean d'une voix si basse et si sourde qu'on eût dit que c'était à lui-même qu'il parlait plus qu'à Marius. Pour quel motif, en effet, ce forçat vient-il dire : Je suis un forçat ? Eh bien ! oui, le motif est étrange. C'est par honnêteté. Je pouvais mentir, c'est vrai, vous tromper tous, rester M. Fauchelevent. Tant que cela a été pour elle, j'ai pu mentir ; mais maintenant ce serait pour moi, je ne le dois pas. Vous me demandez ce qui me force à parler ? une drôle de chose ; ma conscience. Je suis hors de la vie, monsieur. Pour vivre, autrefois, j'ai volé un pain ; aujourd'hui, pour vivre, je ne veux pas voler un nom.

En ce moment, à l'autre extrémité du salon, la porte s'entrouvrit doucement et dans l'entrebâillement la tête de Cosette apparut. On n'apercevait que son doux visage ; elle était admirablement décoiffée, elle avait les paupières encore gonflées de sommeil ; elle fit le mouvement d'un oiseau qui passe sa tête hors du nid, regarda d'abord son mari, puis Jean Valjean, et leur cria en riant :

– Parions que vous parlez politique. Comme c'est bête, au lieu d'être avec moi !

Jean Valjean tressaillit.

– Je vais m'installer près de vous sur un fauteuil, vous direz tout ce que vous voudrez, je sais bien qu'il faut que les hommes parlent, je serai bien sage.

Marius lui prit le bras et lui dit amoureusement :

– Nous parlons affaires. Va, ma petite Cosette, laisse-nous un moment. Nous parlons chiffres. Cela t'ennuierait.

– Vous allez voir que c'est vous qui allez vous ennuyer sans moi. Je m'en vais, c'est bien fait.

Et elle sortit. La porte se referma et les ténèbres se refirent.

Ce fut comme un rayon de soleil fourvoyé qui, sans s'en douter, aurait traversé brusquement de la nuit.

Marius s'assura que la porte était bien refermée.

– Pauvre Cosette ! murmura-t-il, quand elle va savoir...

À ce mot, Jean Valjean trembla de tous ses membres. Il fixa sur Marius un œil égaré.

– Cosette! oh oui, c'est vrai, vous allez dire cela à Cosette. C'est juste. Tiens, je n'y avais pas pensé. On a de la force pour une chose, on n'en a pas pour une autre. Monsieur, je vous en conjure, je vous en supplie, ne le lui dites pas. Est-ce qu'il ne suffit pas que vous le sachiez, vous?

Il s'affaissa sur un fauteuil et cacha son visage dans ses deux mains. On ne l'entendait pas, mais aux secousses de ses épaules, on voyait qu'il pleurait. Pleurs silencieux, pleurs terribles.

– Soyez tranquille, dit Marius, je garderai votre secret pour moi seul.

– Je vous remercie, monsieur, répondit Jean Valjean avec douceur. Tenez, monsieur, dit-il, si vous ne le trouviez pas mauvais, je viendrais de temps en temps voir Cosette. Je ne viendrais pas souvent. Je ne resterais pas longtemps. Vous diriez qu'on me reçoive dans la petite salle basse. Au rez-de-chaussée. Monsieur, vraiment. Je voudrais bien voir encore un peu Cosette. Mettez-vous à ma place, je n'ai plus que cela. Et puis, il faut prendre garde. Si je ne venais plus du tout, on trouverait cela singulier. Par exemple, ce que je puis faire, c'est de venir le soir, quand il commence a ètre nuit.

– Vous viendrez tous les soirs, dit Marius, et Cosette vous attendra.

– Vous êtes bon, monsieur, dit Jean Valjean.

Marius salua Jean Valjean, le bonheur reconduisit jusqu'à la porte le désespoir, et ces deux hommes se quittèrent.

Marius était bouleversé.

Trouver brusquement un tel secret au milieu de son bonheur, cela ressemble à la découverte d'un scorpion dans un nid de tourterelles.

L'ancien éloignement de Marius pour cet homme, pour ce Fauchelevent devenu Jean Valjean, était à présent mêlé d'horreur.

Dans cette horreur, disons-le, il y avait quelque pitié, et même une certaine surprise.

Ce voleur, ce voleur récidiviste, avait restitué un dépôt. Et quel dépôt? Six cent mille francs. Il était seul dans le secret du dépôt. Il pouvait tout garder, il avait tout rendu.

En outre, il avait révélé de lui-même sa situation. Rien ne l'y obligeait. Si l'on savait qui il était, c'était par lui. Il y avait dans cet aveu plus que l'acceptation de l'humiliation, il y avait l'acceptation du péril. Pour un condamné, un masque n'est pas un masque, c'est un abri. Il avait renoncé à cet abri.

Marius, il faut le reconnaître et même y insister, tout en interrogeant Jean Valjean, ne lui avait pas fait deux ou trois questions décisives. Ce n'était pas qu'elles ne se fussent présentées à son esprit, mais il en avait eu peur. Le galetas Jondrette? La barricade? Javert? Qui sait où se fussent arrêtées les révélations? Jean Valjean ne semblait pas homme à reculer, et qui sait si Marius, après l'avoir poussé, n'aurait pas souhaité le retenir? Dans de certaines conjonctures suprêmes, ne nous est-il pas arrivé à tous, après avoir fait une question, de nous boucher les oreilles pour ne pas entendre la réponse? À tort ou à raison Marius avait eu peur. Il en savait déjà trop. Il cherchait plutôt à s'étourdir qu'à s'éclairer. Éperdu, il emportait Cosette dans ses bras en fermant les yeux sur Jean Valjean.

LIVRE HUITIÈME

La décroissance crépusculaire

Le lendemain, à la nuit tombante, Jean Valjean frappait à la porte cochère de la maison Gillenormand.

Basque, absolument respectueux, ouvrit la porte de la salle basse et dit :

– Je vais prévenir madame.

La pièce où Jean Valjean entra était un rez-de-chaussée voûté et humide, servant de cellier dans l'occasion, donnant sur la rue, carrelé de carreaux rouges, et mal éclairé d'une fenêtre à barreaux de fer.

Deux fauteuils étaient placés aux deux coins de la cheminée. Entre les fauteuils était étendue, en guise de tapis, une vieille descente de lit montrant plus de corde que de laine.

La chambre avait pour éclairage le feu de la cheminée et le crépuscule de la fenêtre.

Jean Valjean était fatigué. Depuis plusieurs jours, il ne mangeait ni ne dormait. Il se laissa tomber sur un des fauteuils.

Tout à coup, il se dressa comme en sursaut. Cosette était derrière lui.

Il ne l'avait pas vue entrer, mais il avait senti qu'elle entrait.

Il se retourna. Il la contempla. Elle était adorablement belle. Mais ce qu'il regardait de ce profond regard, ce n'était pas la beauté, c'était l'âme.

– Ah bien, s'écria Cosette, père, je savais que vous étiez singulier, mais jamais je ne me serais attendue à celle-là. Voilà une idée ! Marius me dit que c'est vous qui voulez que je vous reçoive ici.

– Oui, c'est moi.

– Mais pourquoi? et vous choisissez pour me voir la chambre la plus laide de la maison. C'est horrible ici.

– Tu sais... Jean Valjean se reprit: Vous savez, madame, je suis particulier, j'ai mes lubies.

Cosette frappa ses petites mains l'une contre l'autre.

– Madame!... vous savez!... encore du nouveau! Qu'est-ce que cela veut dire?

Jean Valjean attacha sur elle ce sourire navrant auquel il avait parfois recours:

– Vous avez voulu être madame. Vous l'êtes.

– Pas pour vous, père.

– Ne m'appelez plus père. Appelez-moi monsieur Jean. Jean, si vous voulez.

– Vous n'êtes plus père? je ne suis plus Cosette? monsieur Jean? Qu'est-ce que cela signifie? mais c'est des révolutions, ça? que s'est-il donc passé? regardez-moi donc un peu en face. Et vous ne voulez pas demeurer avec nous! Qu'est-ce que je vous ai fait? Il y a donc eu quelque chose?

– Rien. Puisque vous êtes Mme Pontmercy, je puis bien être M. Jean.

– Vous m'en voulez donc de ce que je suis heureuse?

La naïveté, à son insu, pénètre quelquefois très avant. Cette question, simple pour Cosette, était profonde pour Jean Valjean. Cosette voulait égratigner; elle déchirait.

Jean Valjean pâlit. Il resta un moment sans répondre, puis, d'un accent inexprimable et se parlant à lui-même, il murmura:

– Son bonheur, c'était le but de ma vie. À présent Dieu peut me signer ma sortie. Cosette, tu es heureuse; mon temps est fait.

– Ah! vous m'avez dit *tu*! s'écria Cosette.

Et elle lui sauta au cou.

L'entraînement allait devenir poignant pour Jean Valjean. Il se retira doucement des bras de Cosette, et prit son chapeau.

– Eh bien? dit Cosette.

Jean Valjean répondit:

– Je vous quitte, madame, on vous attend. Et, du seuil de la porte, il ajouta: Je vous ai dit tu. Dites à votre mari que cela ne m'arrivera plus. Pardonnez-moi.

Jean Valjean sortit, laissant Cosette stupéfaite de cet adieu énigmatique.

Le jour suivant, à la même heure, Jean Valjean vint.

Cosette ne lui fit pas de questions, ne s'étonna plus, ne parla plus du salon. Elle se laissa dire vous. Elle se laissa appeler madame. Seulement elle avait une certaine diminution de joie. Elle eût été triste, si la tristesse lui eût été possible.

Il est probable qu'elle avait eu avec Marius une de ces conversations dans lesquelles l'homme aimé dit ce qu'il veut, n'explique rien, et satisfait la femme aimée. La curiosité des amoureux ne va pas très loin au-delà de leur amour.

Tous les lendemains qui suivirent ramenèrent à la même heure Jean Valjean. Il vint tous les jours, n'ayant pas la force de prendre les paroles de Marius autrement qu'à la lettre. Marius s'arrangea de manière à être absent aux heures où Jean Valjean venait. La maison s'accoutuma à la nouvelle manière d'être de M. Fauchelevent. Le grand-père rendit ce décret:

– C'est un original.

Et tout fut dit.

Plusieurs semaines se passèrent ainsi. Une vie nouvelle s'empara peu à peu de Cosette; les relations que crée le mariage, les visites, le soin de la maison, les plaisirs, ces grandes affaires. Les plaisirs de Cosette n'étaient pas coûteux; ils consistaient en un seul: être avec Marius. Le grand-père se portait bien; Marius plaidait çà et là quelques causes; la tante Gillenormand menait paisiblement près du nouveau ménage cette vie latérale qui lui suffisait. Jean Valjean venait tous les jours.

Dans les premiers temps il ne restait près de Cosette que quelques minutes, puis s'en allait.

Peu à peu il prit l'habitude de faire ses visites moins courtes. On eût dit qu'il profitait de l'autorisation des jours qui s'allongeaient: il arriva plus tôt et partit plus tard.

Un jour il resta plus longtemps encore qu'à l'ordinaire. Le lendemain, il remarqua qu'il n'y avait point de feu dans la cheminée.

Le jour suivant, il eut, en pénétrant dans la salle basse, comme une secousse. Les fauteuils avaient disparu. Il n'y avait pas même une chaise.

– Ah ça, s'écria Cosette en entrant, pas de fauteuils! Où sont donc les fauteuils?

Jean Valjean bégaya:

– C'est moi qui ai dit à Basque de les enlever. Je ne reste que quelques minutes aujourd'hui.

Cette fois il avait compris.

Le lendemain il ne vint pas. Cosette ne le remarqua que le soir.

– Tiens, dit-elle, M. Jean n'est pas venu aujourd'hui.

Elle eut comme un léger serrement de cœur, mais elle s'en aperçut à peine, tout de suite distraite par un baiser de Marius.

Le jour d'après, il ne vint pas.

LIVRE NEUVIÈME

Suprême ombre, suprême aurore

C'est une terrible chose d'être heureux! Comme on s'en contente! Comme, étant en possession du faux but de la vie, le bonheur, on oublie le vrai but, le devoir!

Disons-le pourtant, on aurait tort d'accuser Marius.

Marius, nous l'avons expliqué, avant son mariage, n'avait pas fait de questions à M. Fauchelevent, et, depuis, il avait craint d'en faire à Jean Valjean. Il avait regretté la promesse à laquelle il s'était laissé entraîner. Il s'était beaucoup dit qu'il avait eu tort de faire cette concession au désespoir. Il s'était borné à éloigner peu à peu Jean Valjean de sa maison et à l'effacer le plus possible dans l'esprit de Cosette. Il s'était en quelque sorte toujours placé entre Cosette et Jean Valjean, sûr que de cette façon elle ne l'apercevrait pas et n'y songerait point. C'était plus que l'effacement, c'était l'éclipse.

Marius faisait ce qu'il jugeait nécessaire et juste. Il croyait avoir, pour écarter Jean Valjean, sans dureté, mais sans faiblesse, des raisons sérieuses.

Il croyait, en ce moment-là même, avoir un grave devoir à accomplir: la restitution des six cent mille francs à quelqu'un qu'il cherchait le plus discrètement possible. En attendant, il s'abstenait de toucher à cet argent.

Quant à Cosette, elle n'était dans aucun de ces secrets-là; mais il serait dur de la condamner, elle aussi.

Il y avait de Marius à elle un magnétisme tout-puissant, qui lui faisait faire, d'instinct et presque machinalement, ce que Marius souhaitait. Elle sentait, du côté de « M. Jean », une volonté de Marius; elle s'y conformait.

N'allons pas trop loin cependant ; en ce qui concerne Jean Valjean, cet oubli et cet effacement n'étaient que superficiels. Elle était plutôt étourdie qu'oublieuse. Au fond, elle aimait bien celui qu'elle avait si longtemps nommé son père. Mais elle aimait plus encore son mari. C'est ce qui avait un peu faussé la balance de ce cœur, penché d'un seul côté.

Marius avait peu à peu soustrait Cosette à Jean Valjean. Cosette s'était laissé faire.

Un jour Jean Valjean descendit son escalier, fit trois pas dans la rue, s'assit sur une borne, sur cette même borne où Gavroche, dans la nuit du 5 au 6 juin, l'avait trouvé songeant ; il resta là quelques minutes, puis remonta. Le lendemain, il ne sortit pas de chez lui. Le surlendemain, il ne sortit pas de son lit.

Ce même jour, ou, pour mieux dire, ce même soir, comme Marius sortait de table, Basque lui avait remis une lettre en disant :

– La personne qui a écrit la lettre est dans l'antichambre.

Marius la prit. Elle sentait le tabac. Rien n'éveille un souvenir comme une odeur. Marius reconnut ce tabac. Il regarda la suscription : *À monsieur, monsieur le baron Pommerci. En son hôtel.* Le tabac reconnu lui fit reconnaître l'écriture. On pourrait dire que l'étonnement a des éclairs. Marius fut comme illuminé d'un de ces éclairs-là.

Il décacheta avidement la lettre, et il lut :

Monsieur le baron,

Je suis en possession d'un secret consernant un individu. Cet individu vous conserne. Je tiens le secret à votre disposition desirant avoir l'honneur de vous ètre hutile. Je vous donnerai le moyen simple de chaser de votre honorable famille cet individu qui n'y a pas droit, madame la baronne étant de haute naissanse. Le sanctuaire de la vertu ne pourrait coabiter plus longtemps avec le crime sans abdiquer.

J'atends dans l'entichambre les ordres de monsieur le baron.

Avec respect.

La lettre était signée « THÉNARD ».

Cette signature n'était pas fausse. Elle était seulement un peu abrégée.

L'émotion de Marius fut profonde. Après le mouvement de surprise, il eut un mouvement de bonheur. Qu'il trouvât maintenant l'autre homme qu'il cherchait, celui qui l'avait sauvé, lui, Marius, et il n'aurait plus rien à souhaiter.

Il ouvrit un tiroir de son secrétaire, y prit quelques billets de banque, les mit dans sa poche, referma le secrétaire et sonna. Basque entrebâilla la porte.

– Faites entrer, dit Marius.

Un homme entra.

Nouvelle surprise pour Marius. L'homme qui entra lui était parfaitement inconnu.

Le désappointement de Marius, en voyant entrer un homme autre que celui qu'il attendait, tourna en disgrâce pour le nouveau venu. Il l'examina des pieds à la tête, pendant que le personnage s'inclinait démesurément, et lui demanda d'un ton bref:

– Que voulez-vous?

– Monsieur le baron. J'ai un secret à vous vendre.

– Un secret!

– Monsieur le baron, vous avez chez vous un voleur et

un assassin. Je vais vous dire son nom vrai. Et vous le dire pour rien.

– J'écoute.

– Il s'appelle Jean Valjean.

– Je le sais.

– C'est un ancien forçat.

– Je le sais.

Le ton froid de Marius, cette double réplique: *Je le sais*, son laconisme réfractaire au dialogue, remuèrent dans l'inconnu quelque colère sourde. Il décocha à la dérobée à Marius un regard furieux, tout de suite éteint. Si rapide qu'il fût, ce regard était de ceux qu'on reconnaît quand on les a vus une fois; il n'échappa point à Marius.

L'inconnu reprit en souriant:

– Je ne me permets pas de démentir monsieur le baron. Dans tous les cas, vous devez voir que je suis renseigné. Maintenant ce que j'ai à vous apprendre n'est connu que de moi seul. Cela intéresse la fortune de Mme la baronne. C'est un secret extraordinaire. Il est à vendre. C'est à vous que je l'offre d'abord. Bon marché. Vingt mille francs.

– Je sais votre secret extraordinaire; de même que je savais le nom de Jean Valjean, de même que je sais votre nom.

– Ce n'est pas difficile, monsieur le baron. J'ai eu l'honneur de vous l'écrire et de vous le dire. Thénard.

– Dier.

– Hein?

– Thénardier.

– Qui ça?

Dans le danger, le porc-épic se hérisse, le scarabée fait le mort, la vieille garde se forme en carré; cet homme se mit à rire.

– Monsieur le baron est infaillible, dit-il d'une voix nette, je suis Thénardier.

Thénardier, on se le rappelle, quoique ayant été voisin de Marius, ne l'avait jamais vu, ce qui est fréquent à Paris ; il avait autrefois entendu vaguement ses filles parler d'un jeune homme très pauvre appelé Marius qui demeurait dans la maison. Il lui avait écrit, sans le connaître, la lettre qu'on sait. Aucun rapprochement n'était possible dans son esprit entre ce Marius-là et M. le baron Pontmercy.

Quant au nom de Pontmercy, on se rappelle que sur le champ de bataille de Waterloo, il n'en avait entendu que les deux dernières syllabes, pour lesquelles il avait toujours eu le légitime dédain qu'on doit à ce qui n'est qu'un remerciement.

Du reste, par ses fouilles personnelles, il était parvenu à savoir beaucoup de choses, et, du fond de ses ténèbres, il avait réussi à saisir plus d'un fil mystérieux. Il avait, à force d'industrie, deviné quel était l'homme qu'il avait rencontré un certain jour dans le grand égout. De l'homme, il était facilement arrivé au nom.

Marius était resté pensif. Il tenait donc enfin Thénardier. Cet homme, qu'il avait tant désiré retrouver, était là. Il allait enfin délivrer de ce créancier indigne l'ombre du colonel.

Marius rompit le silence.

– Thénardier, je vous ai dit votre nom. À présent, votre secret, voulez-vous que je vous le dise ? Vous allez voir que j'en sais plus long que vous. Jean Valjean, comme vous l'avez dit, est un assassin et un voleur. Un voleur, parce qu'il a volé un riche manufacturier dont il a causé la ruine, M. Madeleine. Un assassin, parce qu'il a assassiné l'agent de police Javert.

Thénardier jeta à Marius le coup d'œil souverain d'un homme battu qui remet la main sur la victoire et qui vient de regagner en une minute tout le terrain qu'il avait perdu.

– Monsieur le baron, nous faisons fausse route. La confiance dont monsieur le baron m'honore me fait un devoir de le lui dire. Je n'aime pas voir accuser les gens injustement. Jean Valjean n'a point volé M. Madeleine, et Jean Valjean n'a point tué Javert.

Thénardier tira de sa poche de côté une large enveloppe de papier gris.

– J'ai mon dossier, dit-il avec calme.

Tout en parlant, Thénardier extrayait de l'enveloppe deux numéros de journaux jaunis, fanés et fortement saturés de tabac. Et il tendit à Marius les deux journaux déployés.

Le plus ancien, un numéro du *Drapeau blanc* du 25 juillet 1823, établissait l'identité de M. Madeleine et de Jean Valjean. L'autre, un *Moniteur* du 15 juin 1832, constatait le suicide de Javert, ajoutant qu'il résultait d'un rapport verbal de Javert au préfet que, fait prisonnier dans la barricade de la rue de la Chanvrerie, il avait dû la vie à la magnanimité d'un insurgé qui, le tenant sous son pistolet, au lieu de lui brûler la cervelle, avait tiré en l'air.

Marius ne put retenir un cri de joie :

– Eh bien alors, ce malheureux est un admirable homme ! toute cette fortune était vraiment à lui ! c'est Madeleine, la providence de tout un pays ! c'est Jean Valjean, le sauveur de Javert ! c'est un héros ! c'est un saint !

– Ce n'est pas un saint, et ce n'est pas un héros, dit Thénardier. C'est un assassin et un voleur.

Et il ajouta du ton d'un homme qui commence à se sentir quelque autorité :

– Monsieur le baron, le 6 juin 1832, il y a un an environ, le jour de l'émeute, un homme était dans le grand égout de Paris, entre le pont des Invalides et le pont d'Iéna. Cet homme, forcé de se cacher, avait pris l'égout pour domicile et en avait une clef. Chose étrange, il y avait dans l'égout un autre homme que lui. Il marchait courbé. L'homme qui marchait courbé était un ancien forçat, et ce qu'il traînait sur ses épaules était un cadavre. Flagrant délit d'assassinat, s'il en fut. Quant au vol, il va de soi ; on ne tue pas un homme gratis. Ce forçat allait jeter ce cadavre à la rivière. Celui qui avait la clef parlementa. Il examina ce mort, mais il ne put rien voir, sinon qu'il était jeune, bien mis, l'air d'un riche, et tout défiguré par le sang. Tout en causant, il trouva moyen de déchirer, sans que l'assassin s'en aperçût, un morceau de l'habit de l'homme assassiné. Pièce à conviction, vous comprenez ; moyen de ressaisir la trace des choses et de prouver le crime au criminel. Il mit la pièce à conviction dans sa poche. Après quoi il ouvrit la grille, fit sortir l'homme avec son embarras sur le dos, referma la grille et se sauva. Vous comprenez à présent. Celui qui portait le cadavre, c'est Jean Valjean ; celui qui avait la clef vous parle en ce moment ; et le morceau de l'habit...

Thénardier acheva la phrase en tirant de sa poche un lambeau de drap noir déchiqueté, tout couvert de taches sombres.

– Le jeune homme était moi, et voici l'habit ! cria Marius, et il jeta sur le parquet un vieil habit noir tout sanglant.

Puis, arrachant le morceau des mains de Thénardier, il s'accroupit sur l'habit, et rapprocha du pan déchiqueté le morceau déchiré. La déchirure s'adaptait exactement, et le lambeau complétait l'habit.

Thénardier était pétrifié.

Marius se redressa frémissant, désespéré, rayonnant.

Il fouilla dans sa poche, et marcha, furieux, vers Thénardier, lui présentant et lui appuyant presque sur le visage son poing rempli de billets.

– Vous êtes un infâme ! vous êtes un menteur, un calomniateur, un scélérat. Vous veniez accuser cet homme, vous l'avez justifié ; vous vouliez le perdre, vous n'avez réussi qu'à le glorifier. Et c'est vous qui êtes un voleur ! Et c'est vous qui êtes un assassin ! Je vous ai vu, Thénardier Jondrette, dans ce bouge du boulevard de l'Hôpital. J'en sais assez sur vous pour vous envoyer au bagne. Tenez, voilà mille francs, sacripant que vous êtes ! Vous partirez dès demain pour l'Amérique avec votre fille. Je veillerai à votre départ, bandit, et je vous compterai à ce moment-là vingt mille francs. Allez vous faire pendre ailleurs !

– Monsieur le baron, répondit Thénardier en saluant jusqu'à terre, reconnaissance éternelle.

Et Thénardier sortit, n'y concevant rien, stupéfait et ravi de ce doux écrasement sous des sacs d'or et de cette foudre éclatant sur sa tête en billets de banque.

Finissons-en tout de suite avec cet homme. Deux jours après, il partit pour l'Amérique, sous un faux nom, avec sa fille Azelma, muni d'une traite de vingt mille francs. La misère morale de Thénardier, le bourgeois manqué, était irrémédiable ; il fut en Amérique ce qu'il était en Europe. Le contact d'un méchant homme suffit quelquefois pour pourrir une bonne action et pour en faire sortir une chose mauvaise. Avec l'argent de Marius, Thénardier se fit négrier.

Dès que Thénardier fut dehors, Marius courut au jardin où Cosette se promenait encore :

– Cosette ! Cosette ! cria-t-il. Viens ! viens vite. Partons.

Basque, un fiacre! Ah! mon Dieu! C'est lui qui m'avait sauvé la vie! Ne perdons pas une minute!

Cosette le crut fou, et obéit.

Au coup qu'il entendit frapper à sa porte, Jean Valjean se retourna.

– Entrez, dit-il faiblement.

La porte s'ouvrit. Cosette et Marius parurent.

Cosette se précipita dans la chambre.

Marius resta sur le seuil, debout, appuyé contre le montant de la porte.

– Cosette! dit Jean Valjean, et il se dressa sur sa chaise, les bras ouverts et tremblants, hagard, livide, sinistre, une joie immense dans les yeux.

Cosette, suffoquée d'émotion, tomba sur la poitrine de Jean Valjean.

– Père! dit-elle.

Jean Valjean, bouleversé, bégayait:

– Cosette! elle! vous, madame! c'est toi! Ah mon Dieu! Et, serré dans les bras de Cosette, il s'écria: C'est toi! tu es là! Tu me pardonnes donc!

Marius, baissant les paupières pour empêcher ses larmes de couler, fit un pas et murmura entre ses lèvres contractées convulsivement pour arrêter les sanglots:

– Mon père!

– Et vous aussi, vous me pardonnez! dit Jean Valjean.

À ce mot, tout ce qui se gonflait dans le cœur de Marius trouva une issue, il éclata:

– Cosette, entends-tu? il me demande pardon. Et sais-tu ce qu'il m'a fait, Cosette? Il m'a sauvé la vie. Il a fait plus. Il t'a donnée à moi. Et, après m'avoir sauvé, et après t'avoir donnée à moi, Cosette, qu'a-t-il fait de lui-même ? il s'est sacrifié. Voilà l'homme. Et, à moi l'ingrat, à moi l'oublieux, à moi l'impitoyable, à moi le coupable, il me dit : Merci ! Cette barricade, cet égout, cette fournaise, ce cloaque, il a tout traversé pour moi, pour toi, Cosette ! Il m'a emporté à travers toutes les morts qu'il écartait de moi et qu'il acceptait pour lui. Tous les courages, toutes les vertus, tous les héroïsmes, toutes les saintetés, il les a. Cosette, cet homme-là, c'est l'ange !

– Chut ! chut ! dit tout bas Jean Valjean. Pourquoi dire tout cela ?

– Mais vous ! s'écria Marius, avec une colère où il y avait de la vénération, pourquoi ne l'avez-vous pas dit ? C'est votre faute aussi. Vous sauvez la vie aux gens, et vous le leur cachez ! Vous faites plus, sous prétexte de vous démasquer, vous vous calomniez. C'est affreux.

– J'ai dit la vérité, répondit Jean Valjean.

– Non, reprit Marius, la vérité, c'est toute la vérité ; et vous ne l'avez pas dite. Vous étiez M. Madeleine, pourquoi ne pas l'avoir dit ? Vous aviez sauvé Javert, pourquoi ne pas l'avoir dit ? Je vous devais la vie, pourquoi ne pas l'avoir dit ?

– Parce que je pensais comme vous. Je trouvais que vous aviez raison. Il fallait que je m'en allasse. Si vous aviez su cette affaire de l'égout, vous m'auriez fait rester près de vous. Je devais donc me taire. Si j'avais parlé, cela aurait tout gêné.

– Gêné quoi ? gêné qui ? repartit Marius. Est-ce que vous croyez que vous allez rester ici ? Quand je pense que c'est par hasard que j'ai appris tout cela ! Nous vous emmenons. Vous faites partie de nous-mêmes. Vous êtes son père et le mien. Vous ne passerez pas dans cette affreuse maison un jour de plus. Ne vous figurez pas que vous serez demain ici.

– Demain, dit Jean Valjean, je ne serai pas ici, mais je ne serai pas chez vous.

– Que voulez-vous dire? répliqua Marius.

– Je vais mourir tout à l'heure.

Cosette et Marius frissonnèrent.

– Mourir! s'écria Marius.

– Oui, mais ce n'est rien, dit Jean Valjean. Dieu a pensé comme vous et moi, et il ne change pas d'avis; il est utile que je m'en aille. La mort est un bon arrangement. Dieu sait mieux que nous ce qu'il nous faut. Que vous soyez heureux, que M. Pontmercy ait Cosette, que la jeunesse épouse le matin, qu'il y ait autour de vous, mes enfants, des lilas et des rossignols, que votre vie soit une belle pelouse avec du soleil, que tous les enchantements du ciel vous remplissent l'âme, et maintenant, moi qui ne suis bon à rien, que je meure; il est sûr que tout cela est bien.

Il fit signe à Cosette d'approcher, puis à Marius; c'était évidemment la dernière minute de la dernière heure, et il se mit à leur parler d'une voix si faible qu'elle semblait venir de loin, et qu'on eût dit qu'il y avait dès à présent une muraille entre eux et lui.

– Mes enfants, ne pleurez pas, je ne vais pas très loin, je vous verrai de là. Vous n'aurez qu'à regarder quand il fera nuit, vous me verrez sourire. Cosette, voici le moment venu de te dire le nom de ta mère. Elle s'appelait Fantine. Retiens ce nom-là: Fantine. Mets-toi à genoux toutes les fois que tu le prononceras. Elle a bien souffert. Elle t'a bien aimée. Elle a eu en malheur tout ce que tu as en bonheur. Ce sont les partages de Dieu. Il est là-haut, il nous voit tous, et il sait ce qu'il fait au milieu de ses grandes étoiles. Je vais donc m'en aller, mes enfants. Aimez-vous bien toujours. Il n'y a guère autre chose que cela dans le monde : s'aimer. Vous penserez quelquefois au pauvre vieux qui est mort ici. Je meurs heureux. Donnez-moi vos chères têtes bien-aimées, que je mette mes mains dessus.

Cosette et Marius tombèrent à genoux, éperdus, étouffés de larmes, chacun sur une des mains de Jean Valjean. Ces mains augustes ne remuaient plus.

Il était renversé en arrière, la lueur des deux chandeliers l'éclairait ; sa face blanche regardait le ciel, il laissait Cosette et Marius couvrir ses mains de baisers ; il était mort.

Il y a, au cimetière du Père-Lachaise, aux environs de la fosse commune, loin du quartier élégant de cette ville des sépulcres, loin de tous ces tombeaux de fantaisie qui étalent en présence de l'éternité les hideuses modes de la mort, dans un angle désert, le long d'un vieux mur, sous un grand if auquel grimpent les liserons, parmi les chiendents et les mousses, une pierre. Cette pierre n'est pas plus exempte que les autres des lèpres du temps, de la moisissure, du lichen, et des fientes d'oiseaux. L'eau la verdit, l'air la noircit. Elle n'est voisine d'aucun sentier, et l'on n'aime pas aller de ce côté-là, parce que l'herbe est haute et qu'on a tout de suite les pieds mouillés. Quand il y a un peu de soleil, les lézards y viennent. Il y a, tout autour, un frémissement de folles avoines. Au printemps, les fauvettes chantent dans l'arbre.

Cette pierre est toute nue. On n'a songé en la taillant qu'au nécessaire de la tombe, et l'on n'a pris d'autre soin que de faire cette pierre assez longue et assez étroite pour couvrir un homme.

On n'y lit aucun nom.

Seulement, voilà de cela bien des années déjà, une main y

Table

Première partie
Fantine

Deuxième partie
Cosette

Troisième partie

Marius

Quatrième partie

L'Idylle rue Plumet et l'épopée rue Saint-Denis

Cinquième partie

Jean Valjean